TUER JOHNNY FRY

WALTER MOSLEY

TUER JOHNNY FRY

Traduit de l'anglais (États-Unis)
par Jean-Pascal Bernard

Titre original :
Killing Johnny Fry

7-13, boulevard Paul-Émile-Victor - Île de la Jatte
92521 Neuilly-sur-Seine Cedex

www.michel-lafon.com

Pour toi.

C'est un mercredi que j'ai décidé de tuer Johnny Fry. Je disposais d'un bon motif depuis une semaine.

Tout a commencé le jour où j'ai déjeuné avec Lucy Carmichael au Petit Pain Café, sur Amsterdam, près de la 80e Rue. Lucy me montrait son book dans l'espoir que je lui permette d'entrer en contact avec Brad Mettleman, un agent artistique qui adorait mettre à profit les jeunes femmes aux cheveux d'or et aux yeux bleus.

J'avais rencontré Lucy à un congrès de traducteurs commerciaux anglais-français où l'avait entraînée sa mère. Importatrice de textiles, Mme Helen Carmichael cherchait de l'aide pour déchiffrer son courrier en provenance d'Afrique francophone. Mes modestes tarifs restaient au-dessus de ses moyens, mais comme elle avait une fille magnifique, je lui avais parlé de solutions alternatives offertes par l'université, tout en lorgnant du coin de l'œil sa sublime progéniture.

Je finis par apprendre que Lucy, la fille, rentrait tout juste du Darfour, où elle avait photographié des enfants victimes de la famine. Alors, j'ai glissé que j'avais travaillé pour Brad Mettleman.

– L'agent des photographes ? s'exclama Lucy. Nous

l'avons reçu en cours de commerce de l'art, à NYU[1] ! Ce serait formidable de le rencontrer. Il faut vraiment que l'opinion américaine sache ce qu'endurent ces gens.

– Je serais ravi de vous le présenter, ai-je répondu.

Je n'en pensais pas un mot, mais toujours est-il que Lucy prit mon numéro et m'invita à les accompagner le soir même, elle et ses parents, à l'inauguration d'une galerie d'art.

Au moment de nous séparer, Lucy m'embrassa sur la joue, près de la commissure des lèvres.

Je savais que cette fille plairait à Brad. Elle était mince mais bien faite, et sa blondeur m'évoquait un jour ensoleillé. Elle avait un visage strict et un regard sévère, ce qui, sur une belle plante comme elle, semblait exprimer l'ardeur et la passion.

Je dis que Brad aime profiter des jeunes femmes, mais celles auxquelles je pense ne se sont jamais plaintes. Si je déjeunais en compagnie de Lucy, c'était sans doute pour ses cheveux clairs, et parce qu'elle était tout à fait charmante. Elle avait cette manie de vous toucher l'avant-bras et de vous regarder fixement chaque fois qu'elle vous parlait.

Tout en feuilletant ses clichés de petits Soudanais, je pensais au baiser qu'elle m'offrirait lorsque je la remettrais dans un taxi pour l'East Village, pour Dumbo, ou pour je ne sais quel autre quartier d'artistes.

– La politique et l'art sont indissociables, disait-elle pendant que mon pouce tournait ces pages lourdes de souffrance et de mort.

Ces enfants aux yeux immenses paraissaient à bout de forces. Je me demandais combien de ces orphelins

1. New York University.

étaient encore en vie. Et pourquoi leur sort me laissait relativement froid. Ce qui se passait au Darfour était atroce, bien sûr. Des gosses mouraient, faute de recevoir les vivres les plus élémentaires. Ils étaient déplacés, massacrés, réduits en esclavage, victimes de viols. Mais moi, ce qui faisait battre mon cœur, c'était le prochain baiser humide de Lucy Carmichael au coin de ma bouche.

– C'est un travail puissant, lui ai-je répondu. Je suis certain que Brad sera conquis.

Et tout aussi certain qu'il exigerait plus qu'un baiser hardi pour introduire cette fille dans l'une des dix ou douze galeries du centre avec lesquelles il traitait.

– Vous croyez ? demanda Lucy en me touchant le poignet.

Je regardai ses doigts de porcelaine presser ma peau marron foncé. Quand j'y repense, c'est ce contact physique, tout autant que le reste, qui signa l'arrêt de mort de Johnny Fry. Ma langue devint complètement sèche, et la bouteille d'eau minérale ne put rien contre ma soif. Cette soif et ce que je fis pour l'étancher furent les deux premiers clous dans le cercueil de M. Fry.

Je me suis penché de sept ou huit centimètres en avant. Lucy n'a pas reculé. Soudain, j'étais sûr qu'elle se laisserait embrasser.

J'avais deux fois son âge, à un an près, mais elle ne bougea ni la main ni la tête. Elle continuait de sourire et de me dévisager.

J'expirai par le nez, assez bruyamment me sembla-t-il, et toutes sortes de pensées graves envahirent mon esprit. J'avais rencontré le père de Lucy lors du vernissage à NoLIta[1]. Ce Blanc courtaud et dégarni était mon

1. NoLIta : North of Little Italy.

cadet d'un an. En outre, Lucy avait un fiancé, un certain Billy, qui vivait à Boston et jouait dans une troupe de théâtre.

Et puis il y avait Joelle, ma copine – j'aurais presque pu dire ma femme. Je dormais chez elle tous les week-ends et cela durait depuis huit ans – nettement plus que mes deux mariages cumulés.

Joelle et moi étions convenus d'être fidèles. Pas besoin de convoler ou de signer je ne sais quel pacte officiel. Elle gagnait bien sa vie, en free-lance, comme expert en marketing dans la mode et le design, et je m'en sortais pas mal en traduisant du français et de l'espagnol pour des petites boîtes, des cabinets ou des particuliers.

– Nous avons des vies séparées que nous menons ensemble, expliqua Jo à sa petite sœur Augusta, un jour que celle-ci mettait en cause mes intentions.

– C'est un homme, et donc un chien, rétorqua Augusta.

– Je le connais mieux que toi, aurait alors dit Joelle. C'est un homme bon, incapable de me faire du mal.

La main de Lucy resta sur mon poignet tout le temps de ces digressions mentales. Son sourire n'avait pas faibli. Je voulais franchir les quinze derniers centimètres séparant ces jeunes lèvres de ma bouche affamée. J'en mourais d'envie, mais je ne l'ai pas fait.

J'avais déjà trahi la confiance de Joelle en prétendant quitter New York à midi, alors que mon train pour Philadelphie ne partait pas avant 17 heures. En fait, j'avais bien réservé pour midi, mais en exigeant auprès de l'employée de l'agence un billet de première classe, ce qu'elle n'avait pu obtenir que sur le train de 17 heures. Le temps que je m'aperçoive du changement d'horaire, j'avais déjà dit à Joelle que je devais filer à midi. Et Lucy m'appela peu après, suite à ma promesse de la mettre en cheville avec Brad. J'avais donné ma parole – et puis il y avait la perspective de ce baiser d'adieu.

Je repris ma main et remplis mon verre d'eau gazeuse. Je le vidai d'un trait.

Les yeux bleus en face des miens pétillèrent, et l'épaule de Lucy s'avança d'un chouïa. *Dommage*, disait ce mouvement. *La prochaine fois, peut-être.*

Je la raccompagnai sur le trottoir et la mis dans un taxi. Juste avant qu'elle monte, je promis d'appeler Brad. Elle m'embrassa sur la bouche, furtivement, puis me gratifia d'un sourire radieux.

Je restai planté à l'angle de la 80e et d'Amsterdam, à regarder le taxi avancer avec difficulté dans la rue encombrée. Je me souviens m'être dit que j'aurais pu le suivre à pied. J'étais à deux doigts de m'élancer en agitant les bras. Quand Lucy eut enfin disparu, je me rendis compte que j'avais besoin d'aller aux toilettes... Toute cette flotte ingurgitée devant un corsage violet à boutons verts !

J'avais la clé de l'appartement de Joelle, et son portier me connaissait de vue. À cette heure-ci, elle devait être en rendez-vous chez un grossiste en jeans de Newark. J'allais monter chez elle, faire mes petites affaires, puis je l'appellerais sur son portable pour qu'elle devine où je me trouvais. De cette façon, je lui apprendrais que j'étais encore en ville, et je me sentirais un peu moins coupable.

Robert, le portier de jour, n'était pas à son poste lorsque j'atteignis l'immeuble situé à l'angle de la 91e et de Central Park West. Je traversai le hall jusqu'à la troisième colonne d'ascenseurs et montai jusqu'au vingt-troisième étage.

Joelle avait hérité de cet appartement à l'âge de vingt ans à peine, à la mort de sa grand-mère, douze ans plus tôt. C'était une très belle surface. Après l'entrée, un couloir débouchait sur un salon, dont les grandes fenêtres donnaient sur le parc. J'adorais venir chez Joelle.

J'étais content de n'avoir rien tenté avec Lucy.

Ils faisaient si peu de bruit qu'on a failli tomber nez à nez. Jo était assise sur le dossier du canapé. Son chemisier noir était remonté jusqu'aux aisselles, au-dessus des seins, et son pantalon noir gisait par terre – seule la jambe gauche restait accrochée à sa cheville. John Fry ne portait qu'un tee-shirt en soie grise. Debout entre les cuisses de Jo, il lui titillait le sexe avec son érection.

Elle le regardait droit dans les yeux, ses mains cuivrées sur le torse blême de Fry. Lui semblait concentré sur quelque sensation intérieure. Peut-être qu'il se retenait. Peut-être qu'il la narguait.

Leur petit jeu dura un certain temps.

Je vis qu'il portait une capote – une capote rouge. Pour une raison quelconque, cette couleur m'énerva. Parfois, il la pénétrait en profondeur. C'étaient les seuls moments où elle lâchait un son, une sorte de plainte qui prenait la forme d'un « oh », ou bien, parfois, d'un « arrête, s'il te plaît ».

Je me suis demandé, comme pour passer le temps, si elle prétendrait plus tard avoir essayé de l'arrêter – si elle prétendrait lui avoir dit non.

J'ai fini par me détourner car ce spectacle m'empêchait de réfléchir.

Revenu dans le couloir, j'ai su que je devais m'en aller. Leur rentrer dans le lard ne m'apporterait rien. John Fry était mieux bâti que moi (à tous points de vue) et je n'avais pas d'arme sous la main. Et puis, après tout, Joelle n'était pas ma femme. Nous passions beaucoup de temps ensemble, mais c'était son appartement.

J'ai donc regagné l'entrée, et je m'éloignais dans le hall lorsque Jo poussa un cri de douleur. Je fis aussitôt demi-tour, sans réfléchir, à croire que j'avais oublié tout ce que je venais de voir. Je n'avais qu'une chose à l'esprit : mon amante souffrait.

Mais je compris vite mon erreur. Elle était au sol, à plat ventre, et Fry rôdait derrière elle, en bougeant lentement son bassin. À chaque poussée, son engin rouge sondait un peu plus loin le rectum de Joelle. Il lui parlait à l'oreille, mais là où je me trouvais je ne percevais qu'un borborygme. Elle hochait fébrilement la tête en disant :

– Oui, oui. Oh oui, papa !

Papa.

J'ai rebroussé chemin. Il y eut un nouveau cri d'extase, mais cette fois-ci j'appelai l'ascenseur et pris la cabine jusqu'au rez-de-chaussée.

– Bonjour, monsieur Carmel, lança le portier quand je passai devant son comptoir.

Il affichait un regard méfiant et je compris qu'il était au courant pour Johnny Fry. À chaque Noël, Joelle lui offrait 200 dollars d'étrennes. Il n'allait pas mordre la main qui le nourrissait. Non, monsieur.

J'ai sorti mon portefeuille.

– C'est une histoire de fous... Je suis revenu parce que je pensais avoir laissé mes papiers là-haut, et puis dans l'ascenseur j'ouvre ma sacoche, et qu'est-ce que je vois ? Je ne les range jamais là, pourtant. Je m'excuse d'être monté sans prévenir, mais vous n'étiez pas là...

J'ignorais depuis combien de temps le portier avait quitté son poste, mais c'était sans importance. Il ne dirait rien à Joelle, l'incident était clos. Et pourtant, je me suis attardé. Robert (je n'avais jamais su son nom de famille) avait la peau plus claire que la mienne, avec des nuances cramoisies. Ses yeux suggéraient des origines asiatiques et son accent n'avait rien d'américain.

– Vous suivez un peu la boxe ? lui demandai-je tout en imaginant mon amie en train de hurler là-haut, et en songeant subitement que je n'avais pas refermé la porte.

Allaient-ils rire, elle et Johnny, en remarquant la porte ouverte ? En imaginant la tête des voisins rameutés par leurs cris de plaisir ?

– Non, répondit Robert. J'aime surtout le football. Enfin, le *soccer*.

– Très bien. À la prochaine.

Je quittai l'immeuble et marchai.

Sur ma droite se succédaient de grands immeubles résidentiels, et sur la gauche s'étirait Central Park. Je pris le chemin du muséum d'Histoire naturelle, espérant pouvoir emprunter leurs toilettes. J'achetai un billet, m'arrêtai aux W.-C., puis flânai dans la section des mammifères d'Amérique du Nord.

Comme ils étaient beaux, ces loups courant dans la nuit... Il fut un temps où ces mannequins empaillés étaient des bêtes puissantes, sanguinaires et pures, vivant en marge de l'homme et de ses desseins dérisoires. Ces créatures me soulevaient la poitrine, à la manière d'un coup de foudre.

Je rôdai un certain temps parmi les collections, jaloux des animaux et de leur vie instinctive. Régulièrement passaient des grappes d'enfants hilares, émerveillés, dissipés. J'avais beau les entendre, leurs mouvements me parvenaient comme nimbés de silence – le même silence qui m'avait saisi en voyant Joelle fixer du regard ce Johnny qui la pénétrait, se retirait et la pénétrait de plus belle.

Deux adolescentes m'épiaient en gloussant. La plus boulotte portait un pull vert glauque. Elle avait le teint rouge de Robert, le portier, mais avec des cheveux blonds. Sa copine portait un tee-shirt bustier sans soutien-gorge – et elle n'en avait guère besoin. Elle était blanche, de type non européen. Elle murmurait et pouffait tout en fixant mon bas-ventre.

Il me suffit de baisser les yeux pour comprendre. Je m'étais mis à bander en pensant à Jo et Johnny.

Je pris un long couloir jusqu'à la galerie des poissons, où, d'un mouvement peu élégant, je me tortillai pour rendre mon érection un peu moins voyante.

Puis j'ai quitté le musée. J'ai traversé Columbus Circle et longé la VIIe Avenue avec ses *delis*, ses magasins d'électronique, ses hôtels et ses commerces pour touristes.

Quelque part entre la 50e et la 42e Rue, je suis tombé sur une boutique de films X. Je l'ai d'abord dépassée, avant de faire demi-tour. J'ai poussé la porte et me suis avancé dans les allées de DVD, qui étaient classés par genre. Noir, interracial, amateur, asiatique, bondage-SM, anal, éjaculations, bi, animaux, filles à zizi, gay, lesbien... Venait ensuite un vaste espace consacré aux productions hétéros, non violentes et majoritairement blanches. Juste derrière le matos pour visages pâles, j'arrêtai mon choix sur un DVD du rayon longs-métrages. Ce film avait pour vedette une certaine Sisypha Seaman. Il racontait la liaison entre une femme et un jeune étalon, et ce qui arrivait lorsque le mari découvrait le pot aux roses.

Je n'avais jamais acheté de film porno. J'y avais souvent pensé, mais rien qu'à l'idée de présenter un tel article à la caisse, j'étais mort de honte. La vendeuse ricanerait de me voir réduit à mater, preuve d'une vie sans sexe et sans amour. J'en avais une, de copine, mais la vendeuse n'en saurait rien, et comment le lui dire sans passer pour un menteur pathétique ?

Mais je ne ressentis aucune peur ce jour-là, aucune. J'ai rapporté le boîtier du *Mythe de Sisypha* vers l'entrée de la boutique, où un type d'Asie du Sud-Est surveillait les allées, perché en hauteur.

– Ce sera tout, monsieur ?

– Oui, ce sera tout. Combien ?

Je devenais un peu nerveux. Imaginons que quelqu'un entre, me voie, me reconnaisse...

Le caissier saisit un micro et cria quelques mots, sans doute en hindi. Il lut à voix haute un numéro inscrit au dos de la jaquette puis scruta l'allée centrale d'un air impatient.

La vitrine devant la caisse était remplie de gadgets. Godemichés en plastique couleur banane, pots remplis de préservatifs, tubes de lubrifiant. Je me suis demandé si Johnny Fry achetait ses capotes rouges et sa vaseline ici.

J'étais perdu dans ces pensées lorsqu'un jeune homme, de type indien lui aussi, déboula du fond de la boutique en brandissant un disque vierge de toute inscription.

Petit et sec, le type portait un pantalon en coton noir, des tennis noires et une chemise blanche boutonnée jusqu'au cou. Il tendit le DVD à son collègue, pardessus le comptoir surélevé.

– R-321-66a, annonça le jeune.

Le caissier perché entra le code dans sa machine.

– Trente-huit dollars et cinquante et un cents, monsieur.

Je payai en liquide, en faisant l'appoint.

Le caissier inséra le disque dans sa jaquette, rangea celle-ci dans un sac en papier brun, puis colla un bout de Scotch et glissa le paquet dans un sac plastique proclamant : *I love New York*. Il se pencha pour me remettre mon achat.

– Merci.

– Merci.

Retrouvant la rue ensoleillée, je vérifiai d'un regard furtif si quelqu'un m'avait vu sortir du sex-shop. Mais personne ne faisait attention à moi : pas plus les ménagères que les gamins sortant de l'école, pas plus le mendiant que les touristes français lisant leur plan.

Personne ne me voyait, avec ce *Mythe de Sisypha* triplement emballé qui pendillait à ma main gauche, celle-là même qui tenait une sacoche pleine de photos d'orphelins.

Sur la 18e Rue, je fis halte chez Dionysus' Bounty, un marchand de spiritueux.

– Vous avez du cognac ? demandai-je au type sinistre qui tenait la caisse.

– Vous cherchez quel genre ? fit-il d'un air narquois.

– C'est quoi, le meilleur ?

– Vous voulez y mettre combien ?

– Disons 100 dollars.

Alors il eut un sourire. Ce devait être le patron.

Il disparut dans l'arrière-boutique, et l'espace d'un instant j'oubliai Jo et Johnny. Puis il y eut un grincement, une porte ou je ne sais quoi, et je revis Jo appeler « papa » son Blanc à capote rouge.

Papa.

– Voilà ce que j'ai de mieux, dit le patron. 180 dollars, mais quatre-vingts ans d'âge et doux comme une peau de jeune fille.

Je réglai en espèces.

Tout en prévenant le type que je n'avais pas besoin de sachet, je posai ma sacoche sur le comptoir. J'y glissai le sac *I love New York*, et j'allais faire de même avec la bouteille de cognac quand le caviste interposa sa main.

Je m'attendais à un commentaire sur le DVD, au lieu de quoi il désigna une photo qui dépassait du classeur bleu de Lucy.

Je sortis le portrait en question. Celui d'une fillette à la peau très sombre, qui devait avoir une huitaine d'années. Sa maigreur était affolante, et son front couvert de plaies. De grosses mouches fondaient sur ses blessures purulentes.

– Qu'est-ce que c'est ? demanda-t-il.

C'est seulement là que je pris la peine de regarder le caviste. Il était blanc, dans le plus pur style européen. Sa couronne de cheveux argentés révélait un crâne rose et tavelé. Ce sexagénaire avait été costaud, à en juger par les muscles de ses avant-bras et la taille de ses mains.

– Une petite Soudanaise, répondis-je. Il y a la guerre, là-bas. Les gens meurent par milliers.

– Et ça se passe quand ? demanda-t-il, comme pour se rassurer.

– Maintenant. Aujourd'hui.

– Alors il y a des gens capables de faire ça ? Quelle bande de monstres...

J'ai hoché la tête, rangé la photo et refermé la sacoche. Je suis ressorti sans comprendre qui au juste il condamnait.

Le retour fut long jusqu'à mon appartement de Tribeca. En traversant au carrefour, je me souvins des paroles de Joelle, comme quoi nous vivions à une distance idéale :

– De cette manière on ne peut jamais tenir l'autre pour acquis, expliquait-elle, son regard marron-gris barré par une mèche défrisée. Aller vers l'autre demande un minimum d'efforts.

Voyait-elle déjà Johnny Fry à cette époque ? Non, Fry était apparu plus tard. Ils s'étaient rencontrés lors d'une fête chez Brad Mettleman. Ce que Brad appelait une garden-party. J'étais invité, car je lui avais traduit des tas de lettres venues d'Espagne et de Paris au cours de ces dernières années. Il disait que je l'avais aidé à rester au sommet. J'avais emmené Jo, car je l'emmenais partout. Au début de notre relation, elle avait précisé qu'elle n'éprouvait nul besoin de se marier, ni même de vivre avec moi, mais qu'en revanche elle tenait à ce que je l'implique dans mon existence.

Johnny était présent, donc. On s'était déjà croisés. Il gravitait autour de Brad et il fut une période où je tombais souvent sur lui. Au Crunch Gym, il avait été l'entraîneur personnel d'un des photographes de Brad, un certain Tino Martinez. Johnny avait des ambitions de musicien, or le père de Tino était producteur de disques en Argentine. Martinez senior aboucha Johnny avec un label de Chicago qui faisait dans le jazz grand public, bien que Johnny fût surtout un guitariste classique. Autant que je m'en souvienne, le projet avait capoté, et Fry s'essayait désormais dans l'import d'objets d'art.

Mais le soir de cette fête, il pressait Jo de l'aider à commercialiser son futur non-album.

– Je lui ai filé ma carte pour avoir la paix, me dit Joelle après que Fry fut parti tenir la jambe à d'autres.

Était-ce là que tout avait commencé ? Juste après, Jo s'était plainte de migraines et avait souhaité rentrer seule. Cela remontait à quand ? Six mois, tout au plus.

Fry avait-il apporté ses capotes rouges et son lubrifiant dès ce premier soir ?

Chose impensable de ma part, je balançai mon poing dans le mur de brique à ma gauche.

– Bonté divine ! fit une petite vieille qui promenait un boxer trop grand pour elle.

Le chien m'aboya dessus, mais la douleur dans mes phalanges était encore plus virulente. Je pris mon poing dans ma main et tombai à genoux, tandis que la vieille au peignoir framboise tirait sur la laisse.

– Arrête, Axel ! Au pied !

Je parvins à me hisser sur mes jambes et parcourus au trot les deux derniers pâtés de maisons. L'entrée de mon immeuble était une porte toute simple, dans un mur de brique pareil à celui que je venais d'attaquer. Je m'accroupis contre la façade et passai les cinq minutes suivantes à tenter d'ouvrir mon poing. Les trois doigts du milieu commençaient à enfler, et la douleur irradiait jusque dans mon avant-bras. Chaque millimètre de gagné ajoutait à mon supplice. Quand j'eus enfin ouvert ma paume, je n'osai plus la refermer. Mais je le fis quand même. Au bout de dix minutes, j'avais répété la manœuvre trois fois de suite.

Rien de cassé, a priori. Mais je mettrais du temps à retrouver le plein usage de ma paluche.

J'ai ri en essayant d'attraper de la main gauche mes clés enfouies dans ma poche droite de pantalon. Cette prouesse accomplie, je tentai d'introduire la clé dans la serrure.

C'est alors que la porte s'ouvrit sur Sasha Bennett, la trentenaire du quatrième qui suivait des études de droit.

– Bonjour, Cordell, dit-elle avec un sourire intrigué. Qu'est-ce qui ne va pas ?

– Je suis tombé dans la rue. Je me suis rattrapé avec le poing, ne me demandez pas pourquoi, et maintenant je n'arrive plus à rentrer chez moi.

Je conclus d'un petit rire, mais Sasha resta perplexe. Je devais avoir l'air à moitié cinglé, avec mon rictus de psychopathe.

– Laissez-moi vous aider, dit-elle en ramassant ma sacoche.

Le père de Sasha était originaire d'Europe orientale. Ces gens avaient la peau bistre et le type asiatique. Sa mère, elle, venait de l'Indiana. Le visage de Sasha s'élargissait au niveau des pommettes, et ses yeux en amande tiraient sur le noir. Nous avions bu un café ensemble à deux reprises. Une fois, elle m'avait invité à la rejoindre avec ses amis dans une location d'été, mais j'avais décliné, au motif que ma copine ne comprendrait pas.

Je la suivis dans l'étroite cage d'escalier. Elle portait un pantalon gris moulant et un corsage jaune. La douleur ne m'empêchait pas d'admirer son généreux roulement de hanches.

Les murs, l'escalier métallique et le plafond étaient peints en gris. Le bruit de nos semelles sur les marches d'acier entrait en résonance avec les flèches dans ma main.

– Passez-moi vos clés, demanda-t-elle lorsque nous atteignîmes ma porte, au deuxième.

Notre immeuble avait hébergé les bureaux d'un ancien entrepôt alimentaire situé de l'autre côté de la rue. C'était un haut bâtiment filiforme. Quand il fut transformé en appartements, il n'y avait de place que pour un logement par étage.

Je confiai mon trousseau à Sasha.

– Cette clé ouvre le verrou du bas, et la rouge celui du haut.

– Et celui du milieu ?

– Je ne le ferme jamais.

Pour une raison quelconque, ce détail la fit sourire, et même rire.

Après avoir tourné les bonnes clés dans les bonnes serrures, Sasha poussa la porte, sans résultat.

– La porte est dure, expliquai-je en grimaçant à cause de ma main. Il faut pousser fort.

Sasha grogna et appuya son épaule contre le battant ; le bois céda dans un cri qui, de ce jour, me ferait immanquablement penser à Joelle et Johnny.

Sasha posa ma sacoche sur la console en noyer de la petite entrée. J'allai aussitôt relever les stores des fenêtres côté ouest. Le vrai charme de mon appartement, c'est la lumière. Le séjour donne sur l'Hudson, et ma chambre est exposée plein est. J'ai le soleil matin et soir, au lever comme au coucher.

– Je vous offre un verre ? proposai-je à ma voisine.

Elle inclina la tête et m'examina comme si j'avais dit quelque chose d'étrange.

– Je viens d'acheter un très vieux cognac et j'ai hâte d'y goûter.

– Pourquoi vous n'invitez pas votre copine ?

– Je préférerais le boire avec vous.

Elle réitéra son drôle de regard.

– Non... je dois bosser, répondit-elle. Si je bois le moindre verre, ma soirée de boulot sera fichue.

Je me suis rapproché et je l'ai embrassée sur la bouche.

– Merci de m'avoir secouru, Sasha.

– De rien.

Elle recula légèrement.

– On peut remettre ça à une prochaine fois, suggérai-je.

– Ouais. (Son sourire se réchauffa.) Avec plaisir.

J'avalai deux comprimés d'Ibuprofène avec trois fois deux doigts de cognac.

J'avais des sueurs froides et ma main m'élançait, mais si l'on m'avait posé la question, j'aurais dit que je ne sentais rien.

Mon seul vrai luxe, c'est mon téléviseur. Un plasma d'un mètre cinquante avec DVD, boîtier TiVo[1], décodeur câble, lecteur CD, connexion Internet et radio satellitaire. Il occupe le mur entier de mon salon, et plus d'une nuit sur deux je m'endors sur mon futon devant un film ou un dessin animé pour adultes.

Quand les analgésiques commencèrent à agir, je baissai les persiennes et glissai *Le Mythe de Sisypha* dans le lecteur.

J'avais vu très peu de pornos. Et un seul en entier, lors de l'unique soirée entre hommes à laquelle j'avais assisté. Je me souvenais d'une profusion d'organes génitaux, de maquillages criards et d'hommes et de femmes s'activant sans joie. Mais celui-ci semblait différent.

Au début de ce film, Sisypha – une Noire à la peau cuivrée – et Mel, son mari blanc et bedonnant, dînent au restaurant. Il n'y a ni générique ni musique, juste les bruits de la salle. On a l'impression que les caméras suivent de vraies gens dans la vraie vie.

Les deux époux se racontent leur journée et paraissent très complices. À un moment donné, Mel demande à Sisypha si elle ne souffre pas d'être stérile. Elle lui répond qu'ils s'aiment, et que c'est ça le plus important.

1. Différé à la demande.

Plus tard, au lit, ils se souhaitent bonne nuit et se câlinent comme s'ils allaient faire l'amour, mais la scène s'arrête là et on les retrouve au matin.

Je me suis alors demandé si les gars du sex-shop ne s'étaient pas trompés en prenant le disque dans l'arrière-boutique. Peut-être avaient-ils des versions soft de leurs productions. Peut-être en avais-je pioché une par mégarde. Je me voyais déjà condamné à leur rapporter mon achat. Et néanmoins, l'intrigue me parlait. Cela ressemblait fort à mon histoire avec Joelle. Elle aussi disait qu'elle m'aimait et que notre situation la satisfaisait pleinement. Elle était encore assez jeune pour avoir des enfants, mais cela ne l'intéressait pas.

Le lendemain, donc, Mel part travailler et Sisypha vaque à ses occupations. Dans l'après-midi, un ouvrier frappe à la porte. Jeune, méditerranéen, une montagne de muscles en salopette et tee-shirt. Son nez aquilin et son sourire en coin lui donnent l'air d'un sale type, mais Sisypha semble l'apprécier.

– Bonjour, Ari, dit-elle. Vous venez pour la tuyauterie ?

– Oui, madame, répond-il avec un fort accent grec.

Je savais déjà ce qui allait se passer. Ils échangeraient un ou deux baisers, puis au plan suivant ils seraient nus dans un plumard. Je m'apprêtais à éteindre lorsque l'ouvrier arracha la jupe de la fille, s'agenouilla et lui chatouilla le clitoris du bout de sa langue pointue.

La respiration de Sisypha se fondit dans son extase. Les convulsions de ses jambes et la façon dont elle couvait des yeux la langue d'Ari prouvaient soit qu'elle était une actrice accomplie, soit qu'elle adorait s'envoyer en l'air avec ce mec. Sa passion était au moins aussi convaincante que celle de Jo lorsque Johnny avait visité son rectum.

La tension sexuelle s'accrut de minute en minute. L'érection d'Ari était longue, dure et tortueuse, se courbait vers le bas avant de rebiquer au gland. Sisypha l'enfourchait, lui frottait la queue entre ses jolis seins brun clair, gobait dans sa gorge la moitié du dard géant. Et gémissait sans discontinuer, tandis qu'Ari grognait tel un chien.

Certes, nous échappions à l'obligatoire scène du sperme – l'homme éjaculant sur la poitrine ou sur le cul de la femme –, mais Ari était de plus en plus excité. Ses mains tremblaient, ses yeux imploraient. Sisypha lui sourit.

– Tu veux que je te fasse jouir ? demanda-t-elle.

– Oui, dit-il d'une voix caverneuse.

Alors elle attrapa la verge, fit une moue narquoise et gifla le pénis.

Ari poussa un cri.

– Tu veux toujours ?

– Oui, répéta-il d'une petite voix.

Elle le frappa de nouveau, encore plus fort.

– Toujours ?

Je baissai ma braguette avec ma main gauche. Mon sexe trapu jaillit comme un ressort.

– Qu'est-ce que ça veut dire, Sisypha ? lança soudain une voix.

Je crus d'abord qu'il s'agissait d'Ari, mais la caméra pivota et je découvris Mel sur le seuil, la sacoche à la main et le costume froissé.

Mel était un type râblé, dégarni et légèrement ventru. Un Blanc aux yeux gris. Nous étions physiquement aux antipodes, mais si je m'identifiais à quelqu'un dans ce film, c'était bien à lui.

Mel se mit à gueuler et à gesticuler comme un dément. Il répétait qu'il allait appeler la police, ce qui était absurde puisque aucun délit n'avait été commis. Sisypha voulut l'en empêcher, mais il la bouscula et empoigna le téléphone. Là-dessus, Ari envoya Mel au tapis en lui collant une rouste. La queue encore gonflée, l'ouvrier se saisit d'un opportun rouleau de chatterton pour ligoter Mel à une chaise, et avant que ce dernier n'eût tout à fait repris ses esprits, il lui scotcha la bouche puis attira Sisypha sur ses genoux.

Là, je compris que Sisypha était bel et bien une actrice d'exception. Chaque fois qu'Ari s'enfonçait en elle, elle expirait un coup sec avant de grogner de plaisir. Mais dans le même temps, elle soutenait le regard de son mari avec une honte tout aussi convaincante. Quand Ari fut prêt à jouir, il la fit s'agenouiller, afin qu'elle lèche l'épais fluide blanc sur les veines noueuses de sa queue.

Je voulus caresser la mienne, mais ma main droite cria à la torture, m'interdisant cet orgasme dont je crevais d'envie. Mon souffle s'était accéléré et, en avisant les yeux suppliants de Mel, je faillis pleurer avec lui. N'étais-je pas dans la même position que lui ? Forcé de voir mon amante gémir et frémir dans les bras d'un autre ?

Ari ayant rendu son dernier spasme de plaisir, Sisypha se laissa tomber à terre et implora le pardon de Mel. Elle n'avait pas voulu le blesser ; jamais elle n'avait souhaité lui révéler sa nature dévergondée.

Mais Ari s'interposa, moqueur :

– Il aime ça, Sisypha. Tiens, regarde...

Il fit sauter la braguette de Mel, dévoilant une verge boudinée.

– Tu vois, il aime ça. Ça l'excite de te voir au bout de ma grosse bite. Il veut que tu te mettes à quatre pattes pour lui faire ce que tu m'as fait.

Sisypha scruta les yeux de son mari, qui suaient la peur et l'hésitation. Elle s'agenouilla devant lui, prudemment, commença à le sucer et à le caresser. Il lui renvoya un regard plein de tendresse.

Je me servis un verre de cognac, le vidai d'un trait et m'en reversai un autre. J'étais Mel. Désarmé, bridé, docile.

Mais au moins elle l'aimait. Au moins elle revenait vers lui.

Puis Ari s'agenouilla derrière Sisypha. Lorsqu'il la pénétra, elle émit une plainte fiévreuse qui me poussa, malgré ma main handicapée, à me toucher le sexe. Mais la douleur eut encore une fois le dernier mot. Incapable de me soulager, je regardai l'apollon buriner les fesses de la femme. Elle se tortillait, se pressait contre lui et releva la tête de l'entrejambe de Mel pour crier :

– Baise-moi ! Baise-moi plus fort !

Des larmes ruisselaient sur mon visage. Ma queue était si tendue que la peau réfléchissait l'écran, tel du verre fumé.

Le beau Grec se leva. Son érection pointait au plafond, malgré sa courbure, dégouttant littéralement des sucs de son amante. Il secoua son membre devant le visage de Mel.

– Tu sens l'odeur de sa chatte sur ma bite ? Ça t'excite, ça ?

Mel détourna la tête, mais son épouse accélérait ses coups de langue et de poignet. Ne pouvant plus lutter, il fut obligé de jouir, la queue d'Ari sous le nez. Et malgré tout, malgré ses yeux mouillés, je voyais qu'il vivait une expérience sexuelle terriblement puissante.

Alors, j'ai tâché d'imaginer son quotidien. Il se levait tous les matins pour se rendre au travail en bus. En rentrant le soir, il riait aux mêmes blagues, regardait les mêmes émissions ; il faisait l'amour une fois par semaine, dans les mêmes positions, se vantait d'être libéral et libéré quand en fait rien ne le distinguait des autres anchois confinés par douze dans des boîtes en ferraille. Sa femme l'aimait comme elle aurait aimé un garçon de six ans – touchée par son innocence lorsqu'il faisait semblant d'être un homme.

Le Grec riait encore lorsque Sisypha le poussa violemment. Sa colère était palpable, presque effrayante. Comprenant qu'il avait franchi la ligne jaune, Ari se rhabilla.

– Quand t'auras envie d'un vrai mec, tu as mon numéro, dit-il en reboutonnant sa chemise avant de disparaître.

Son départ fut un tel soulagement que je me surpris à soupirer. Je vidai un énième verre qui faillit m'étrangler.

Ma verge mollissait.

Je m'attendais à ce que Sisypha détache son mari. Ils comprendraient qu'ils s'aimaient, et alors ils feraient l'amour. Ou bien la caméra suivrait Ari vers un autre lit torride, chez lui ou dans un club quelconque.

Mais cela m'importait peu car, bien que privé de plaisir, je me sentais vidé comme après une sorte de voyage transcendantal. J'avais vu d'excellents films dans ma vie, mais aucun ne m'avait ému que cette première scène du *Mythe de Sisypha.* Ni *Le Voleur de bicyclette*, ni *Le Monde d'Apu*, ni *Voyage à Tokyo.* Jamais un film ne m'avait parlé de manière si directe, m'arrachant le cœur pour le laisser battre à mes pieds.

J'en avais fini avec ce DVD. Le sexe pur me faisait peu d'effet comparé à l'anéantissement de Mel par sa femme et son amant.

Sauf que la scène suivante n'avait rien de sexuel. Sisypha rapprocha encore le tabouret, pour s'asseoir à quelques centimètres de son mari et le dévisager longuement. La joue droite de Mel était rouge et légèrement gonflée, comme si Ari l'avait frappé pour de bon.

– Si je retire le Scotch de ta bouche, tu vas crier ? demanda-t-elle.

Il fit oui de la tête.

– Tu vas crier ? répéta-t-elle pour en avoir le cœur net.

Il hocha la tête de plus belle.

– Si je te détache, tu vas vouloir me frapper ?

Après un temps d'hésitation, Mel opina d'un air triste.

– Tu m'aimes, Melvin ?

Oui.

– Et tu me détestes aussi ?

Idem.

– Qu'est-ce qu'on peut faire ?

Il baissa la tête et la secoua lentement.

Sisypha se leva et quitta la pièce. Mel la suivit des yeux et, pendant un long moment, l'action se réduisit à un regard, celui de Mel vers la porte que venait de franchir son épouse.

Puis Sisypha reparut avec une petite valise bleu clair, s'accroupit devant lui et lui remonta sa braguette dans un geste plein d'amour.

– Je vais appeler Yvette pour qu'elle vienne te détacher. Je te contacte dans quelques jours.

Ce fut pour moi le mot de trop. Je fondis en larmes, sans pouvoir m'arrêter. L'impuissance de Mel me touchait au plus profond de mon être. Mel ne voulait pas cogner sa femme, mais il le ferait quand même. Il ne voulait pas crier, mais ça ne dépendait pas de lui. La décision appartenait à Sisypha. C'était elle qui menait la danse, qui écrirait la suite, guidée par sa passion.

Je pressai la touche Off sur ma commande universelle. Le noir envahit la pièce et je finis par m'endormir entre deux geignements.

Malgré ma frustration physique, je fis des rêves, non pas sexuels mais violents. Comme Mel, Sisypha me demandait si j'allais la frapper et je secouais la tête d'un air inoffensif. Lorsqu'elle coupait le chatterton, je lui attrapai la gorge et la serrai de toutes mes forces. Je sentais mes doigts craquer, mes épaules se contracter.

Sauf que j'avais beau m'acharner, elle soutenait mon regard, à la fois surprise et affligée par mon mensonge.

– Je suis désolée, disait-elle. Mais il me fallait davantage.

– Je t'aimais ! répliquais-je.

– Tu m'aimes toujours, rectifiait-elle avec une odieuse empathie. Même si tu me tuais, ça ne t'empêcherait pas de m'aimer.

– Je te quitte ! hurlais-je rageusement.

– Tu ne peux pas me quitter, répondait Sisypha. Tant que j'aurai envie de toi, tu resteras ligoté à cette chaise, et je baiserai tous les hommes que je voudrai sans que tu dises quoi que ce soit. Et ça va te plaire.

Je voulus répondre que non – en esprit je le fis. Mais les mots que je prononçais n'étaient que des suppliques.

– Pitié, ne me quitte pas. Ne me retire pas ton amour, bafouillai-je, écœuré par ma propre faiblesse.

Le sol devait être froid, ou bien était-ce l'alcool ou je ne sais quoi, car l'instant d'après je flottais dans les mers polaires parmi d'immenses icebergs qui s'entrechoquaient. L'air froid me brûlait les poumons, et les fracas devinrent de plus en plus bruyants, jusqu'à ce que je me réveille secoué de frissons : le téléphone sonnait dans le noir.

Je tentai de me relever, oubliant ma blessure. Je m'agrippai à la table basse et tombai en avant, me cognant le menton sur le coin du meuble. Le téléphone se tut, juste avant que ne se déclenche le répondeur.

Il se peut que j'aie perdu connaissance, à moins que je ne me sois rendormi. Quand le téléphone sonna de nouveau, l'horloge du décodeur indiquait 3 h 12. Je heurtai la table basse et mon pied renversa la bouteille de cognac. Le téléphone se tut de nouveau. Il amorçait une troisième tentative lorsque je l'atteignis enfin.

– Allô ? Qui est à l'appareil ?

– C'est moi, dit une femme.

Je connaissais cette voix, mais je ne l'identifiais pas. J'en déduisis que j'étais soûl.

– Il est tard, commentai-je, moins pour me plaindre que pour situer les choses.

– J'ai appelé le Roundtree Inn, répondit ma correspondante, et je reconnus soudain Joelle. On m'a dit que tu ne t'étais pas présenté...

– Philadelphie ! grognai-je en me souvenant que j'avais loupé le train de 17 heures.

J'avais rendez-vous le matin suivant avec le représentant d'un consortium d'investisseurs espagnols cherchant des traducteurs sur New York. C'était mon agent qui m'avait trouvé ce plan. Si je leur faisais bonne impression, un nouveau monde s'ouvrirait à moi.

– Qu'est-ce qui ne va pas, Cordell ? s'enquit Jo, comme si elle m'aimait.

Comme si, me répétai-je, avant de me demander pourquoi je pensais ça. Puis je les revis, elle et Fry, sur le divan puis sur le sol.

– Cordell ?

– J'étais en route pour la gare, hier après-midi...

– Je croyais que tu partais en fin de matinée.

– Il n'y avait pas de première classe, et je voulais bosser sur mon portable pendant le trajet. Bref, je sortais de chez moi quand soudain je me suis senti très faible, comme si j'avais des vertiges. J'ai fait demi-tour, et je me suis cassé la figure.

– Tout va bien ? s'alarma-t-elle.

– Ouais, ouais. Je me suis un peu esquinté la main. Puis, une fois à la maison, j'ai vu que j'avais de la fièvre. Un bon trente-neuf. Après ça, j'ai dormi.

– Tu as besoin que je vienne ?

Il y avait dans sa voix comme un zeste de réticence.

– Non, chérie. J'ai pris du Tylenol, et il me restait une bouteille de vodka.

En vérité, j'avais pris de l'Ibuprofène et du cognac. Cet échange téléphonique n'était que le début d'une longue série de mensonges.

– Depuis quand ?

– Quoi ?

– Depuis quand y a-t-il de l'alcool chez toi ?

– Ah oui ! J'ai acheté ça il y a quelque temps. Un jour, je rentrais à pied de ton quartier, et je suis passé devant cette boutique de spiritueux. Il y avait plein de vodka russe en vitrine, alors j'ai décidé... ben, d'en acheter.

– Tu es ivre ?

– Non, pas du tout. Je dormais juste comme une souche.

– Tu devrais consulter un médecin. Tu couves peut-être quelque chose.

– Je me sens déjà mieux, tu sais. Un peu affaibli par la fièvre, mais demain je serai complètement remis. Je me lèverai tôt pour arriver à l'heure à Philadelphie.

– Alors je peux considérer que ça va ? J'étais tellement inquiète quand j'ai appris que tu n'avais pas pris ta chambre... J'ai pensé que tu avais du retard, et là-dessus je me suis endormie. Mais quand je me suis réveillée, voici quelques minutes, la réception ne t'avait toujours pas vu...

– Aucune raison de s'affoler, répondis-je en me sentant reprendre du poil de la bête. Excuse-moi de ne pas avoir appelé. J'ai mis de la glace sur ma main, j'ai pris du Tylenol, puis je me suis écroulé de fatigue.

– Tu as quand même une voix bizarre, insista celle que j'aimais depuis huit ans. Tu es sûr que ça va ?

– Tout baigne. On se voit ce week-end ?

– Quelle question ! On n'a pas toujours passé nos week-ends ensemble, Cordell ?

– C'est juste que... Disons que je ne voudrais rien tenir pour acquis.

– Je ne suis pas une femme acquise, reconnut Jo avec douceur.

Il y eut un silence. L'obscurité se recomposait en formes méconnaissables. De jour, j'aurais su interpréter ces ombres et ces reliefs, mais là, en pleine nuit et avec un coup dans le nez, j'avais l'impression d'être chez quelqu'un d'autre.

– L ?

– Oui, chérie ?

– Il t'arrive de passer chez moi dans la journée ?

En effet. Hier, pendant que Johnny Fry t'enculait avec sa capote rouge.

– Tu le saurais, si c'était le cas. Soit on se croiserait, soit je te laisserais un petit mot.

– Bon, d'accord.

– Pourquoi cette question, chérie ? Tu préférerais que j'appelle avant de passer ?

– Non, bien sûr que non. Simplement...
– Oui ?
– Quand je suis rentrée de mon rendez-vous dans le New Jersey, j'ai trouvé la porte ouverte.
– Tiens, c'est bizarre. Tu as oublié de la fermer ?
– J'imagine. C'est vrai que j'avais les bras chargés en partant, mais quelqu'un aurait pu le remarquer et la claquer pour moi.

Était-elle en train de se payer ma tête ? L'espace d'un instant, je l'ai détestée – à fond, à mort. Puis ça s'est dissipé. Elle était juste inquiète, et je... et je ne pouvais me résoudre à évoquer son infidélité. Les mots refusaient de sortir.

– Je ferais mieux d'aller dormir, Joelle.
– Appelle-moi quand tu arrives à Philadelphie, d'accord ? Tu sais que j'aime savoir où tu es.
– Pas de problème. Salut !

Je comptais sincèrement me lever tôt et prendre le taxi pour Penn Station, mais je n'ai pas mis le réveil et j'étais bien éméché. En outre, il faisait encore nuit quand je suis sorti du lit. Je pensais être dans les temps, avant de comprendre que les stores occultaient la lumière du jour. Il était 11 h 30 ; j'avais loupé mon rencard.

En débouchant dans le salon, je vis qu'un des coussins du futon était tombé sur le téléphone. La sonnerie étouffée n'avait pu parvenir jusqu'à la chambre.

Le répondeur annonçait quatre messages. Tous de Jerry Singleton, mon principal agent.

– Cordell, commençait le premier. J'ai reçu un coup de fil de Norberto depuis Philadelphie. Il dit que tu es en retard. Que se passe-t-il ?

Au quatrième message il menaçait de me virer,

arguant que je n'étais ni le meilleur ni le moins cher des traducteurs sur le marché. Il me sommait de l'appeler avant la fin de la journée, sans quoi il veillerait à ce que je ne retrouve plus jamais de boulot, ni à New York ni ailleurs.

Il était si furax que cela semblait justifier d'une certaine façon l'état de ma main, qui avait presque doublé de volume. Mes doigts enflés divergeaient douloureusement, et cela me fit penser à Johnny Fry – à sa grosse bite écartelant le rectum de Joelle.

J'ai envisagé de faire du café ou de préparer un petit déj, mais je constatai vite que ma blessure interdisait les deux. À deux rues de chez moi se trouvait un troquet qui servait le breakfast à toute heure.

J'étais déjà habillé, alors j'ai simplement quitté l'appart, sans même fermer à clé. Comme je descendais l'escalier, j'entendis s'ouvrir l'une des portes des étages supérieurs.

J'avais parcouru la moitié du pâté de maisons lorsqu'elle m'appela :

– Cordell !

Sasha portait une robe violette coupée à mi-cuisse, assortie à des talons mauves à pois blancs. Un décolleté profond, le visage maquillé...

– Ouaouh...

– Quoi ? fit-elle en arrivant à ma hauteur.

– Vous êtes sublime. De la tête aux pieds.

C'était ce qu'il fallait dire : Sasha me prit le bras.

– Où allez-vous ? s'enquit-elle.

– Mon but ultime est l'hôpital, dis-je en montrant ma main gonflée.

– Oh, mon Dieu ! C'est affreux. Vous devriez y aller tout de suite. Je vous accompagne, si vous voulez.

– Je préférerais qu'on partage un petit déj. Je me rendais chez Dino pour avaler un morceau.

Elle sourit et serra mon biceps entre son poignet et son sein. Tout en marchant je tâchai de me rappeler si je l'avais embrassée la veille.

La jeune serveuse latino nous installa derrière la vitre. Elle nous donna les menus, mais nous savions déjà ce que nous voulions.

D'habitude, je prends des œufs brouillés, des saucisses de dinde et un déca, mais ce midi-là je choisis les pancakes aux pépites de chocolat, le bacon fumé au bois d'érable et une bière.

Sasha commanda une soupe de poulet et des boulettes de pain azyme, puis elle me parla de son petit frère, qui venait de Californie pour passer le week-end chez elle.

– Enoch est un génie, dit-elle d'un air blasé. Tout le monde répète ça depuis qu'il a deux ans. Il décroche des A dans toutes les matières et cartonne à tous ses examens. Il a trente ans et n'a jamais bossé ni obtenu la moindre licence, mais mon père persiste à dire que je devrais prendre exemple sur lui.

– Un génie, ça ?

Elle rit et toucha ma main valide.

– Il vous est déjà arrivé de découvrir que la personne avec qui vous sortez voit quelqu'un d'autre ? lançai-je sans m'y attendre.

Sasha me considéra de ses grands yeux foncés. Elle prit une inspiration qui souleva son beau décolleté.

– Vous voulez dire que vous l'avez appris par un tiers ?

– Je veux dire que je me suis pointé chez elle et que j'ai vu ce type lui planter sa bite dans le cul.

J'ignorais que ma bouche allait cracher ces mots-là. Je ne savais plus où me mettre.

– Pardon. Je ne voulais pas...

– Pourquoi pardon ? fit Sasha en prenant ma main gauche dans ses paumes. C'est elle qui devrait avoir des remords. Qu'est-ce qu'elle a dit ?

– Elle ne m'a pas [illegible] reparti.

Je voulais lui en
arrivais pas.
bloquai ma respi-

us êtes ensemble

naintenant, vous
es au courant.
tuation ?
a banquette en
onne trentaine

avais quinze ans, je sortais avec un mec de dix-huit. Ray Templeton. Il avait des cheveux noirs comme un corbeau et un torse massif. Il avait arrêté le lycée très tôt pour travailler dans un garage. Son rêve, c'était de devenir pilote de stock-car. J'étais raide dingue de lui, même si mes parents le trouvaient trop vieux et le prenaient pour un raté.

« Un jour, j'ai décidé de lui faire une surprise. Je lui avais tricoté un pull, et je souhaitais le lui offrir. Je suis rentrée chez moi pour me changer, et en entrant dans la maison j'ai entendu ma mère crier : “Oh oui, oh oui, oh oui !”, comme ça. Je pensais qu'elle était avec mon père, et ça me dégoûtait vraiment, puis j'ai entendu un homme, et j'ai compris qu'elle était avec Ray.

– Comment avez-vous réagi ?

– J'ai fait irruption dans la chambre, je leur ai crié dessus et j'ai dégommé une lampe. Ray a bondi du lit pour me calmer, mais ma colère est encore montée d'un cran, parce qu'il bandait comme un taureau. Ma mère a commencé à me demander pardon, et là je suis ressortie en courant. Je me suis réfugiée derrière la maison pour chialer.

« J'étais assise là depuis un moment quand les "Oh oui, oh oui !" ont repris. Ils ont baisé comme ça pendant des heures.

La dureté de son visage rendait Sasha méconnaissable. Elle respirait lourdement et ses oreilles étaient en feu.

– Alors qu'avez-vous fait ? demandai-je.

– Je suis partie. J'ai demandé à ma copine Marie de m'héberger pour la nuit. Mes parents ne connaissaient aucune de mes amies, alors j'ai dormi là-bas, et dès le lendemain je me suis pointée au bureau de mon père pour lui expliquer les raisons de ma fugue.

– Ben dites donc ! Et ensuite ?

– Il a demandé le divorce et a fait ses valises le lendemain. On a d'abord loué un appartement, puis j'ai vécu chez des cousins à Brooklyn, tandis qu'Enoch restait avec mon père.

– Et votre mère ?

– Je ne lui ai plus jamais adressé la parole. Elle s'est installée en Caroline du Nord avec Ray – je l'ai appris par la sœur de Ray. Puis il lui a fait le même coup qu'à moi, alors elle est partie à Los Angeles pour être maquilleuse de cinéma. Elle essaie régulièrement de reprendre contact, mais je n'ai rien à lui dire. C'est une salope et je la hais.

On voyait que c'était sincère.

J'étais impressionné par les ravages que Sasha avait causés d'autour d'elle. La vie de son père, celle de son frère, celle de sa mère...

J'imaginai sa fuite de la maison, pensai à sa mère qui n'avait sans doute jamais pris un tel pied au lit, et qui ne voulait ou ne pouvait se détacher du jeune mécano.

– Vous me détestez, maintenant ? demanda Sacha.

Sa question me fit rire, et rire me fit du bien.

– Mais non. Comment pourrais-je vous détester ? Je n'ai rien à vous reprocher. Vous ne m'avez fait aucun mal.

– Vous me plaisez, dit-elle. La seule chose qui me retenait de frapper à votre porte, c'est que vous aviez mentionné votre copine, et qu'il n'y avait apparemment de place pour aucune autre.

– Ah bon ? Vraiment ?

– En quoi ça vous étonne ? Vous avez une jolie bouche épaisse, des longs doigts fins... Et puis j'ai un faible pour les hommes qui vous témoignent de l'intérêt avant de devenir tout timides.

L'espace d'un instant, je ne savais plus respirer.

– Moi aussi, j'aimerais bien qu'on se voie. Vous m'accordez quelques jours pour faire le ménage dans ma tête ?

– Bien sûr. De toute façon, mon frère va débarquer. On pourrait se faire un restaurant la semaine prochaine, par exemple.

Avec une infinie douceur, elle reprit ma main abîmée, caressa du bout des doigts mes jointures boursouflées.

– Ce serait chouette, conclut-elle.

J'avais dû baisser les yeux, car elle me souleva le menton pour me fixer de ses prunelles noires.

Ses doigts appuyèrent un peu plus fort sur ma main. Autour de nous les gens parlaient. Le vieux couple à la table voisine se chamaillait au sujet d'un obscur cousin. Ma main se remit à m'élancer, surtout entre les jointures.

– Vous aimez la douleur, Cordell ? fit Sasha en soutenant mon regard. Ça fait mal ?

– Oui, soufflai-je.

– Vous pouvez me faire confiance.

Elle serra plus fort. Mes épaules se crispèrent et je fermai les paupières. Soudain, elle me lâcha. Je rouvris les yeux, elle me dévisageait toujours.

– Pourquoi vous ne les avez pas insultés ? demanda-t-elle.

– Je n'en sais rien.

– Allez, filez. Allez voir le toubib, et la semaine prochaine on verra ce que vous aimez d'autre.

– Laissez-moi payer.

– Non, cette fois-ci c'est pour moi.

Le ton de sa voix ne souffrait aucune discussion.

En me levant, je perdis l'équilibre et manquai de tomber. Une fois dehors, je me retournai vers le café. Sasha me salua d'un signe et de son éternel sourire.

Le Dr Charles Tremain me suivait depuis plus de vingt ans. Je l'avais consulté pour des fièvres, des maux de tête et d'occasionnels bilans de santé. Ce n'était pas la première fois que je me pointais sans rendez-vous à son cabinet de la 69e Rue, entre Madison et Lexington. Maya, la secrétaire, m'accueillit d'un sourire, avant de frémir quand je lui montrai ma paluche.

Elle m'envoya aussitôt dans une salle d'examen. La

nouvelle infirmière, une jeune Ghanéenne du nom d'Aleeda Nossa, me dit de me déshabiller et d'enfiler une robe de papier vert pâle.

– Mais je viens juste pour ma main...

– Le docteur Tremain veut que vous ôtiez vos vêtements.

C'était une charmante demoiselle à la peau très sombre, presque bleu noir, avec de grands yeux en amande. Je lui donnais vingt-cinq ou trente ans. Elle était solidement charpentée, mais ni grande ni grosse.

– Monsieur Carmel, insista-t-elle.

– Je peux avoir un peu d'intimité ?

Sourire exquis aux lèvres, elle sortit d'un pas aérien.

Je me dévêtis en vitesse et passai la robe vert pastel. J'apercevais par la fenêtre les toits de trois ou quatre blocs d'immeubles, avec leurs petits jardins, leurs barbecues, et leur mobilier d'extérieur pour estivants des quartiers chics. Deux types au torse nu installaient une barrière entre des toits contigus.

Dans un coin du cabinet, un livre d'anatomie reposait sur une petite table. Je venais de l'attraper lorsque Aleeda reparut, munie d'un thermomètre électrique. Elle me toucha l'épaule et plaça délicatement la sonde dans mon oreille.

– Trente-sept quatre, annonça-t-elle au bout d'une dizaine de secondes. Autant dire rien.

– C'est ma main qui m'embête, répétai-je en brandissant mon bras.

Elle caressa mon poignet de manière presque imperceptible. Et ouvrit de grands yeux inquiets.

– Ben dites donc !

Elle examina mes jointures gonflées, comme Sasha un peu plus tôt. Puis elle me considéra.

– Que vous est-il arrivé ?

– Une mauvaise chute.

Nos regards s'accrochèrent un instant, puis elle baissa les yeux.

– Monsieur Carmel, fit-elle d'un ton presque offensé.

Je vis soudain que mon sexe tendait la robe de papier. Non seulement il était raide, mais une tache humide grossissait à la pointe du gland.

– Je suis vraiment confus, dis-je en me tournant sur le côté.

Aleeda m'effleura le cou.

– Ce n'est rien. Ça arrive parfois. C'est chouette de réussir une telle chose à votre âge.

– Vous devriez éviter de me toucher. Je veux dire, les hommes de mon âge ont rarement des contacts avec des femmes aussi ravissantes.

Elle ôta sa main d'un air flatté.

– Le docteur arrive, dit-elle en repartant.

Je passai les minutes suivantes à tenter de raisonner mon pénis. Mais on aurait dit que l'érection était son état naturel.

Le Dr Tremain était un Blanc râblé qui respirait la force physique et mentale. Il ne lui restait qu'une couronne de cheveux gris, et il portait des lunettes à monture argentée.

– C'est un flingue, sous votre chemise de nuit ?

– Je n'ai pas d'explication, docteur. Aleeda a regardé mon poignet, et Monsieur s'est mis au garde-à-vous.

– Ça vous fait quel âge, maintenant, Cordell ?

– Quarante-cinq ans.

– Alors je dirais que vous allez très bien.

– Ma main est encore plus grosse, vous savez.

Il examina ma patte boursouflée, la pressant par endroits en demandant ce que je ressentais.

– Rien de cassé, dit-il au bout d'un moment.
– Il ne faudrait pas faire une radio ?
– Inutile. Seuls les muscles ont été touchés. Vous avez mal ?
– Ça m'élance de temps en temps.
Mon érection se portait toujours comme un charme.
– Je vais vous donner des échantillons de Percocet. Ainsi qu'un anti-inflammatoire. Cela devrait vite endiguer la douleur. Si vous êtes encore embêté à la fin du week-end, revenez me voir.
Il rit devant ma queue têtue.
– Et cachez-moi cette chose, j'ai l'impression d'être un vieux croulant.

Je suis rentré à pied. Cela me prit deux heures.
En cours de route, mon sexe daigna se calmer. Il était encore fébrile et plus épais qu'à l'ordinaire, mais au moins il ne tendait plus ma braguette. Je me suis arrêté au Gourmet Garage de la 7e Avenue pour acheter une entrecôte et des choux de Bruxelles.
Il faisait au moins trente degrés, et j'étais épuisé en retrouvant mes pénates. J'ai grillé le steak et débité les choux avant de les faire sauter dans du beurre. J'ai englouti mon repas avec deux verres de cognac, puis j'ai repensé au *Mythe de Sisypha.*

Yvette, la copine de Sisypha, vint détacher le mari. C'était une Blanche menue et réservée, qui parut embarrassée en trouvant Mel. Elle ne lui décocha pas un mot, se contenta de couper ses liens et de repartir.
Mel éteignit toutes les lampes de la maison, puis s'assit à la fenêtre pour observer la demi-lune. Quand l'aube apparut, il attrapa sa sacoche et quitta l'appartement.

On le voit ensuite au boulot, puis de retour chez lui, assis dans le noir sous une lune croissante. Puis encore une fois au boulot, et de nouveau chez lui.

Le lendemain matin, comme il se dirigeait vers la porte, le téléphone sonna. Mel se figea, sans décrocher. Au bout d'une dizaine de sonneries, l'appareil se tut. Mel garda les yeux rivés sur le téléphone, qui se remit à couiner. Mais Mel ne bougea pas.

À la quatrième reprise, j'ai cru que j'allais devenir dingue. Ce coup-ci, Mel décrocha mais resta muet. Le combiné à l'oreille, il fixa le vide pendant une trentaine de secondes, l'air parfaitement inexpressif.

Puis on entendit la voix rauque de Sisypha :

– Je sais que c'est toi. Je sais que tu pars travailler. Vas-y. Mais après ça, rentre, prends une douche et attends la suite. Je t'enverrai quelqu'un. Tu devras faire tout ce qu'il te dira.

Nous retrouvâmes Mel derrière son bureau. Une femme en robe rose s'assit en face de lui et lui demanda s'il avait des soucis. D'une voix étonnamment calme, il répondit :

– Mais non, Angela. Pourquoi cette question ?

– Cela fait quatre jours que vous ne parlez à personne et que vous portez les mêmes vêtements. Ils sont froissés et... ils ne sentent plus très frais.

– Ma femme a dû se rendre au chevet de sa mère, mentit Mel. Elle s'est foulé la cheville ou je ne sais quoi, et elle avait besoin de Sisypha pour le ménage, la cuisine...

– J'espère qu'elle va mieux, dit Angela.

– Oh oui ! assura-t-il. Sisypha revient ce soir. C'était ma dernière chemise propre, mais maintenant tout va rentrer dans l'ordre. Sissy est une excellente ménagère et une formidable épouse.

Angela sourit. Il l'imita. Mais lorsqu'elle se leva et tourna les talons, le visage de Mel s'assombrit de plus belle. Angela le regarda une dernière fois et fronça les sourcils, mais il ne remarqua rien.

Le soir venu, Mel rentra chez lui et se doucha comme indiqué. Il s'assit dans le fauteuil près de la fenêtre, en chemise et pantalon de costume. La porte d'entrée était ouverte. Après un moment de silence apparut un jeune rouquin efféminé vêtu d'un mini-short ocre et d'une blouse en soie violette. Il tenait sous son bras un long paquet enroulé dans une toile.

Le jeune homme s'approcha de Mel, qui inspira profondément mais se cantonna dans son mutisme.

Le visiteur posa son paquet et le déroula par terre. Il contenait six tiges métalliques, mesurant chacune près d'un mètre cinquante. Puis il déplia le canapé.

– Couche-toi sur le dos, dit-il.

Après un temps d'hésitation, Mel obéit et s'allongea sur le canapé. Le jeune homme souleva l'une des tiges. À chaque extrémité pendait une menotte. Il les referma sur les poignets de Mel, puis répéta l'opération avec ses chevilles. Le mari, quasi catatonique, avait gardé chaussettes et chaussures.

Le rouquin prit deux des quatre tiges restantes, les vissa l'une dans l'autre et recommença avec les deux dernières. Les longues barres ainsi obtenues allèrent s'emboîter dans celles des mains et des pieds, formant un cadre autour du corps en étoile de Mel. Il ne pouvait plus bouger et il n'essayait même pas.

Le rouquin regagna le seuil, s'arrêta pour considérer l'homme enchaîné, puis éteignit et disparut sans refermer derrière lui.

La nuit tomba en accéléré. Quand la lumière s'alluma, Sisypha était là.

Nous l'avions vue mignonne, sexy et bien roulée. À présent, dans une minuscule robe blanche et sans le moindre maquillage, elle était à se damner. Sa peau brun d'or chatoyait presque dans la lueur des néons.

Elle ôta ses talons rouges et les laissa sur le palier. Puis elle claqua la porte et s'avança jusqu'au lit.

– Salut, chéri, dit-elle en s'asseyant au bord du matelas. Je suis tellement désolée !

Elle lui posa la main sur le torse et scruta ses yeux chagrins. Après quoi elle se leva, franchit une porte. La caméra la suivit dans une grande cuisine.

Elle alluma une lampe, ouvrit un tiroir et sortit un couteau de boucher. Elle vérifia la lame avant de la frotter sur une pierre à aiguiser. Satisfaite, elle regagna le salon, le couteau tranquillement baissé le long de sa jambe.

Avisant l'objet, Mel écarquilla les yeux.

– Sisypha, dit-il d'une voix blanche.

Elle lui fit signe de se taire. Mais il ne l'écouta pas :

– Qu'est-ce que tu fabriques avec ce couteau ?

– Il faut te remettre un bâillon ? menaça-t-elle.

– Range ce couteau, dit-il sur un ton proche du cri.

Sisypha reposa la lame pour extraire de son sac une paire de chaussettes roulées en boule, ainsi qu'un rouleau de chatterton. Puis elle sortit une pince à dessin en métal noir. Elle la referma sur les narines de son mari, et lorsqu'il ouvrit la bouche elle y enfonça les chaussettes, lui colla une bande d'adhésif sur les lèvres et retira la pince.

Mel se débattit, essaya de crier, mais le bâillon l'en empêchait.

Je commençais à me demander si Mel était vraiment acteur. Peut-être avait-il vu Sisypha dans d'autres films, avant de la rencontrer plus ou moins par hasard. Il l'aurait complimentée, et elle lui aurait proposé de tourner avec elle, et il aurait sauté de joie. Une fois sur le tournage, il avait compris le piège, se croyant embarqué dans un snuff-movie, prêt à être massacré.

Et c'était peut-être le cas.

Une fois Mel réduit au silence, Sisypha reprit sa lame de trente centimètres. Écartant la menotte qui maintenait la cheville gauche de Mel, elle glissa le couteau dans la jambe du pantalon et déchira le tissu jusqu'au genou blême.

Mel tressauta, poussa un cri étouffé.

– Si tu bouges, je risque de te couper, prévint-elle, avec une sorte de satisfaction moqueuse.

Mel se figea.

– C'est mieux, commenta Sisypha, qui trancha le pantalon jusqu'à la ceinture.

Grimaçant tel un fauve, Sisypha cisailla l'épaisse ceinture de cuir. Après la ceinture, elle s'occupa de la chemise blanche, avant de passer au caleçon. Quelle que fût sa cible, elle maniait sa lame avec une force terrifiante.

Lorsque Mel fut nu comme un ver, on distinguait une entaille sur son flanc droit, et une deuxième en haut de sa cuisse gauche. Il ne saignait pas beaucoup, mais je savais que tout ceci n'était pas du cinéma.

Enfin, Sisypha ôta sa robe blanche. Elle ne portait rien en dessous. Ses seins tenaient debout sans aide ni chirurgie, et ses mamelons cuivrés étaient si gros qu'ils penchaient un peu vers le bas. Elle s'assit à côté de son mari, referma les mains sur son pénis rabougri.

– Tu sauras te tenir si je te débâillonne ?

Il fit oui de la tête.

Elle décolla le chatterton aussi délicatement que possible, puis sortit les chaussettes de sa bouche.

– Délivre-moi, chérie.

Elle ne répondit rien, préférant caresser d'une main le membre flasque.

– Laisse-moi partir, s'il te plaît.

– Tu commences à durcir, dit-elle.

– J'ai pas envie, Sisypha. Je veux que tu me détaches. Je promets, je promets de ne pas te frapper.

– Et moi je promets de ne pas te faire mal... plus que de raison.

Elle secouait la verge, qui en réaction se dressait à la verticale.

– S'il te plaît, insista Mel.

– Il faut te remettre le bâillon, bébé ?

– Non, non.

– Parce que j'ai l'intention de m'enfiler cette bite et de te faire des tas d'autres trucs, et les seules supplications que je veux entendre, c'est « encore » et « continue ».

Mel allait répondre quelque chose, mais il ravala ses paroles.

– Qu'est-ce que tu dis ? fit Sisypha d'une voix douce et dissuasive.

– D'accord.

– Comment ça, d'accord ?

– D'accord, j'en veux encore.

Sisypha s'agenouilla, sans cesser de caresser la verge de son époux. Elle y posa quelques baisers, souriant et roucoulant devant les signes d'ardeur de Mel.

Il y avait juste assez de jeu dans ses entraves pour qu'il plie légèrement les genoux et soulève son bassin vers la bouche de sa femme.

– C'est bien, bébé. Pousse, pousse.

La réticence de Mel devint excitation. Son visage se fendit d'un sourire sardonique.

– Tu as vu comme celle d'Ari est grosse ? demanda Sisypha.

– Oui. J'ai vu.

– La première fois qu'il m'a sautée, j'ai cru qu'il allait me déchirer. Je lui ai demandé d'arrêter, mais il a continué à me labourer avec son énorme pieu... Il me l'enfonçait en entier, jusqu'aux couilles. À chaque fois je les sentais cogner contre mon cul.

Un râle sourd se formait dans la gorge de Mel.

– Je l'implorais, mais il ne voulait rien entendre. Je l'ai giflé et il m'a rendu ma gifle, du tac au tac. Alors on a cessé de faire semblant. Je l'ai supplié de me prendre plus fort. Et c'est ce qu'il a fait.

– Oh mon Dieu, gémit Mel en accélérant le rythme lui aussi. Oh mon Dieu !...

– Tu es sur le point de jouir ? fit Sisypha d'un air gourmand.

– Oui, oui, oui !

Je haletais avec Mel, navré que ma main enflée ne puisse toujours pas saisir ma queue.

Sisypha se recula et gifla la verge de Mel. Il hoqueta de stupeur. Elle lui fit un grand sourire.

– Je ne vais pas te laisser jouir, bébé. Chaque fois qu'elle sera sur le point d'éjaculer, je lui en collerai une.

– Je ne sais pas si ça suffira, bébé, répondit Mel.

Elle le gifla de plus belle et il poussa le même cri blanc. La caméra zooma sur sa verge : elle était rouge d'un côté, et un peu enflée.

– Je me vais m'asseoir dessus un instant, annonça Sisypha. Ça risque de piquer au début.

Elle enjamba son mari et descendit lentement sur le pénis. La grimace de Mel démontrait qu'elle ne mentait pas au sujet du picotement.

Puis elle se pencha en avant pour murmurer :
– Ne t'avise pas de jouir.
– Je me demande si je suis pas en train de faire une crise cardiaque, lança Mel.
– Quelle plus belle façon de s'en aller ? répondit-elle, radieuse, tout en remuant son bassin.
Ce jeu dura un certain temps. Tantôt elle le chevauchait, tantôt elle le caressait tout en lui racontant les perversions qu'elle avait expérimentées avec son Grec. Chaque fois que Mel paraissait au bord de l'extase, elle lui frappait le sexe et il poussait un petit cri. Elle s'allongeait parfois à côté de lui, jouait avec sa queue tout en susurrant des excuses.
– Je suis désolée de t'infliger ça, Mel. Mais je ne veux pas te perdre et je ne connais pas d'autre moyen de m'assurer que tu m'appartiens.
Elle finit par se lever. Elle tira le cadre métallique vers le bas du lit, de sorte que le derrière de Mel se retrouva au bord du vide.
– Je reviens tout de suite, dit-elle avant de quitter la pièce.
Mel resta immobile, en équilibre au bout du lit. Il haletait et regardait tout autour de lui, telle une âme égarée dans l'océan des sens.
Sisypha reparut, nantie d'un phallus en caoutchouc transparent. Les lanières fixant le godemiché autour de ses hanches étaient transparentes elles aussi, laissant presque croire à un véritable pénis.
L'engin était long et massif – encore plus imposant que l'avantageux membre du Grec.
– C'est quoi, ça ? demanda Mel, les yeux agrandis par la peur.
Sisypha se planta devant lui, laissant l'énorme objet pendre au-dessus de son visage.

– C'est ma queue, répondit-elle en caressant le caoutchouc. Ma grosse bite.

– Mais pour... pourquoi ?

– Pour t'enculer.

– Non !

– Si.

Elle puisa dans son sac un petit tube en plastique ainsi qu'un flacon. Elle pressa le tube au-dessus du phallus en plastique pour le lubrifier. Ensuite, elle sortit une ampoule de verre du flacon et la plaça sous le nez de Mel. Il y eut un minuscule claquement et la tête de Mel partit en arrière, comme devant une odeur atroce.

– C'était quoi, ça ? cria-t-il d'une voix aiguë.

– Du nitrate d'amyle.

Sisypha passa sous la barre inférieure du cadre, émergea entre les jambes de son mari, puis leva le cadre d'une main pour hisser les fesses de Mel au niveau du pénis en plastique. D'un mouvement aguerri, elle lui enfonça le jouet aux trois quarts.

– Mon Dieu ! souffla Mel. Mais c'est quoi, ce truc ?

– Le nitrate d'amyle dilate les muscles. La douleur apparaîtra d'ici quelques minutes, mais je serai déjà dans la place.

Elle oscilla du bassin, lentement, ravie de voir aller et venir son faux membre. Mel ne tarda pas à protester.

– Ça fait mal, geignit-il.

Elle le pénétra plus profond.

– Arrête, s'il te plaît !

Elle l'encula, rapidement et fermement, tandis qu'il tirait sur ses menottes en hurlant.

Soudain, elle se retira complètement, ce qui parut tout aussi douloureux. Imaginant que c'était fini, je poussai un soupir de soulagement. J'avais perdu mon érection, non parce que la scène me révulsait, mais parce que je soupçonnais que Mel n'avait rien d'un acteur et que sa torture était réelle.

Sisypha fit basculer le cadre ; Mel atterrit à plat ventre sur la moquette.

– Stop, implora-t-il. Ça fait trop mal.

Sourde à ses suppliques, Sisypha prit une nouvelle ampoule et l'ouvrit sous le nez de son mari. Elle l'embrocha de plus belle et le baisa avec un réel abandon. Ses cris de douleur s'enrichirent d'un soupçon de volupté, et lorsque sa femme atteignit l'orgasme en le troussant avec furie, on aurait dit que Mel poussait ses fesses vers l'arrière, comme pour accompagner les coups de boutoir. La caméra cadra le visage de Sisypha et saisit une grimace de plaisir vicieux.

Elle se releva et reprit son souffle. On vit que le godemiché portait des traces d'excréments et de sang. Sisypha le détacha et le jeta par terre. Puis elle enfila sa robe blanche et quitta la maison sans ajouter un mot.

Mel resta immobile et muet, sur le ventre, à côté du canapé-lit.

L'image s'attarda une minute sur son corps maintenu en étoile. Puis le rouquin revint, décrocha les tiges, démonta le cadre et libéra Mel.

Vêtu de ses seules chaussettes et chaussures, le mari brutalisé se recroquevilla tandis que le jeunot remballait son matériel et prenait congé, laissant lui aussi la porte ouverte.

J'éteignis le téléviseur. J'avais envie d'éjecter le disque et de le briser. Mais il y avait un verre de cognac devant moi, et puis il fallait deux mains pour casser un DVD.

J'allai me déshabiller dans la chambre. Après une douche, je m'allongeai sur le lit, la lumière allumée, et je m'endormis sur le dos, ce qui ne m'arrive presque jamais.

C'est la nausée qui me réveilla trois heures plus tard. Je tentai de me ruer aux toilettes, mais je tombai sur les genoux et vomis au pied du lit. Incapable de chercher la serpillière, je restai à quatre pattes le temps de reprendre des forces. Et là je vomis de nouveau. Je n'avais pas mangé grand-chose ces dernières vingt-quatre heures, si bien que la troisième salve – la plus exténuante – ne fut qu'une série de haut-le-cœur. Une sueur froide perlait sur mon front, et je craignis cette fois d'être réellement malade.

J'ai horreur de vomir, mais les instants qui suivent confinent au sublime, lorsque la fin des spasmes vous fait l'effet d'une délivrance.

J'en étais là lorsque le téléphone sonna.

Me relever était exclu. Impensable. La seule raison pour laquelle je n'étais pas étendu par terre, c'était pour éviter de me vautrer dans mon vomi.

Après huit sonneries, le répondeur s'enclencha. Deux pièces me séparaient du haut-parleur, mais je reconnus la voix mélodieuse de Joelle. Je calai mes coudes sur le matelas et me redressai.

Je traversai la cuisine et la salle de bains en titubant, et atteignis le salon au moment où Jo disait :

– ... va bien. Salut.

Je m'assis devant l'appareil et composai son numéro.

Elle répondit à la première sonnerie :

– Allô ?

– Il est quelle heure ? grommelai-je.

– 2 h 15. Où t'étais passé, L ?

– Ces dix dernières minutes, j'étais en train de vomir. Et avant ça, dans la journée, j'ai erré dans la ville dans un état second.

– Je croyais que tu allais à Philadelphie.

– Je sais. Mais je me suis réveillé trop tard.

– Qu'est-ce qui ne va pas, L ?

Toi, pensai-je très fort. *Toi qui niques avec Johnny Fry sur le sol de ton appart. Toi qui le regardes au fond des yeux comme si aucun homme ne t'avait jamais aimée avant.*

Mais les pensées sont une chose, et les paroles une autre :

– Je crois que tu me manques.

– Quoi ? s'étonna-t-elle.

– Ces derniers jours je ne pense qu'à toi, ajoutai-je avec émotion. À toi et au sexe.

– Au sexe ?

– On dirait que ça te gêne...

– Non, c'est juste que tu ne m'avais pas parlé comme ça depuis... C'est la première fois, en fait.

– C'est ce que je ressens, en tout cas. Je suis allé voir le docteur Tremain, et quand il m'a demandé de tes nouvelles je me suis mis à bander.

Elle émit un petit cri jovial.

– Et qu'est-ce qu'il a dit ?

– « Vous avez l'air content de me voir. »

– Et ça s'est calmé ?

– Tu parles ! J'ai eu la trique pendant une heure.

– Une heure ?

– Tu sais ce que c'est : quand j'ai remis mon pantalon, ma bite frottait contre le tissu. À chaque mouvement je pensais à toi et je devenais encore plus dur.

– Ça marche vraiment comme ça ?

– Oh oui ! Aucun mec ne t'en a jamais parlé ?

– Non. Mais tu sais que je n'ai connu que trois hommes, sexuellement parlant.

Quatre, voulus-je rectifier.

– Tiens, en ce moment même j'ai la gaule.

Ça, c'était vrai. La fusion de nos mensonges m'excitait au plus haut point.

– Tu devras patienter jusqu'à demain soir, annonça Joelle d'une voix mutine. On restera chez moi, au cas où tu serais pris d'une irrésistible envie.

Ma tête se mit à tourner. Jo me racontait les pires salades, mais tout ce que je voulais c'était grimper dans son lit et la baiser. Ma respiration devenait folle, un coup je ne pouvais plus inspirer, un coup je haletais comme un chien.

– Tu es sûr que ça va, L ?

– J'ai tellement besoin de toi que c'en est douloureux.

– À ce point-là ?

Je hochai la tête et déglutis, escamotant le mot *oui*.

– Promets-moi de ne pas te masturber avant qu'on se retrouve demain soir.

Masturber. Ce devait être la première fois qu'elle employait ce mot devant moi.

– Si tu veux, dis-je d'une voix plus grave d'une demi-octave. Mais pourquoi ?

– Parce que je veux tout, répondit-elle. (Je crus que j'allais défaillir.) Jusqu'à la dernière goutte.

– Je dois te laisser, Jo. Si on continue à parler de cul, je n'aurai même pas besoin de me toucher.

Notre conversation semblait celle d'un autre couple. Mel et Sisypha, ou Dick et Jane dans les *Braqueurs amateurs*.

– OK, lâcha Joelle. Couche-toi et repose-toi.

À la seconde où elle raccrocha, le charme se rompit et mon sexe se ratatina. Je pris la serpillière, nettoyai la chambre et retournai au salon.

Je me suis repassé la dernière scène du *Mythe de Sisypha*, en me concentrant sur la femme qui sodomisait Mel avec son phallus transparent. Agrippée à ses cuisses pour optimiser chaque bourrade, elle avait les traits creusés de désir, et les cris de Mel ne faisaient qu'accroître son ardeur. Puis, à la fin de la scène, je vis un détail qui m'avait échappé : juste avant de jouir, elle tirait les cheveux de son mari pour coller sa joue contre la sienne.

– Embrasse-moi, ordonna-t-elle dans un râle torride.

Il s'exécuta.

On comprenait alors à quel point il avait capitulé. Il n'avait jamais voulu être ligoté ni maltraité par un gode géant, mais il se soumettait aux désirs fous de son épouse : ses besoins à elle devenaient sa volonté à lui.

Je suis retourné me coucher.

Allongé sur le dos, j'écoutai mon cœur gronder tel un orage lointain. J'ai repensé à Sisypha disant à son mari qu'un infarctus serait une belle mort. Cela m'a fait rire, et entre deux gloussements je me suis endormi.

Je n'ai rouvert les yeux qu'à 14 heures.

J'ai quitté mon lit sûr de moi comme jamais – jamais. J'ai aéré l'appart pour inviter la brise de l'Hudson dans mes pièces caverneuses. J'ai mis la cafetière en route et interrogé le répondeur. Vingt et un messages, dont seize de Jerry Singleton. Il me maudissait et m'informait qu'il n'était plus mon agent. Il promettait de détruire ma carrière. J'effaçai ses menaces et elles s'envolèrent de ma vie.

Joelle avait laissé quatre messages avant de réussir à me joindre. À chaque nouvel appel, elle paraissait un peu plus inquiète. À l'écouter, on aurait juré que j'étais son seul et unique amour. Je tâchai de retrouver l'excitation qu'elle m'avait inspirée dans la nuit, en vain.

Enfin, ce message de Sasha Bennett :

– C'était chouette, ce déjeuner en tête à tête. J'attends avec impatience le restau de la semaine prochaine. Pardon d'avoir martyrisé votre main. C'était une impulsion subite, vous comprenez ? Mais je ne suis pas vraiment comme ça. Allez, salut !

J'ai tout effacé. Cela faisait du bien de remettre les compteurs à zéro.

Je me suis connecté sur Internet pour consulter ma banque. J'avais mis 58 000 dollars de côté au cours des deux dernières décennies, soit 2 500 par an. À cela s'ajoutaient 10 000 dollars en bons du Trésor et 8 600 autres sur mon compte courant.

Je payais 1 350 dollars de loyer, et mes dépenses habituelles ne dépassaient jamais les mille billets par mois. J'achetais peu de vêtements, prenais peu de vacances et ne possédais pas de voiture. Je pouvais tenir au moins deux ans sans gagner le moindre cent. C'était une pensée agréable.

J'ai attrapé le téléphone et pianoté sur le clavier.

– Allô ? dit la secrétaire, apparemment nouvelle et incompétente.

– Brad est là ?

– Un instant, fit-elle avant de me mettre en attente.

Elle me reprit aussitôt :

– C'est de la part de qui ?

– De L.

– Monsieur L ?

– Juste L.

Elle m'a fait patienter et j'ai attrapé un fou rire. Je ne m'étais pas marré comme ça depuis l'adolescence, et je me tordais encore quand Brad prit la communication.

– C'est toi, Cordell ?

– Comment ça va, Brad ?

– Très bien, mais ma secrétaire est furax.

– Pourquoi ?

– Elle t'a trouvé grossier.

– C'est quoi, son nom ?

– Linda Chou. C-H-O-U.

– Dis-moi, Brad, fis-je tout en notant ces quatre lettres, connaîtrais-tu une certaine Lucy Carmichael ?

– Non.

– Elle a étudié à NYU, et un jour tu es intervenu devant sa promo. Elle est photographe.

– Ah oui ? Elle ressemble à quoi ?

– J'ai lâché mon boulot de traducteur, Brad. Je crois que j'ai envie de lancer des artistes.

– Lâché ton boulot ? Je croyais que t'étais en freelance.

– C'est vrai – *c'était* vrai. Mais j'en ai marre. Alors, je me suis dit que j'allais m'essayer au métier d'agent artistique.

– Et cette Lucy Carmichael sera ta première cliente ?

– T'as tout compris. Elle a photographié des enfants soudanais, et crois-moi, ça te serre les tripes. Je suis sûr qu'il y a de quoi emballer un de tes amis galeristes. Tu veux bien m'aider ?

– Je ne sais pas quoi te dire, L. Tu ne m'as pas l'air dans ton état normal.

– Détrompe-toi. J'en ai juste ras le bol de ces petites boîtes, et de mon agent, et de devoir sans cesse me battre pour défendre mes tarifs.

– Tu crois que le pognon me tombe du ciel, peut-être ?

– Tu vas m'aider, Brad ? répétai-je à ma plus vieille connaissance new-yorkaise.

– Alors tu laisses tomber la traduction, comme ça, sur un coup de tête ?

– J'y pense depuis un moment, tu sais. En voyant ces photos, je me suis dit qu'il était temps de me jeter à l'eau.

J'étais assis sur mon sofa. Le soleil emplissait la pièce et le vent soufflait sur ma peau. Le DVD tournait, sans le son. Sisypha retrouvait Mel dans un café. Pendant qu'ils discutaient, une grande Noire sublime s'approcha de leur table.

– Voilà ce que je te propose, me disait Brad. Si tu promets de continuer à traduire pour moi, je verrai ce que je peux faire.

– D'accord. Pas de problème.

– Très bien. Linda va te faxer les coordonnées de quelques galeries susceptibles d'exposer ce genre de travail.

Sisypha connaissait la grande Noire, car elle se leva pour l'embrasser sur la bouche. Mel lui serra la main et elle s'assit avec eux.

– Merci beaucoup, Brad, dis-je tout en éteignant la télé. J'ai vraiment besoin de ton aide.

– Tu as surtout besoin d'un psy.

– À plus tard.

Assis au seuil d'une nouvelle vie, je pris une grande bouffée d'air et sentis une douleur au fond de ma poitrine. Une douleur physique, mais aussi une douleur de cœur.

– Puis-je avoir Lucy Carmichael, s'il vous plaît ?

Je m'adressai à la standardiste de Teletronics, l'un des dix ou douze nouveaux opérateurs de téléphonie mobile.

– Qui dois-je annoncer ?

– Cordell Carmel.

– Ne quittez pas.

Pendant qu'elle cherchait Lucy, je me suis entraîné à plier ma main. Elle avait dégonflé grâce aux anti-inflammatoires, et je pouvais déjà lui donner la courbure d'une patte d'ours. Elle m'élançait encore un peu, mais d'une certaine manière j'y voyais un signe d'espoir.

– Allô ?

– Lucy ?

– Monsieur Carmel !

– L. Tout le monde m'appelle L.

– Je ne pensais pas avoir si vite de vos nouvelles.

J'expliquai que j'avais parlé à Brad et qu'il n'aurait pas le temps de signer de nouveaux talents avant au moins un an. Lucy me remercia d'un ton déçu. Puis j'ajoutai que Brad m'avait suggéré de la représenter moi-même.

– Je lui ai dit que votre travail était trop essentiel pour être ignoré. Il m'a répondu que si j'étais à ce point séduit, il me donnerait un coup de pouce en m'introduisant auprès de certains galeristes.

– C'est vrai ?

– Absolument. Il me faxe leurs coordonnées dans la journée. Vous pourriez peut-être passer demain soir, histoire qu'on définisse une stratégie d'approche ?

– Sérieusement ?

– Votre travail me semble capital.

J'en pensais chaque syllabe. Son travail était capital, si je voulais gagner ma vie.

– Je viens à quelle heure ?

– Je vais avoir une journée chargée, alors que diriez-vous de 20 heures ?

– Mon copain doit venir pour le week-end, répondit-elle avant de marquer une pause. Je lui expliquerai qu'une grande opportunité s'offre à moi. Je suis tellement contente...

– Alors à demain soir, conclus-je.
– Oui, à demain.
Là-dessus je fis livrer six roses jaunes chez Brad Mettleman, à l'intention de Linda Chou, accompagnées de ces quelques mots : *Pardon d'avoir été grossier. Cordell Carmel.*

À 15 heures je me rendis dans mon bistro italien préféré, sur l'avenue des Amériques. Je m'installai en terrasse, au soleil, pour déguster une mozzarella fraîche, avec aubergines, avocats et calamars frits. J'avais du temps à tuer.

D'habitude, je me pointais chez Joelle aux alentours de 19 heures. Elle aimait bosser le samedi matin et ranger son appartement l'après-midi.

Mais je n'étais nullement pressé. Notre relation était finie, et cela me laissait froid. Je ne comptais même pas lui avouer que je savais pour Johnny Fry.

Tout avait changé. J'avais largué mon boulot, trouvé deux nanas à draguer et gagné le droit de buller pendant au moins deux ans. J'éclatai de rire. La grosse bite rouge de Johnny Fry m'avait délivré.

Je n'éprouvais plus rien pour Joelle. Je n'avais même pas envie de la voir, même s'il me semblait préférable de lui apprendre notre rupture en face. Je m'en tiendrais à la stricte vérité : *Je ne t'aime plus.* Il n'y avait rien à ajouter.

– Un verre de rouge, s'il vous plaît, demandai-je au jeune serveur, un aspirant comédien prénommé Jean-Paul.

Il me sourit et je lui rendis la politesse. Une nouvelle vie commençait. J'étais libre, et je ne me souvenais pas de l'avoir jamais été. Je restais là, à regarder les passantes dans leurs tenues légères, réservées aux chaleurs d'été. Je pensais à Sisypha. Elle aurait pu déambuler dans cette rue comme n'importe quelle autre femme, sans que personne soupçonne ce qu'elle était, ni ce qu'elle faisait dans l'intimité. *Joli brin de femme*, aurait-on pensé. *Une alliance. Sans doute deux gosses et pas d'orgasme.*

Un jour, c'était décidé, je rencontrerais Sisypha, et je lui poserais une question qui retiendrait son attention.

Je stoppai un taxi à 18 h 20, et le chauffeur pakistanais me déposa devant l'immeuble de Joelle sur Central Park West. À la réception se trouvait Jorge, un Dominicain dégarni d'une cinquantaine d'années. Il me salua d'un geste, sans m'annoncer là-haut.

Je redoutais le moment où la cabine s'arrêterait. Non pas que j'aie regretté d'avoir vu Joelle et Johnny. C'est juste que je n'avais plus envie d'elle. Je ne voulais ni la voir, ni lui parler, ni faire semblant de l'apprécier.

Quand l'ascenseur s'arrêta et que les portes s'ouvrirent, j'attendis un instant, respirai à fond puis posai le pied dans le hall. Je prévoyais de rompre avant le repas. Je m'assiérais au salon, et quand elle me tendrait un verre je lancerais : « Il faut que je te parle d'un truc, Jo. » Fini les chérie, les mon cœur et les trésor. Fini pour toujours.

Elle ouvrit avec le sourire. Sa peau cuivrée et ses cheveux noirs rutilaient. Elle portait une jupe courte marron et un tee-shirt vert qui moulait sa fine silhouette. Sa beauté ne me fit rien. Je voyais qu'elle rayonnait, mais cela ne m'attirait pas du tout.

L'idée m'effleura que Johnny était peut-être passé avant moi.

Comme elle me tendait les bras, j'ai remonté son tee-shirt au-dessus de ses seins. C'est ainsi qu'elle le portait face à Fry deux jours plus tôt.

– L ! couina Jo.

Ses tétons étaient durs et charnus, plus foncés que les seins. J'en pris un dans ma bouche, le suçai sans retenue puis léchai le second. Un ronronnement satisfait s'éleva de ma gorge.

– L !

Je passai mes avant-bras sous ses fesses et la soulevai de façon à pouvoir frotter mon visage contre sa poitrine.

– Oh mon Dieu !

Je glissai ma main blessée sous sa jupe, pressai mes doigts recourbés contre son vagin. Elle gémit.

– Ferme la porte, souffla-t-elle.

Je claquai la porte avec le pied puis précipitai Jo par terre, au beau milieu de l'entrée.

– Allons dans la chambre, ahana-t-elle.

– Non, répondis-je en tirant sur sa culotte.

Elle s'attaqua à ma braguette.

Elle sortit ma queue, l'empoigna, et la tira pour me conduire au salon. Là, elle se percha sur le dossier du sofa et me guida en elle. Grisé par l'excitation, je mis quelques instants à remarquer qu'elle m'assignait la place même où s'était tenu Johnny Fry. Je craignis que cela ne me fasse débander, mais tout au contraire ma passion redoubla, et je mis à limer comme un dément. Je ne sentais rien. J'étais anesthésié. J'entendais juste les cris de Jo – « Han ! Han ! Han ! » – et les claquements saccadés de ma chair contre la sienne.

Quand j'ai joui, Jo attrapa ma queue et rétablit le tempo en me branlant d'une poigne franche.

– Prends ton pied, souffla-t-elle. Lâche tout, ne t'arrête pas.

Même après avoir éjaculé, j'étais encore raide. Jo m'entraîna de l'autre côté du canapé et se coucha face contre terre. Elle se passa les doigts dans la bouche pour s'humecter l'anus.

– Défonce-moi le cul, papa ! Défonce-moi le cul avec ta grosse bite bien dure !

Papa.

J'ai saisi ses bras pour les maintenir écartés, un peu comme ceux de Mel dans le film. Puis j'ai plongé en elle. Un cri, un râle, les mêmes qu'avec Johnny Fry ; Jo cambra les reins, ordonna : « Plus profond ! », et quand j'obéis elle hurla de douleur comme l'avant-veille sous mon rival.

Dans ma tête, j'étais un personnage du *Mythe de Sisypha* ; dans celle de Jo j'étais Johnny Fry en train de cocufier Cordell.

Quand j'ai joui, c'était comme si mon corps entier succombait à l'orgasme. Aucune sensation locale, mais une extase générale.

Après cela, nous sommes restés allongés, tremblotants. Jo devait exulter de me voir reproduire les gestes de son amant. Je frissonnais d'une émotion que je n'avais jamais connue, du moins à l'âge adulte. Un dégoût niché au plus profond de mon cœur. Une haine si vive que je ne pouvais même pas en discerner la cible.

M'en voulais-je à moi-même de me ridiculiser de la sorte ? Ou en voulais-je à Joelle de me mener par le bout du nez ? Peut-être était-ce, comme mon orgasme, tout un ensemble : j'en voulais à la terre entière, à la lune comme aux étoiles, aux dieux comme à la vermine.

– Tu bandes encore, observa Jo.

J'étais couché sur le dos, dans la pièce ensoleillée ; mon érection pointait vers le plafond, et bien que ma répugnance étouffât tout autre sentiment, j'ai posé la main sur le bras de Joelle.

Elle roula sur le côté en riant.

– Si tu veux recommencer, tu dois d'abord te laver. Sinon tu risques de m'infecter.

J'empoignai son biceps et l'entraînai dans la salle de bains.

– Lave-moi, ordonnai-je en attrapant une serviette. Et plus vite que ça.

Riant comme une gosse, Jo prit le savon et fit couler l'eau froide. Je savourai cette fraîcheur sur mes bourses et entre mes cuisses. Cela me régénérait, dissipait ma haine.

– Seigneur, fit Jo.

– Quoi ?

– Je pensais qu'en l'aspergeant d'eau froide elle se dégonflerait, et que j'aurais un peu de répit.

– Ça marche, avec tes autres copains ?

– Je n'ai pas d'autres copains, dit-elle d'un ton joueur.

Je ramenai Jo sur le lit, calai mes bras et m'introduisis dans sa chatte. Elle me fixa droit dans les yeux.

– Tu as déjà laissé un autre homme t'enculer ? demandai-je.

– Jamais, dit-elle en secouant la tête.

– Même pas une fois avec ton premier copain... Paulo ?

– Jamais. Juste toi. Juste toi. Juste toi.

Chaque fois qu'elle répétait ces mots, je m'enfonçais le plus loin possible, et elle soupirait brièvement tout en soutenant mon regard.

– Tu m'aimes ? lançai-je d'une voix lézardée.

Elle posa les mains sur mes joues.

– Il n'y a que toi, juste toi.

J'ai passé les minutes suivantes dans un état second.

Nous étions sur le lit, puis nous étions sur le sol. À un moment donné, Jo m'a filé entre les doigts, mais je l'ai rattrapée dans la cuisine et je lui ai fait faire la vaisselle pendant que je la prenais en levrette.

Je ne me souviens de cette nuit que par fragments discontinus, des instants de sexe éparpillés. Je pleurais. Jo criait. Je souffrais. Elle plantait ses ongles dans mes cuisses.

Puis ce fut le milieu de la nuit. Nous étions couchés, les couvertures étaient tombées et j'avais froid. Jo dormait. J'étais soulagé d'avoir enfin pu débander. J'avais mal aux couilles, à la mâchoire et aux mollets.

Étendu là dans les petites heures du matin, je repensais aux événements de la soirée. Jo m'avait fait reproduire les gestes de son amant. Quand elle me regardait, c'était à lui qu'elle disait je t'aime. Et pourtant, j'avais continué. Même si je n'éprouvais que de la haine. Même si je voulais la quitter.

Elle me tenait par les burnes, et j'avais beau la maudire de tout mon cœur, elle, moi-même et Johnny Fry, j'avais encore besoin d'elle.

Je suis resté allongé, à attendre je ne sais quoi, cependant qu'elle dormait et que la nuit traversait la ville. J'étais incapable de me lever et de partir comme je le souhaitais. Je ne pouvais pas la réveiller pour lui dire que c'était fini. J'étais perdu et possédé, amoureux d'une chose que je ne comprenais pas.

C'est alors que me revint une phrase d'*Isis,* de Bob Dylan : *Isis, oh, Isis you mystical child, what drives me to you is what drives me insane*[1].

À la seconde où ces paroles me traversèrent l'esprit, je me suis esclaffé. Je riais si fort que je me réfugiai au

1. *Isis, ô Isis, toi l'enfant mystique, ce qui m'attire en toi me rend marteau.* (*N.d.T.*)

salon pour ne pas réveiller Jo. Je me suis roulé par terre en me tenant les côtes. M. Dylan me donnait une clé. Je ne savais peut-être pas encore comment ouvrir la porte, mais je savais au moins que c'était possible.

Le matin me trouva baigné de soleil derrière les grandes vitres de Joelle. Couché en position fœtale, sous un châle à mailles fines. Jo était assise dans son fauteuil préféré, un livre à la main. Elle portait une nuisette rose et sa crinière était en bataille.

– Bonjour, dit-elle, toute scintillante de lumière.

– Salut.

– Qu'est-ce que tu fais là ?

– Je me suis réveillé... et comme je n'arrêtais pas de m'agiter, je suis venu ici pour te laisser dormir.

Là-dessus, je me levai. Joelle réagit aussitôt :

– Ah non, non, non, non !

Baissant les yeux, je vis que j'étais raide comme la justice.

– Je suis HS, chéri. De partout. Au moins jusqu'à ce soir.

– J'ai juste besoin de pisser, répondis-je, même si cela n'expliquait pas tout.

En ressortant des toilettes, je ramassai mon pantalon dans le couloir, l'enfilai pour cacher mon érection, puis regagnai le living ensoleillé.

– Je ne t'embêterai pas ce soir, dis-je en m'installant dans le canapé.

– Pourquoi ?

– J'ai trop de travail. Je me suis laissé aller, ces derniers jours.

– Fais voir ta main, répondit-elle en me tendant la sienne.

Son toucher était doux, terriblement excitant. Je voulus oublier Johnny Fry, mais c'était impossible.

– Ben dis donc, commenta Joelle. Tu es tombé pile sur les jointures.

– Et encore, ça va beaucoup mieux. Il y a deux jours, je ne pouvais même pas fermer le poing.

Elle embrassa mes doigts amochés.

– Je t'aime.

– Ne dis pas ça, protestai-je.

– Mais pourquoi ?

– Parce que je vais te sauter dessus. C'est plus fort que moi.

– Qu'est-ce qui se passe, L ? Comment se fait-il que tu sois si... si chaud, tout à coup ?

– Je ne veux pas te perdre, avouai-je, au bord des larmes.

Joelle s'approcha du canapé, me prit dans ses bras et m'embrassa.

– Je ne vais nulle part, bébé, tu sais.

– Mais tu ne te lasses pas, à la longue ? On fait l'amour à peu près une fois par semaine, et je ne sais même plus à quand remontent nos dernières vacances...

– Quelle importance ? C'est ça qui te turlupine ? Tu as peur que je tombe dans les bras d'un don Juan ?

– Mais des tas d'hommes... (Ma voix se grippa.) Des tas d'hommes doivent te tourner autour.

– Pas du tout.

Ce matin, au moins, elle mentait sans me regarder droit dans les yeux. En fait, ses bobards ne m'inspiraient aucune colère, seulement du désespoir. J'avais juste envie d'arracher sa nuisette. Je me mordis la lèvre, tant mon désir était fort.

Joelle me tâta le front.

– Tu es toujours malade ?

– C'est fini. Je ne suis qu'un pauvre Noir dingue d'une nana.

– Parce que les Noirs n'aiment pas de la même façon que les Blancs ? fit-elle d'un air coquin.

– J'en sais rien, répondis-je en imaginant Johnny Fry lui murmurer des insanités pendant qu'il la prenait par terre, plongeant sa queue dans des abysses que n'atteindrait jamais la mienne.

– Pourquoi tu me regardes comme ça ? fit-elle, sur la défensive.

– J'ai envie de toi.

Suivirent trois secondes d'une insoutenable tension, après quoi Joelle bondit sur ses deux jambes.

– Allons bruncher au musée, lança-t-elle. Viens, on s'habille et on file.

Dehors, la pression retomba. Il faisait un temps splendide, bien que le jour n'eût rien d'estival. Plutôt une fin de printemps ou un début d'automne. La lumière dansait et se morcelait dans les arbres de Central Park

L'humeur de Joelle s'adoucit, et elle me parla d'une ligne de tee-shirts en soie que souhaitait lancer un client. Elle lui conseillait de les exposer au milieu de bijoux, pour mettre en valeur le tissu.

Comme je n'y comprenais goutte, elle consacra une demi-heure de notre promenade dans le parc à m'expliquer l'attitude d'une femme au moment d'acheter un vêtement.

– C'est comme pour choisir un mec, dit-elle.

– Comment ça ?

– Les filles ont toutes sortes de critères esthétiques.

– Du genre ?

– Eh bien, par exemple tu sais que la plupart des

Noires préfèrent un Noir. Mais les plus jeunes se contentent parfois d'un Blanc, capable de penser noir quand il le faut.

Comme Johnny Fry, pensai-je.

– La taille du mec, ensuite – quand elle porte des talons. Et puis il y a l'odeur.

– Faut pas sentir le bouc, quoi.

– En fait, ça dépend. Certaines filles aiment les mecs qui sentent le mâle. D'autres préfèrent les odeurs douces ou épicées, et d'autres pas d'odeur du tout. Ces femmes-là n'aiment pas tellement les hommes, en vérité, mais elles en prennent un... pour la galerie.

– Comme un collier avec un de tes tee-shirts ?

– Exactement.

– Et toi, Jo, tu veux quoi ?

Nous arrivions au centre du parc. Elle passa le bras autour de ma taille.

– Je suis très heureuse comme ça, dit-elle avant de chuchoter : C'est toujours dur ?

– Oui, m'dame.

Elle se déporta sur la droite et m'entraîna vers un épais bosquet d'arbres et de buissons, tout près d'un pont en pierre.

Le feuillage nous cachait partiellement, mais on pouvait nous voir... pour peu que l'on regarde.

– Je sais comment la faire redescendre, dit Jo.

– Ah oui ?

– Sors-la.

À sa surprise, et à la mienne, je baissai ma braguette, laissant mon érection bondir de mon falzar.

– Seigneur, souffla Jo. Encore plus grosse qu'hier soir !

Je me rappelai soudain Sisypha en train de gifler

l'artillerie de son amant. Il en aurait fallu bien plus pour apaiser ma faim.

Joelle portait une jupe marron clair et un tee-shirt à rayures bariolées qui n'atteignait pas son nombril. Elle scruta vite fait les alentours, puis releva sa jupe et me tourna le dos en écartant sa culotte.

– T'es prêt ?

Elle n'avait pas fini sa phrase que j'étais dans son corps.

– Oh mon Dieu oui ! gémit Jo.

Je faillis débander, persuadé qu'on nous avait entendus. Je me voyais déjà embarqué au poste pour attentat à la pudeur. Puis il me vint une autre pensée : Joelle s'était planquée au même endroit avec Johnny Fry. Il l'avait attirée là, l'avait sautée à moins de deux mètres des passants qui empruntaient le pont et le sentier.

Quand j'ai compris ça, j'ai poussé les mêmes grognements que Sisypha derrière Mel. Sur le point de jouir, je fis virevolter Jo de sorte qu'elle tombe à genoux. Elle prit mon gland dans sa bouche et tout mon univers se réduisit à une grimace. Au moment d'éjaculer, je rouvris les yeux et découvris trois Asiatiques, un jeune homme et deux demoiselles, qui m'observaient depuis le sentier. Je leur souris avant de connaître un des ces orgasmes qui font grincer des dents. Les trois promeneurs en restèrent fascinés.

Jo secouait ma verge palpitante, léchant le sperme à mesure qu'il giclait.

Quand ce fut terminé, elle leva vers moi un visage radieux. Elle rajusta sa jupe et me prit la main. Nous dépassâmes les trois Asiatiques hilares, que Jo salua de son plus joli sourire.

Nous n'avons plus dit un mot jusqu'au musée.

Bernard Petty, l'oncle de Joelle, est propriétaire foncier dans le Bronx et à Brooklyn. Il possède plus de cinquante immeubles et autres biens, ce qui fait de lui l'un des rares businessmen noirs de New York à peser plus de cent millions de dollars. Tous les ans, Bernard offre à Joelle une carte de mécène du Metropolitan Museum of Art.

Cette adhésion spéciale comporte de nombreux avantages. Le restaurant des Administrateurs, par exemple, réservé aux seuls membres, et un salon pour les plus éminents d'entre eux. L'entrée est toujours gratuite, et on peut visiter les expos le lundi, jour fermé au grand public.

Je suivis Jo au restaurant, où l'on nous plaça près d'une fenêtre donnant sur le parc. Comme je parcourais la carte, Jo me regardait.

– Quoi ? demandai-je.

– Qui es-tu ?

– Cordell Carmel, traducteur.

– Non, Cordell n'aurait jamais fait ce que tu viens de faire dans les buissons. Cordell aurait rigolé, il aurait sorti une boutade et il m'aurait ramenée sur le chemin. Et à supposer qu'il soit resté assez dur pour entreprendre quelque chose, il n'aurait jamais continué tout en sachant qu'on l'observait.

– Tu crois que je ne suis pas moi ?

Son regard s'agrandit pour mieux me jauger. Puis elle secoua la tête et s'intéressa au menu.

Je calai ma tête dans mes paumes, car elle tournait de nouveau. C'était le prix de tout ce sexe, de tout ce cocufiage et de cette passion débridée – mais un prix que je voulais bien payer tous les jours de la semaine.

– Salut, dit une voix d'homme.

Je relevai les yeux et vis Johnny Fry. Jean délavé,

tee-shirt blanc serré sur un torse aussi large que pâle. Il portait des sandales en cuir marron et des lunettes de soleil jaunes remontées sur ses cheveux blonds. À côté de lui se tenait une femme à la peau de charbon, avec des cheveux ébouriffés et des traits presque européens.

– John, fit Joelle avec une certaine perplexité.

– Salut, Joelle. Salut, L. Comment ça va ? Je vous présente Bettye. Elle vient du Sénégal.

– Bonjour, répondit la beauté sénégalaise avec un accent pointu.

– Qu'est-ce qui vous amène ici ? demanda Jo.

– Ma famille est membre du musée, et Bettye voulait voir les collections d'art égyptien. Et vous ?

– On se fait un petit brunch après avoir baisé dans le parc, répondis-je.

Bettye écarquilla les yeux, tandis qu'une ombre traversait le visage de Johnny. Je savais que j'avais vu juste, mais je voulais juste vérifier.

– Il plaisante, démentit Jo avec un petit air espiègle.

Johnny considérait peut-être que le corps de Jo lui appartenait. Peut-être était-il jaloux du copain de son amante. Soudain, je m'amusais comme un petit fou.

– Vous n'avez qu'à vous joindre à nous, proposai-je.

– Je sais pas trop, firent en chœur Jo et Johnny.

– Allez, quoi.

Je me levai, pris Bettye par le bras et l'installai à côté de moi, avant d'assigner à Johnny la place voisine de Jo.

C'était assez brusque, j'en conviens.

– Eh bien d'accord, céda Johnny.

Il tira la chaise et s'assit à côté de Jo.

Celle-ci parut très embêtée. Je n'étais même pas surpris de prendre plaisir à sa gêne. J'ai lancé :

– Tu es superbe, Joelle. Je t'aime.

Ces mots brunirent sa peau cuivrée.

– Comme c'est mignon, s'émut Bettye.

– Vous habitez à New York ? demandai-je à la Sénégalaise d'ébène.

– J'enseigne à NYU, acquiesça-t-elle avec pudeur.

– Quelle discipline ?

– La physique.

– Ah oui ?

– Cela vous étonne ?

Elle avait un petit sourire joueur. La noirceur de sa peau accentuait l'éclat de ses dents.

– Disons que j'ai tendance à oublier qu'il existe des physiciennes.

– J'ai été formée à Cuba, expliqua-t-elle. Là-bas, ce sont les filles qui excellent en maths et en sciences.

À cet instant, je pris conscience que je perdais les pédales. Je venais de faire l'amour dans un parc, quasiment au grand jour. J'étais assis en face du type qui couchait avec ma copine. Et je buvais sa nana des yeux pour la simple raison qu'à Cuba les filles battaient les mecs en sciences.

– Chéri ? fit Jo.

– Ouais ?

– On ne regarde pas les gens comme ça.

– Je suis juste épaté d'apprendre que les Cubaines cartonnent en physique, parce que ici on a toujours prétendu que les garçons avaient un cerveau mieux taillé pour ce genre de choses.

– Il n'en est rien, affirma Bettye avec foi. Je crois seulement que les hommes de votre pays refusent que les filles soient plus intelligentes qu'eux.

– Elles ne sont pas plus intelligentes, objecta Fry d'un air narquois. Elles ont simplement une autre forme d'intelligence. Les filles sont douées pour, je sais pas, moi, l'art.

– Voyez-vous ça, réagit Bettye. Et c'est ce qui explique qu'on trouve autant de physiciennes à Cuba ?

– Ce doit être à cause du communisme, dit-il. Ce système donne aux hommes une piètre image d'eux-mêmes.

Johnny Fry avait un charme certain. Quand il souriait, on comprenait que les filles lui passent ses excès de chauvinisme.

– Si tu crois ça, t'es un idiot, lui rétorqua pourtant Bettye.

– Je plaisantais, chérie. Tu me connais : je ne sais même pas poser une division.

Au son de ce « chérie », Jo se raidit un brin.

– Quel est votre nom de famille ? demandai-je à la jeune savante.

– Odayatta. Et vous ?

– Carmel. Cordell Carmel.

– Cela sonne comme un poème.

– Merci.

– Alors, Bettye ? intervint Jo. Cela fait longtemps que vous êtes à New York ?

– Un an.

– Et vous vous êtes rencontrés quand, avec John ?

Bettye regarda son amant pour lui soumettre la question.

– Cela doit faire trois mois, dit-elle. Oui, c'est ça.

– Garçon ! coupa John. S'il vous plaît !

Arriva un homme originaire d'Extrême-Orient, genre sri-lankais ou tibétain.

– Oui, monsieur ?

– Nous aimerions commander.

– Pas encore ! protesta Bettye en agitant les mains. Je ne suis pas prête.

Le jeune serveur fit une petite courbette et s'éclipsa.

– Johnny et moi avions prévu de partir pour le week-end, raconta Bettye face au visage fermé de Jo. À Sag Harbor. Mais je me suis rappelé que je devais dîner ce soir avec le président de la fac.

– Et toi, John ? enchaînai-je. Tu fais quoi, en ce moment ?

– Hein, quoi ?

– Tu as entrepris de nouvelles choses ? Brad m'a dit que tu avais des projets dans l'import ?

– Oui, s'illumina Bettye. John va importer des sculptures sénégalaises. Les habitants de mon village en produisent des magnifiques.

– Alors vous allez monter une affaire ensemble ?

– Eh oui, répondit Bettye.

– On peut commander ? demanda Johnny à la cantonade.

Joelle et Johnny restèrent quasi muets jusqu'à la fin du repas. Bettye décrivit combien Johnny était prévenant avec elle. Pour son anniversaire, il lui avait offert un collier Tiffany en maille d'argent.

– Jo en possède un du même style, remarquai-je. Je crois d'ailleurs qu'il vient de chez Tiffany, n'est-ce pas, chérie ?

– Oui.

– Ça alors... C'est dingue que vous possédiez toutes les deux le même bijou. Tu ne trouves pas, John ?

– C'est ce qu'on appelle une coïncidence, admit-il.

Je me régalais de voir ces deux-là dans leurs petits souliers.

– Une semaine plus tôt, confiai-je à Bettye, votre

histoire avec Johnny m'aurait rendu jaloux. Mais là, je viens de retomber amoureux de Joelle, et je ne suis jamais rassasié.

– On devrait y aller, lâcha Jo. J'ai une migraine.

Le retour par le parc fut des plus silencieux. Joelle était absorbée dans ses pensées, et je savais pourquoi. En dépit de sa relation stable et durable avec moi, sa vie érotique et sentimentale dépendait de Johnny Fry. Il n'était pas censé sortir avec une autre.

J'imaginais sans mal leurs discussions :

– Tu couches encore avec lui ? demanderait Johnny.

– Ça compte pas, répondrait-elle. Une fois par semaine, le samedi soir ou le dimanche matin. Il rentre sa queue et c'est tout. Rien à voir avec ce que nous vivons.

Elle lui disait peut-être qu'il en avait une plus grosse, une mieux, qu'il était un vrai mec et que j'étais une sorte de pauvre type.

– Mais il a peut-être une maîtresse, insisterait Johnny. Tu crois qu'il est clean ?

– J'ai toujours été la seule, assurerait Joelle.

Oui, j'étais persuadé qu'ils avaient eu un tel dialogue, et j'en conçus un mélange de fureur et d'excitation. Ce tourbillon d'émotions me donna le tournis, et je me cassai la figure en travers du chemin goudronné.

– L ! glapit Jo.

Ayant eu le réflexe de maintenir ma mauvaise main contre ma poitrine, j'étais tombé sur mon épaule droite, sans me faire mal. Je n'avais pas vu venir cette chute, à force d'imaginer Joelle disant à Johnny que j'étais un petit Noir docile, même pas capable de penser à une autre pendant qu'elle-même buvait le sperme de Fry dans un jardin public.

– Tu n'as rien ? demanda-t-elle.

– Je sais pas.

Elle m'agrippa le bras et tenta de me relever, mais je résistais de tout mon poids.

– Ça va ? intervint alors un grand Blanc.

Il n'était pas jeune, disons une soixantaine d'années, mais il faisait de la musculation. Son débardeur bleu moulait ses pectoraux bombés. Il attrapa mon biceps gauche et soudain j'étais debout.

– Merci beaucoup.

– Y a pas de quoi.

Il repartit, fier que ses innombrables heures d'entraînement aient enfin servi à quelque chose.

Joelle me prit par la taille et me soutint jusque chez elle. L'anxiété avait pris le pas sur son humeur maussade. Une fois là-haut, elle m'installa sur le divan et me retira mes chaussures. Elle fit de la citronnade et tâta mon front à plusieurs reprises.

– Tu devrais aller chez le médecin, répétait-elle.

– Mais puisque je te dis que j'en reviens... Il jure que tout va bien.

– Alors pourquoi t'es tombé ?

– Je n'ai pas l'habitude du sexe à haute dose. Je n'ai même jamais connu ça, comme tu le disais toi-même. Tu me fais perdre la tête, Joelle.

Mais même en prononçant ces mots, je l'imaginais dénigrant ma virilité devant Johnny le Blanc.

– Tu devrais passer la nuit ici.

– Je ne peux pas.

– Pourquoi ?

– Le client que j'ai planté à Philadelphie est de passage à New York, et il a besoin de me voir pour ce boulot.

– Tu le verras demain.

– J'y ai pensé. Mais il a des rendez-vous.

– Alors tu ne peux pas rester ?

Elle avait ce ton implorant qui me faisait toujours céder.

– Impossible.

La surprise teinta son visage, mêlée d'un zeste de suspicion. Je suis sûr qu'elle aurait insisté encore si le téléphone n'avait pas sonné.

Jo disparut dans la cuisine, en refermant la porte d'un air innocent. Je me suis empressé d'y coller mon oreille.

– Allô ? fit Jo. Ah, c'est toi. Je peux pas te parler, là... Non... Tu fais ce que tu veux, je m'en fiche... Non, pas ce soir... Tu as une copine... Oui, dans le parc... Oui, oui. Ouais... C'est mon mec et il est là... Non... Je dois te laisser... Je dois te laisser... Appelle-moi la semaine prochaine... Vendredi... Non, vendredi... Salut.

Elle raccrocha avec fracas.

Lorsqu'elle regagna le salon, j'étais à nouveau carré dans le canapé, l'air blasé.

– C'était qui ?

– Johnny Fry.

– Il a ton numéro ?

– Je lui avais laissé ma carte lors de cette fête chez Brad Mettleman. Il m'a appelée à quelques reprises, à l'époque où il pensait encore faire un disque.

– Il voulait quoi, ce coup-ci ?

– Que je l'aide à commercialiser ses sculptures sénégalaises.

– Ah bon ? Et tu vas le faire ?

– Non, ce type est un escroc. Il serait capable de ne jamais me payer.

Là-dessus je me suis relevé.

– Je ferais mieux de partir.

– Tu ne veux vraiment pas dormir ici ? S'il te plaît...

– Il faut que je voie ce type.

– Tu n'as qu'à revenir après votre rendez-vous.
– Ça pourrait finir très tard.
– Alors tu m'appelles ?
– Sans faute. Et si jamais on finit tôt, peut-être que je repasserai – enfin si tu n'y vois pas d'inconvénient.
– Bien sûr que non. Tu sais que tu es toujours le bienvenu.

Il était environ 15 heures quand je suis ressorti de chez Joelle. Comme il faisait toujours grand beau, j'ai décidé de marcher.

Les piétons me souriaient, me disaient bonjour. Le vent s'était levé, et j'étais soulagé de savoir que Jo avait rompu avec Fry. Car c'est ainsi que j'interprétais leur bref échange téléphonique : elle refusait de lui parler jusqu'à vendredi, lui imposait une semaine entière de silence.

Je me suis arrêté au Gourmet Garage pour acheter de l'églefin fumé et une salade de légumes, puis au Cellar pour une bouteille de bordeaux blanc.

Sur mon fax m'attendait une liste de galeries, avec une note manuscrite de Linda Chou :

Cher Monsieur Cordell Carmel,

J'ai bien reçu vos roses. Elles sont magnifiques. Vous n'étiez vraiment pas obligé, mais cela m'a beaucoup touchée. N'hésitez pas à m'appeler si vous rencontrez le moindre problème avec ces galeristes. C'est à moi qu'ils ont affaire la plupart du temps et je serais ravie de pouvoir vous aider.

Sincèrement vôtre,

Linda Chou

Il y avait de la faim dans ces mots. Hier encore, cela m'aurait sans doute échappé. Mais j'avais vu ce même appétit chez Jo et chez Johnny, chez Bettye et chez moi.

Je comprenais soudain que j'avais toujours vécu dans la famine, sans même en avoir conscience. J'en voulais à Jo et à Johnny, mais ce qui me blessait le plus, c'était de n'avoir jamais mesuré à quel point ma vie était pauvre et vide. Mises bout à bout, mes quarante-cinq années étaient à peine plus denses que l'air sous une peau morte de serpent.

Ma copine n'était pas comblée.

Mon boulot était à la portée de toute personne ayant appris le français et l'espagnol au lycée.

Ma vie sexuelle se résumait à quelques minutes par semaine.

Et pas une fois cette indigence ne m'avait traversé l'esprit.

À 20 h 06, l'interphone sonna.

– Oui ? dis-je en appuyant sur la touche, et cette légère pression lança des aiguilles dans ma main.

– C'est Lucy.

– Troisième étage.

J'enfonçai la touche *porte* plus longtemps que nécessaire, car la douleur me semblait juste, pour ne pas dire agréable. Cela me rappelait Sasha, ou Jo se faisant élargir le cul en poussant des cris voraces. J'en frissonnais de désir.

Je ne prévoyais aucun fricotage amoureux avec Lucy, surtout maintenant que Jo avait largué Johnny. Mais elle était jeune et belle, et j'étais affamé d'amour, même si je le découvrais seulement.

– Bonsoir, dit-elle en franchissant le seuil.

Elle portait un vaporeux chemisier turquoise, au-dessus d'un débardeur, avec une minijupe plissée blanche. Elle m'embrassa au coin de la bouche et m'offrit un sourire.

– Vous êtes très en beauté, déclarai-je.

– Merci. Et surtout, merci pour ce coup de pouce. C'est très important de savoir que vous croyez en mon travail – et pour les enfants, aussi.

– Dans ce cas, mettons-nous au boulot. J'aimerais qu'on passe en revue l'ensemble des photos, et que vous me racontiez l'histoire de chacune. Je veux connaître ces gamins et ce monde comme si j'avais été là-bas moi-même.

– Qu'est-il arrivé à votre main ?

– Une mauvaise chute.

– Et ça va ? Rien de cassé ?

– Rien du tout. Regardons vos clichés...

Lucy se rappelait chaque prénom, se souvenait de chaque ville et de chaque village où elle avait sorti son appareil. Elle savait quelles maladies accablaient ces enfants, comment leurs parents étaient morts. Ce qu'ils mangeaient, la quantité d'eau infestée qu'ils absorbaient chaque jour.

– Vous vous êtes vraiment immergée dans leur quotidien...

– Ces malheureux sont en train de crever. Il faut que je fasse connaître leur tragédie.

– Et vous avez pensé aux magazines ?

– Les magazines achèteront peut-être une ou deux photos, mais ils n'aiment pas trop s'attarder sur les malheurs de la planète. Ce que j'aimerais, c'est montrer ces images à des gens qui ne s'y attendent pas, afin qu'ils aient un choc et décident d'agir.

– Et moi, je compte bien vous y aider.

Il était 23 heures bien sonnées quand je couchai mes

dernières notes. L'agonie de la nation soudanaise me bouleversait, contrairement à la première fois où j'avais vu ces photos. Je sentais en outre que cette émotion apaisait mes états d'âme sexuels. Mes soucis n'étaient rien face au martyre de ces gosses.

– J'ai du poisson fumé et une salade composée au frigo, dis-je en reposant mon crayon.

– Avec plaisir, répondit Lucy. Je n'ai rien avalé depuis ce matin.

Je disposai le repas sur un plateau en bois, débouchai le vin et m'assis avec Lucy sur le canapé.

Malgré sa jeunesse, Lucy était d'une conversation très agréable. Elle posa des questions sur mon métier et demanda ce que je traduisais.

– Essentiellement des brochures et des articles, répondis-je. Et les rares fois où je planche sur un livre, ce n'est jamais de la fiction, ni même de la non-fiction un tant soit peu intéressante. Parfois je traduis de la correspondance pour des clients comme Brad. Des trucs assez basiques.

– Il doit bien y avoir quelques défis à relever. Des mots à double sens, des expressions obscures...

– Bien sûr. Mais ce n'est jamais aussi passionnant que ce que vous faites. Quand je vous entends parler de tous ces pays où vous êtes allée, je me sens assez minable. Vous avez quoi, vingt-cinq ans ?

– Vingt-trois.

– J'en ai quarante-cinq, un peu plus que votre papa, mais je n'ai jamais mis les pieds en Afrique, même pour les vacances. Et autant que je m'en souvienne, je n'ai jamais tenté de sauver la moindre vie.

– Ce sera peut-être bientôt le cas.

Lucy me toucha la main, et ce faisant son coude actionna la télécommande.

Le Mythe de Sisypha réveilla l'écran endormi. C'était la scène bénigne où la nana black tombait sur Mel et Sisypha dans un café.

– Oh pardon, fit Lucy. Je vais éteindre.

Elle saisit la télécommande, mais son pouce confondit les touches Stop et Avance rapide. Apparut alors un type noir allongé sur un sofa, son énorme queue dans la main de la fille du café.

– Oh mon Dieu ! lâcha Lucy.

Je lui repris la télécommande et coupai tout.

– La vache ! fit Lucy.

– Je suis vraiment confus. L'autre jour, je n'étais pas trop dans mon assiette, et je suis passé devant un sex-shop. J'ai décidé d'entrer... sur un coup de tête.

– J'ai toujours voulu me procurer un de ces machins, avoua-t-elle. Je n'en ai jamais vu.

– Comment ça se fait ?

– Ces endroits me fichent la trouille.

– Vous pourriez envoyer votre copain...

– Billy est adorable, mais il est assez prude. Il se dit féministe et je trouve ça super. En même temps, je ne crois pas que regarder des gens faire l'amour soit un acte misogyne.

Vu la façon dont elle me regardait, cela ressemblait fort à une invitation.

– Si vous voulez, je retournerai dans cette boutique pour vous acheter quelque chose, et la prochaine fois qu'on se verra... eh bien je vous l'offrirai.

– On ne pourrait pas voir un peu de celui-ci ?

Mon cœur se comprima jusqu'à rendre sa dernière goutte.

J'avais un *non* au bord des lèvres. Lucy était une enfant. J'aurais l'impression de commettre un crime. J'avais une petite amie...

Je rallumai le lecteur et retrouvai le passage où le Noir se pointait au café. Lucy bondit pour éteindre la dernière lampe. Puis elle se glissa contre moi et remplit nos deux verres de bordeaux.

– Je vous présente Stewart, disait la Black. C'est un ami. Il peut se joindre à nous ?

– Bien sûr, Julie, répondit Sisypha. On monte tout de suite ?

– Salut, lança Stewart à Mel.

Les deux hommes se serrèrent la main. Ils faisaient la même taille, un petit mètre soixante-quinze, mais Stewart était mince et noir, Mel rondouillard et pâle.

Ils quittèrent le restaurant et traversèrent la rue. La caméra les suivit dans une entrée, puis dans un escalier.

La séquence suivante montrait leur arrivée dans un appartement. Julie tomba la robe sitôt qu'elle eut franchi le seuil. Elle avait un corps magnifique, une peau couleur de myrtilles bien mûres.

– Retire ton pantalon, ordonna Sisypha à Mel.

Lucy agrippa mon doigt.

Comme Mel ne bougeait pas, ses trois compagnons s'occupèrent de lui. Ils le dévêtirent avec patience et douceur, de la tête aux pieds, en lui parlant d'un ton bienveillant, comme des adultes à un garçonnet.

– Voilà, dit Sisypha en lui ôtant son tee-shirt.

– Tu vois, ce n'est pas si difficile, ajouta Julie après avoir confisqué le pantalon et le boxer.

Julie et Stewart s'installèrent sur le sofa et débutèrent leurs ébats.

– Je veux partir, dit Mel à son épouse, qui l'empêchait de récupérer ses vêtements.

– On regarde cinq minutes, chuchota Sisypha. Puis on pourra partir si tu le souhaites.

Julie s'était agenouillée devant la longue verge, qu'elle léchait et tirait.

Cramponnée à mon doigt, Lucy respirait lourdement.

Gagné par l'excitation, Mel passa le bras sur les épaules de son épouse, un mouvement un peu gauche.

Comme Stewart pénétrait Julie par-derrière, je me suis penché pour embrasser Lucy dans le cou. Elle colla sa bouche contre la mienne et j'y glissai ma langue.

– On ne peut pas, dit-elle entre deux baisers. J'ai promis à mon copain d'être fidèle.

Je perdis provisoirement le fil de l'histoire. J'avais débarrassé Lucy de son chemisier diaphane et baissé son débardeur. Ses seins étaient lourds, mais les tétons roses et durs pointaient. Quand j'en pris un pour le sucer, il sécréta un léger fluide sur ma langue.

Lucy grogna aussi fort que Julie, et en relevant les yeux je vis Stewart pousser sa queue dans l'anus de la fille.

– Regarde, Lucy.

Elle réagit en ouvrant ma braguette. Son pouce et son index formèrent une bague étroite qu'elle fit aller et venir sur mon gland. Ça chatouillait, et ça me rendait dingue.

– Plus profond, gémit Julie.

– Pas touche, intervint Sisypha en voyant que Mel commençait à se caresser. (Elle lui prit la main.) Contente-toi de regarder, et laisse monter le désir.

C'est à peu près là que je me suis mis à onduler du bassin.

– Tu veux jouir ? demanda Lucy.

– Non.

Elle pinça la grosse veine inférieure de ma verge, m'arrachant un cri de douleur.

– Je procède comme ça avec Billy, dit-elle. Il part toujours trop vite.

Elle replaça ses doigts en bague tandis que Stewart creusait les fesses d'une Julie hurlante. Il plongeait en entier, ressortait complètement et ainsi de suite, en prenant tout son temps.

– Tu as déjà fait ça ? s'enquit Lucy.

J'ai hoché la tête, car si j'ouvrais la bouche j'étais sûr de décharger, pincements de verge ou pas.

Stewart se retira de Julie et attira Sisypha.

L'héroïne s'agenouilla devant lui, comme plus tôt Joelle devant moi. L'instant d'après Stewart éjaculait sur son visage, dans ses cheveux et sur le sol derrière elle. Puis il remit son pantalon et ses chaussures. Tout en s'essuyant avec son pull, Sisypha lui prit le bras et lança à Mel :

– Tu restes ici avec Julie.

– Mais...

– Ne discute pas, chéri. Fais ce que je te dis.

Une expression apparut sur le visage du mari, la même que lorsqu'il s'était abandonné au gode.

Mon érection se maintenait. J'étais toujours excité, mais je m'identifiais si fort à Mel que je me sentais tenu d'obéir à Sisypha, moi aussi.

J'éteignis le lecteur, qui nous laissa dans la lumière bleutée de l'écran plasma.

– La vache, fit Lucy. Je n'avais jamais rien vu de tel. Cette fille est si forte. Et il l'aime tellement...

Il l'aime ?

– Je t'ai froissé ? s'inquiéta la jeune fille.

– Non, pourquoi ?

– Tu ne bandes plus.

– Tu veux bien rester cette nuit ?

– On ne peut pas baiser, dit-elle en secouant la tête d'une manière exquise.

Elle me tenait toujours le sexe et me couvrait de baisers.

– Ce n'est pas un problème, Lucy. J'ai juste envie de... tu sais bien.

– Jouir ? prononça-t-elle, un rictus coquin sur ses lèvres roses. Seulement si tu promets de patienter jusqu'au matin.

– Comme Mel ?

– C'est ça.

Elle sourit et m'embrassa. Puis l'écran bleu s'éteignit.

Nous prîmes à tâtons le chemin du lit. Nous nous allongeâmes côte à côte, et elle vérifia régulièrement si mon érection se maintenait. Dans le noir, Lucy me parla de sa famille et de son enfance à Westport, Connecticut. C'était un récit assez fade, mais chaque fois que je piquais du nez, elle m'effleurait du bout des doigts.

Je finis tout de même par dormir.

Dans mon rêve, je déjeunais avec Johnny Fry, Bettye et Jo. Mais plutôt que de nous cantonner dans les soupçons et les sous-entendus, nous parlions à cœur ouvert.

– Ça m'anéantit de savoir que tu l'aimes, confiais-je à Jo.

– Je ne suis pas amoureuse, expliquait-elle, mais j'ai besoin de lui.

– Je suis juste un meilleur coup, renchérissait Johnny.

C'est à cet instant, dans ce rêve, que je me suis mis à le haïr.

– J'ai une plus grosse bite, insistait-il.

– Et il sait s'en servir, assurait Bettye en hochant la tête.

Joelle :

– Il n'a pas peur de la vie, lui. Il sait s'imposer, sans se soucier des autres.

Elle me visait directement, moi qui me faisais des nœuds au cerveau pour tout.

La colère m'envahit. Mon corps grondait de rage. Je gigotais, la terre tremblait, et quand je me suis réveillé, j'étais en train de baiser. Lucy me chevauchait, son visage tordu de plaisir à quelques centimètres du mien. Elle prononçait des mots abscons, levant une hanche puis l'autre avant de retomber de tout son poids, claquant du cul sur mon bassin.

– Putain... ce qu'elle est... épaisse... ânonnait-elle.

Puis elle fronça les sourcils et crispa sa bouche, comme sous l'effet d'une profonde métamorphose.

Je voulus lui assurer que l'on ne faisait rien de mal, mais au lieu de ça je jouis si fort que mes prunelles se voilèrent. Sa croupe me martelait à une cadence de machine tandis qu'elle me criait des trucs à l'oreille.

C'était une expérience sexuelle des plus limpides et puissantes. J'agrippai Lucy et la secouai, amplifiant malgré moi les spasmes de l'orgasme. J'étais comme ensorcelé. Je suis presque sûr d'avoir éjaculé une deuxième fois, mais c'était la plus faible de mes sensations. Une crampe agrippa mon mollet gauche, mais je n'ai même pas réagi.

Si à cet instant, vous m'aviez demandé ce qui se passait, je vous aurais dit que ma vie entière tendait vers un seul but : être dans cette chambre, sous cette femme, ignorant la différence entre plaisir et souffrance.

Puis ma crampe au mollet devint insoutenable, et je sautai par terre pour faire quelques pas dans la pièce. Une fois la douleur dissipée, Lucy s'assit au bord du lit, goba mon pénis mollissant et me lécha les couilles.

– Dieu que c'est bon, déclara-t-elle.

– Que s'est-il passé, Lucy ? La lumière était éteinte et... je dormais.

Il lui suffit d'un sourire pour cristalliser tout ce que j'avais ressenti. Elle se moquait gentiment de moi, comme l'aurait fait une bonne amie.

– Je me suis réveillée il y a environ une demi-heure, expliqua-t-elle. Je culpabilisais un peu vis-à-vis de Billy, alors j'ai décidé de partir. J'ai allumé la lampe pour prendre mes vêtements. Tu étais allongé sur le côté, et tu bandais encore. Je ne sais pas pourquoi, j'ai trouvé ça mignon. Et du coup, j'avais des scrupules à me sauver comme une voleuse. Je t'ai murmuré à l'oreille que je repartais, et tu t'es retourné sur le dos, mais sans rouvrir les yeux. Je me suis dit que j'allais te réveiller en te caressant le sexe, mais tu t'es juste mis à accompagner mes mouvements. Je suis vraiment désolée. Ça ne m'était jamais arrivé, mais il faut me comprendre : tu était couché là, la queue dressée, et je n'avais qu'à monter dessus...

Elle me prit le bras et je m'assis à côté d'elle.

– Alors écoute, reprit Lucy. J'ai fait un test de dépistage complet avant de me mettre avec Billy, et il a fait pareil. On est OK tous les deux. (Elle soupira.) Et moi, il faut que je lui en parle ?

– Mon dernier test remonte à six ans, répondis-je. Mais depuis neuf ans je n'ai eu de rapports qu'avec ma copine. Alors je pense qu'il n'y a rien à craindre.

– Et ta copine, justement ?

Je revis le préservatif rouge de Johnny Fry.

– Sois tranquille.

Lucy soupira de nouveau, avant de me serrer le bras.

– Je crois que tu as joui deux fois, dit-elle.

– Le deuxième coup, j'ai cru que je faisais une crise d'épilepsie. Que j'allais crever.

– Je n'ai jamais vu quelqu'un prendre son pied comme ça. Tu me serrais si fort que j'avais l'impression d'être toi.

Le désespoir s'insinua par mes omoplates. Je craignais que ce soit la fin avec Lucy, comme avec toutes les filles de son genre. Je ne voulais pas qu'elle s'en aille. Je ne voulais pas renouer avec le néant de ma vie et cela dut transparaître sur mon visage.

– Qu'est-ce qu'il y a ? demanda Lucy. Qu'est-ce qui ne va pas ?

Je la fis pivoter, le ventre sur le lit et les genoux au sol. Puis je mis à croupetons derrière elle.

– Qu'est-ce qu'il y a ? insista-t-elle.

Lucy avait de belles fesses jeunes et fermes. J'embrassai sa raie avant d'y promener ma langue, de haut en bas, en m'attardant parmi les quelques poils blonds émergeant de son pubis.

– Ouh, c'est bon, dit-elle.

Sur quoi j'écartai ses miches avec mes pouces.

– Que fais-tu, L ?

C'était la première fois qu'elle m'appelait ainsi.

Son anus était un point rose piqué d'une touche de gris. Je passai ma langue sur cet œil plissé, ce qui la fit glapir.

– Oh mon Dieu !...

Je pointai ma langue au centre. Lucy posa une main sur mon épaule.

Ce contact me resterait pendant des heures. Les doigts de Lucy caressant ma peau, me maintenant en place, m'enjoignant tacitement de ne plus bouger.

Puis elle ôta sa main, empoigna sa fesse droite et l'écarta d'un geste brusque, ouvrant son anus de trois ou quatre millimètres. J'avais seulement prévu d'y poser quelques baisers, espérant être le premier à l'embrasser là. Je voulais l'initier à quelque chose, n'importe quoi. Qu'elle se souvienne de moi.

Mais j'hésitais encore à lui mettre la langue. Je tergiversais.

– Vas-y, siffla-t-elle. Enfonce-la-moi.

Mais je résistais encore.

Puis elle gémit de désir, et je compris que lui tenir tête c'était déjà lui faire l'amour, que d'un point de vue émotionnel j'étais déjà en elle. Alors je tendis ma langue et la poussai vers l'avant, jusqu'à ce que je sente céder son rectum. Je restai sous ces latitudes, le visage enfoui dans sa lune, tandis que Lucy se cambrait avec un mouvement de roulis.

– Oh oui, bébé. C'est de ça que j'ai besoin. J'ai besoin de toi. J'ai envie de toi.

Quand je me retirai, elle secoua la tête sur le matelas.

– Ne t'arrête pas. Je t'en prie, ne t'arrête pas...

Je replongeai la tête et poursuivis mes baisers. Après de longues minutes nourries de plaintes et d'encouragements, Lucy grimpa sur le lit et m'empoigna, comme pour me manœuvrer. Je finis par comprendre qu'elle voulait faire un 69, mais en me tournant le dos, de façon à me sucer sur le côté pendant que je m'acharnerais sur son derrière.

Cela dura un certain temps, jusqu'à ce que, grillé par son incandescence, j'éjacule de plus belle. Lucy continua d'embrasser ma queue, mais cela finit par chatouiller.

Je roulai sur le dos.

Elle se retourna et me sourit.

– C'était génial, dit-elle. Personne ne m'avait jamais fait ça.

– Et je ne l'avais jamais fait à personne.

– C'est vrai ? C'était tellement bon. L'idée t'est venue comment ?

– J'ai envie de te plaire, Lucy.

Elle enjamba mon corps et se hissa sur moi, laissant ses cheveux d'or retomber tout autour de mon visage, comme une tente blonde. Son haleine gâtée par mon sperme sentait le soja.

– Tu es satisfait ? demanda-t-elle.

– Très.

– Tu es le meilleur amant que j'aie jamais eu. Je ne savais même pas que je pouvais ressentir ça.

J'ignorais si elle mentait, ou si c'était juste pour me faire plaisir.

– Tu veux bien passer la nuit ici ?

– Tu me serreras contre toi ?

– Bien sûr.

– Billy ne me câline jamais après l'amour.

Je l'enveloppai dans mes bras et elle se nicha contre mon flanc.

Nous avons remis ça le matin, juste avant de nous lever, puis de nouveau sous la douche, et encore dans le salon alors qu'elle allait repartir. Les deux dernières fois, j'étais trop vidé pour jouir. Ma verge était en feu, mais j'aurais baisé jusqu'au sang si Lucy ne s'était pas esquivée pour se rhabiller.

Je lui ai demandé ce qu'elle éprouvait. Elle a répondu :

– Je n'en sais rien. C'est complètement nouveau pour moi. Mais je pense qu'il va falloir apprendre à être raisonnable : comme tu comptes rester avec elle, et moi avec lui, ça ne doit pas devenir une habitude.

– Non, c'est sûr.

On s'est quittés sur un baiser, et j'ai promis de consacrer ma semaine à démarcher les galeristes.

Après le départ de Lucy, j'ai décidé de mettre le holà. J'étais allé trop loin. Entre Joelle et Johnny, le DVD, et maintenant Lucy – sans parler du projet de rencard avec Sasha – j'avais vraiment pété un câble.

Pire que tout, je m'étais mis mon agent à dos, sans même chercher du boulot ailleurs – un vrai boulot, j'entends, celui que je savais faire.

Je n'avais rien d'un agent artistique. Je n'avais rien du type qui plaque tout pour se jeter dans l'inconnu.

Je n'avais rien d'un don Juan ni d'un Casanova.

Il m'avait suffi de quelques jours pour saccager ma vie.

J'ai d'abord pensé appeler Joelle pour lui parler de tout ça. Joelle était la seule personne que je pouvais qualifier de proche. Mon père était mort, ma mère était quasiment retombée en enfance, et mon frère et ma sœur ne m'appréciaient pas beaucoup.

Joelle était la seule à qui je puisse parler. Mais je l'entendais encore grogner sous les coups de reins syncopés de Johnny Fry – avant de me jurer, droit dans les yeux, *il n'y a que toi.*

J'ai quand même pris le téléphone.

Quand même composé le numéro.

– Allô ?

– Salut, Jo.

– Tu ne devais pas m'appeler hier soir ?

– Le type de Philadelphie n'est reparti que vers 1 heure du mat'. Je me suis dit que tu dormirais.

– Il est presque 14 heures. Tu as fait quoi, ce matin ?

– Je viens de finir le premier jet de ma traduction.

– Ça parle de quoi ?

– C'est un livret qui accompagne une bouteille de vinaigre balsamique de cent ans d'âge. Ça parle de la famille qui produit le machin. Ils veulent une première version pour lundi, et je dois encore me relire.

– Du vinaigre ?

– Eh ouais. Passionnant, hein ?

– Tu viens me voir ? fit-elle d'une voix tendre.

– Soit je vais faire la sieste pour bien bosser ensuite, soit je vais bosser jusqu'à ce que je tombe de fatigue. Dans un cas comme dans l'autre, je ne serai pas d'une compagnie très intéressante.

– Ça m'est égal. Tu pourrais passer, et on se mettrait au lit...

Elle avait dit ça d'une manière charmante, engageante et chaleureuse. Mais quand je n'étais pas à ses côtés, je n'éprouvais pas grand-chose pour elle, ne sentais aucune alchimie dans notre conversation. Et dès que je pensais à ses mensonges et à sa traîtrise, l'envie me reprenait de balancer mon poing dans un mur.

– Tu n'as qu'à sortir avec des amis, suggérai-je. Tiens, ça fait longtemps que tu n'as pas vu Ralph Moreland.

– Le seul qui m'intéresse, c'est toi, Cordell Carmel.

– Vraiment ?

– Évidemment. Pourquoi tu me poses cette question sans arrêt ?

– Je ne sais pas. On ne s'est pas beaucoup vus, cette année. Juste le week-end. Sexuellement, c'est un peu léger.

– Un peu léger ? Et vendredi soir, alors ? Et hier à Central Park ?

– Je crois que c'est parce que j'avais peur.

– Peur de quoi ?

– De te perdre.

En prononçant ces mots, je compris que c'était vrai. Je l'avais déjà perdue sans le savoir, et maintenant je traversais les turbulences menant à cette perte, comme si je rattrapais le temps.

– Je n'ai pas l'intention de te quitter, jura Jo. Je suis à toi et je te veux près de moi.

– Et si je passais demain ? offris-je.

Jo détestait partager ses jours de semaine. Son travail l'accaparait, et elle disait avoir besoin de solitude pour engranger des forces. Cela faisait bien six ans qu'on ne s'était pas vus en semaine, hors périodes de vacances.

– D'accord, accepta-t-elle aussitôt. Tu arrives à quelle heure ?

– Qu'est-ce que tu préfères ?

– Disons dans l'après-midi ?

– J'imagine que tu as du boulot...

– J'ai un rendez-vous, mais je peux le déplacer. Tu passeras toujours avant mon travail, L.

Approchant la main de mon visage, je sentis la note citronnée du parfum de Lucy. Je culpabilisai. Puis je repensai à Johnny Fry et ma colère reprit le dessus. C'est là que j'ai commencé à comprendre le lien entre émotion et sensualité. À un moment donné, entre le jour où j'avais surpris Joelle et Johnny sur ce sol noyé de soleil et l'instant présent, j'étais devenu vivant. Or la vie, c'est douloureux.

– Ça marche, dis-je. Va pour 15 heures. Je serai là.

– On dirait que tu veux raccrocher...

– J'ai pas envie, mais il le faut.

Soit deux mensonges pour le prix d'un.

Les calculs classiques ne s'appliquent pas aux affaires du cœur. Coucher avec Lucy, draguer Sasha et Linda Chou, cela ne compensait d'aucune façon la trahison de Joelle avec Johnny Fry. Je ne pourrais jamais lui pardonner sur la base de telles équations. Jamais je n'aurais l'impression d'un résultat harmonieux.

Je ne voulais pas la voir, mais je voulais qu'elle ait envie de me voir. Je regrettais qu'elle ait couché avec Fry, mais dès que je la voyais ou que je les imaginais ensemble, j'avais envie de la baiser.

Au comble de la confusion, je suis sorti pour flâner dans l'Eastside. J'ai poussé jusqu'aux environs de Houston Street, puis jusqu'à West Broadway. Des milliers de personnes se promenaient en ce dimanche après-midi. Des femmes vêtues de trois fois rien, des hommes qui faisaient mine de ne pas saliver. Sur les trottoirs, des gens vendaient des bijoux en argent, des cahiers reliés à la main, des peintures, des poteries ou de vieux disques.

Quand la fatigue me terrassa, je m'assis sur une bouche d'incendie bleue, devant un minuscule restau péruvien. À côté se dressait un poteau téléphonique en bois où étaient agrafés des dizaines de papiers. On cherchait des colocataires, des colocations, des chambres. Certains quittaient la ville et vendaient leurs biens. Une dame avait perdu son caniche mâle du nom de Boro. Une feuille couleur lavande promettait de vous faire maigrir de quinze kilos en un mois, sans rien débourser. Le portrait photocopié d'une jeune femme noire en neuf exemplaires interrogeait : « Avez-vous vu Angeline ? » Suivait un numéro de téléphone et une promesse de récompense de 150 dollars. C'est la petitesse de cette somme qui attira mon attention. Les parents d'Angeline devaient être trop pauvres pour offrir davantage. J'avais de la peine pour eux et pour leur fille, même s'il se pouvait aussi qu'elle fût mieux toute seule. C'était mon cas – du moins avant que je ne rencontre

Joelle. Ma première épouse, Minda, était artiste peintre. Elle croquait des portraits sur les planches de Coney Island. Nous nous étions mariés par caprice et séparés par K-O. Au bout de neuf mois de vie commune, elle m'avait asséné qu'elle préférait encore partager son lit avec du verre pilé.

– Qu'est-ce que j'ai fait ? avais-je répondu.

– Rien, justement. Tu n'es même pas fichu de péter.

Mon second mariage fut encore plus bref. Elle s'appelait Yvette et son père était militaire de carrière. Le jour de la noce, celui-ci me mit en garde : si je m'avisais de briser le cœur de sa fille chérie, il me tuerait sur-le-champ.

Encore marqué par les récriminations de Minda, je décidai de tenir tête au beau-père. En lui conseillant de ne jamais boire un verre en ma présence, car selon toute probabilité j'y aurais versé du poison. Mes paroles revinrent aux oreilles d'Yvette, qui m'incendia. Je fis valoir que son père m'avait menacé le premier.

– Et alors ? répondit-elle. C'est normal de dire ça quand on marie sa fille.

On est partis en lune de miel, mais c'en était fini du sexe.

Elle m'a traîné au tribunal afin d'obtenir une pension alimentaire. Le juge a bien ri et prononcé l'annulation de notre mariage.

Trois des tracts d'Angeline recouvraient une feuille orange.

Les seuls mots lisibles étaient : « Un ami ».

J'essayai de deviner le début de la phrase. Mais en vain. Je finis par me lever pour arracher les trois avis concernant la jeune Noire. Cela ne heurtait pas trop ma conscience : il en restait encore six sur ce poteau, et j'en avais vu d'autres un peu partout dans le Village.

L'affichette orange disait :

APPELEZ UN AMI
On a tous besoin d'un ami,
d'une personne à qui parler,
d'une personne qui vous écoutera
sans juger. Si vous vous sentez
seul, sans personne pour entendre
votre douleur, composez le
1-800-555-0333. 35 cents la minute.
(Ceci n'est pas un téléphone rose.)

L'idée me parut originale, car des tas de gens avaient parfois besoin d'un ami. Je me demandais qui pouvait officier sur ce genre de ligne, poussai la porte du restau péruvien et commandai un *ceviche*. On me le servit avec du pain blanc et du beurre. J'en eus pour 12 dollars, sans compter les taxes et le pourboire.

Après cela j'ai erré pendant des heures, en croisant des centaines de passants. Je n'en reconnus aucun, et aucun ne me connaissait.

Je suis resté dehors jusqu'à 21 heures. Je n'avais rien fichu de la journée. C'était la quatrième fois de la semaine que je faisais ce constat. Avant, il ne passait pas un jour sans que je travaille. Avant, je consacrais quotidiennement plusieurs heures à chercher du boulot, à traduire pour un client ou à m'exercer. Désormais, je passais mes journées à me complaire dans mon malheur ou à suivre ma queue.

C'est en homme désespéré que je regagnai mon

immeuble. Je cherchais mes clés quand j'entendis crier mon nom :

– Monsieur Carmel !

C'était Sasha, arrivant au bras d'un grand jeune homme vêtu d'un costume gris. Un pan de chemise jaune s'échappait de sa veste et sa bouche sensuelle arborait un sourire éméché.

– Voici mon frère, Enoch, précisa Sasha.

– Salut, fit l'intéressé en tendant la main gauche.

La gauche, car son bras droit était calé sur les épaules de sa sœur, et comme il était soûl, il devait avoir peur de la lâcher.

– Vous pouvez m'aider à le monter là-haut ?

– Bien sûr.

– J'aime ma sœur, et les autres peuvent bien dire ce qu'ils veulent ! pérorait Enoch tandis que nous grimpions l'étroit escalier métallique. C'est la plus belle, la plus merveilleuse, la plus gentille des filles. Et elle est roulée comme les anciennes stars d'Hollywood, comme une vraie femme. J'adore les vieux films hollywoodiens. Wallace Beery et Ronald Coleman, Myrna Loy et Faye Wray. C'était l'époque où ils savaient ce que les gens avaient au fond du cœur, pas vrai, Sasha ?

– Bien sûr, Enoch. Bien sûr.

Mon petit doigt me disait que ces deux-là étaient coutumiers de ces scènes. Un petit frère triste et paumé venant cuver sa bière dans les jupes de sa sœur, s'apitoyant sur la vie qu'il n'avait jamais pu mener.

Ses jambes lâchèrent un étage avant celui de Sasha. Il nous fallut le traîner jusqu'en haut, avec ses talons qui ricochaient sur chaque marche.

Je l'ai maintenu pendant que Sasha tournait la clé dans la serrure. Puis je l'ai tiré à l'intérieur de l'appartement. Quand elle alluma la lumière, je fus assez surpris : nos appartements étaient identiques, à ceci près qu'ici tous les murs avaient sauté. Il restait six piliers dans une immense pièce. La chambre, la cuisine et le salon étaient réunis en un même espace. Seule la salle de bains avait une porte et des cloisons.

J'ai lâché le frangin sur le futon.

Étendu sur le dos, il sourit à Sasha et lui ouvrit les bras.

– Bisou, quémanda-t-il comme un gosse à sa mère.

Elle lui claqua un gros baiser sur la bouche, avant de s'asseoir par terre pour lui ôter ses chaussures.

– Je vais me débrouiller, maintenant.

– Entendu, répondis-je.

Comme je passais la porte, Sasha me lança :

– N'oubliez pas qu'on dîne ensemble bientôt !

J'avais espéré que cela lui serait sorti de la tête. J'avais eu ma dose de femmes et de sexe. Je la saluai de la main avant de fermer la porte.

Redescendu chez moi, j'entamai *L'Homme de la nuit*, un roman qui croupissait sur mon étagère depuis des années. Cela parlait d'un vampire – d'un type qui ne sortait jamais dans la lumière, qui adorait l'obscurité et s'y cantonnait scrupuleusement. C'était une histoire d'amour tragique et somme toute assez banale. Juvenal Nyx, le héros, rencontre une femme qui est un être de lumière. Il la trouve sur un pont, alors qu'elle s'apprête à se suicider, suite à la mort de son enfant. Son mari lui reproche sa négligence et elle endosse l'entière responsabilité du drame, que ce soit justifié ou non.

C'était le premier roman que je lisais depuis des mois. Normalement, à la fin d'une journée où je m'étais épuisé à traduire des manuels, des formulaires et des documents juridiques, la seule chose dont j'étais capable, c'était de regarder la télé.

Mais pas ce soir-là.

En fait, je n'osais pas allumer le poste. Mon obsession pour *Le Mythe de Sisypha* me conduirait fatalement à relancer le DVD. Or je voulais me sevrer de ce pénible attrait pour le sexe punitif.

Bien qu'un peu mélodramatique, *L'Homme de la nuit* me tint en haleine jusqu'au milieu de la nuit. Il devait être plus de 1 heure du matin lorsqu'on frappa à ma porte.

Les coups n'étaient pas réguliers. Trois tapes, un boum, deux bruits mats, puis une sorte de cliquetis, comme avec un stylo ou plus probablement une bague.

Je n'avais pas envie d'ouvrir. Je savais qui c'était – du moins je le croyais : le frère de Sasha s'était endormi et la demoiselle avait pensé à moi. Elle voulait que je la saute jusqu'au petit matin. Voilà ce que je pensais.

Rétrospectivement, c'était très vaniteux de ma part. Je n'avais rien d'un dieu du sexe, je n'étais qu'un type d'âge moyen confronté aux affres des hommes de ma génération.

Mais aussi absurde que ce soit, j'étais persuadé de trouver Sasha derrière la porte.

J'ai d'abord pensé jouer l'endormi, ou l'absent. Je ne répondrais pas, et elle repartirait.

Mais les coups erratiques reprirent, et je commençais à avoir honte. Pourquoi serais-je incapable d'ouvrir ma propre porte ? Elle voulait baiser, et alors ? Rien ne m'obligeait à céder. Je pouvais toujours dire que je m'étais réconcilié avec ma copine, et que l'infidélité ne faisait pas partie de mes projets dans l'immédiat.

Alors je suis allé ouvrir, sans même demander qui c'était. Tomber sur Enoch Bennett fut pour le moins inattendu. Il portait pour seuls vêtements son pantalon de costume gris, des bretelles qui pendillaient sur les côtés, et sa chaussure gauche, sans chaussette.

Le visage sombre, il m'a regardé et s'est mis à chialer. Il s'est affaissé contre ma poitrine, tel un boxeur cherchant du répit dans les bras de son adversaire.

– Qu'est-ce qui ne va pas ?

Il tenta de répondre mais ne produisit qu'une plainte laborieuse, des sons qui n'avaient de paroles que l'intention.

Je le guidai jusqu'au futon et l'aidai à s'asseoir. Il s'affala sur le côté, en braillant tout son soûl. Ces sanglots me firent craindre le pire. Sasha avait brisé la vie d'Enoch lorsqu'il était gamin, en provoquant la séparation de leurs parents. Peut-être, dans son ébriété, s'était-il vengé en assassinant sa sœur. Sa détresse semblait extrême, et il fallait une raison sérieuse pour se réfugier chez un inconnu comme moi.

J'examinai ses mains, cherchai d'éventuelles traces de sang sur son pantalon froissé, mais je ne vis rien. Il y avait bien quelques taches d'humidité, mais le tissu anthracite camouflait tout autre indice.

– Que s'est-il passé ? demandai-je quand les larmes eurent un peu faibli.

– Ça faisait des années que je n'avais pas vu Sasha, expliqua-t-il d'une voix tremblante, prêt à s'effondrer de plus belle. Mon thérapeute pense qu'il était temps de l'affronter. De... de lui dire comment je vivais ce...

– Ce quoi ?

– Au début, ça s'est bien passé. Elle avait l'air contente de me voir. Je lui ai parlé, et elle... elle m'a fait des excuses. Elle disait que c'était à cause de ma mère, qu'elle lui avait fait beaucoup de mal. Tout se passait comme l'avait prédit mon psy. On discutait et...

et des fois je me mettais en rogne et je lui criais dessus en lui disant que je la détestais...

J'étais à présent convaincu que Sasha gisait morte là-haut, et je cherchais le bon moment pour appeler la police. Enoch me dépassait de quelques centimètres, il était sans doute plus fort et assurément plus jeune que moi. Je n'avais aucune envie d'en venir aux mains.

Puis je me suis souvenu qu'il me restait une demi-bouteille de cognac.

– Vous voulez un verre ? lançai-je en me relevant.

Si je parvenais à le saouler un peu plus, je pourrais l'enfermer aux toilettes à l'aide d'une chaise avant d'appeler le 911...

Mais Enoch saisit mon poignet.

– On a fêté nos retrouvailles en se bourrant la gueule, expliqua-t-il. On a fait la tournée des bars, puis soudain j'étais là-haut. J'avais mes doigts dans son corps et elle... elle avait sa bouche sur moi. Je l'ai repoussée en lui disant non, ça va pas recommencer. Alors elle m'a juste regardé en ouvrant les bras. Elle ne disait rien, mais je savais ce qu'elle pensait. Elle pensait que je la désirais plus que tout au monde. Et c'était vrai ! Je lui ai sauté dessus. Et puis, et puis après, quand je me suis réveillé, elle était couchée à côté de moi et ça sentait le sexe.

Ce récit me laissa perplexe. Ce que j'avais pris pour un meurtre n'était qu'une histoire d'inceste. Un frère et une sœur adultes faisant l'amour à la faveur d'un excès d'alcool. Un jury les aurait peut-être jugés coupables, les aurait peut-être envoyés en taule. Dans certains États, ce crime leur aurait peut-être coûté la vie. Moi-même, j'aurais pu m'offusquer des aveux de ce gamin, si ces derniers jours ne m'avaient pas abreuvé de sexe et de dépravation. Mais pour l'heure je n'éprouvais qu'un grand soulagement. : Sasha dormait dans son lit, Enoch larmoyait sur mon sofa, tout allait bien.

– Prenez donc un verre, insistai-je. Ça vous requinquera, et demain matin tout ceci ne sera plus qu'un lointain souvenir.

Enoch se remit à pleurer. Je remplis la moitié d'un verre, qu'il siffla en trois gorgées. Je lui en servis un deuxième. Avant d'avoir pu le vider, il s'évanouit sur le futon.

N'étant pas sur le dos, il ne risquait pas de s'étouffer. Alors j'ai posé une couverture sur ses épaules, regagné ma chambre, éteint la lumière et retrouvé mon plumard.

Le sommeil que j'espérais refusa de venir. Tout autour de moi dérivaient des formes semblables à d'immenses icebergs. Je savais que j'étais dans mon lit et qu'il n'y avait rien à craindre, mais il n'empêche, j'avais la trouille. J'étais au chômage et ma copine me traitait comme un pantin sans âme. J'avais couché avec une fille à peine majeure, et j'étais obnubilé par une actrice de porno.

Obnubilé, c'était bien le mot. Je passais une grande partie de mes journées à m'interroger sur Sisypha et ses motivations. Pourquoi torturait-elle son mari avec un tel amour dans les yeux ? Quelle leçon voulait-elle lui inculquer ? Et pourquoi Sasha avait-elle séduit son frère ? Pourquoi Joelle m'avait-elle fait rejouer la partition de Johnny Fry ?

Mes membres se mirent à trembler sous le drap. Mes avant-bras et mes pieds frémissaient telles des bestioles sous un orage. À cet instant, le sexe n'existait plus. Il ne me restait que la certitude d'aller au-devant d'une tragédie – en l'occurrence ma mort. Je savais au fond de moi que j'allais mourir bientôt. On allait me tuer, à moins que je ne m'en charge moi-même.

La peur de mourir me fit m'asseoir.

J'attrapai le téléphone pour appeler Joelle. Elle avait toujours su m'aider dans les moments d'angoisse. Elle conjurait mes peurs irrationnelles avec logique et bon sens.

Un matin, un Blanc avait emménagé dans l'immeuble d'en face. Dès le premier jour, j'eus l'impression qu'il m'observait et qu'il avait des intentions meurtrières à mon égard – que c'était une sorte de tueur en série, ennemi des Blacks de quarante ans installés dans ce quartier de Blancs. Je savais que c'était idiot, mais chaque fois que je le voyais, il me lançait un regard mauvais. Alors mon cœur se mettait à palpiter, car je croyais qu'il allait me trucider, lentement, avec un grand couteau.

Quand j'ai fini par en parler à Jo, elle est venue chez moi et on est restés assis dans la rue jusqu'à ce que le type, Felix Longerman, sorte de son immeuble. Joelle marcha à sa rencontre, ils discutèrent brièvement, puis se dirigèrent vers moi.

– Je te présente Felix. Il travaille chez Viking, au service des traductions.

Il s'avéra que Felix et moi avions bossé ensemble, onze ans plus tôt. Chaque fois qu'il me croisait, il me trouvait un petit air familier. Je ne l'avais pas reconnu car il avait rasé sa barbe.

Mes peurs étaient risibles, mais comme elles semblaient vraies...

Ce soir, pourtant, le téléphone à la main, je savais que Joelle ne pourrait pas m'aider. Ni elle ni personne. Brad Mettleman me rirait au nez. Lucy s'estimerait dans la même posture que Joelle.

Je composai un numéro.

– Allô ? répondit-on dès la première sonnerie.

– Vous êtes bien, euh... une amie ?

– Absolument. En quoi puis-je vous aider ?

– Mais... Il n'y a pas d'abord des formalités à régler ? Mon numéro de carte de crédit, par exemple ?

– C'est inutile. Le numéro de votre ligne apparaît sur mon écran et la somme sera débitée sur votre facture téléphonique.

– Ah bon, c'est aussi simple que ça ?

– Oui, c'est très simple. Alors, de quoi souhaitez-vous parler ?

– Je suis perdu.

Je sentis aussitôt la tristesse refluer. Le poids s'alléger sur ma poitrine. J'inspirai à fond et me redressai sur le matelas.

– Comment vous appelez-vous ? demanda la femme.

– Cordell.

– Enchantée, Cordell. Moi, c'est Cynthia.

– Bonjour, Cynthia. Je dois vous avouer que le simple fait de parler à quelqu'un me fait du bien.

– D'où m'appelez-vous, Cordell ?

– De mon appartement. Je suis au lit.

– Vous êtes seul ?

– Pour ainsi dire. Il y a un type qui dort dans le canapé du salon.

– De qui s'agit-il ?

– D'un certain Enoch Bennett, répondis-je avant de lui dérouler toute l'histoire.

Je lui racontai tout, hormis ma fixation sur le *Mythe de Sisypha*. Cela me semblait un peu déplacé, d'autant que le prospectus précisait que ce n'était pas un téléphone rose.

– Avez-vous dit à Joelle que vous l'aviez surprise avec son amant ?

– Non.

– Pourquoi ?

– J'aimerais le faire, mais chaque fois que je la vois je n'ai qu'une seule envie, lui faire l'amour. Être avec elle, la posséder.

– Elle vous a trompé, pourtant.

– Mais c'est ma seule amie. Vous devez vous en douter, puisque je vous appelle. Attention, je n'ai rien contre vous, mais vous êtes bien la preuve vivante que je n'ai personne d'autre à qui parler. Depuis huit ans, Joelle est la seule personne qui me soit proche.

– Vous n'avez pas de famille ?

– Non. Enfin j'ai un frère, une sœur et une mère.

– Et vous ne pouvez pas leur parler ?

La question me fit sourire.

– Cordell ? Vous êtes toujours là ?

– Ce n'est pas très commercial de votre part de me pousser à contacter ma famille.

– C'est une ligne de l'amitié, dit-elle d'une voix très apaisante. Je suis là pour vous aider, pas pour vous soutirer de l'argent.

– Permettez-moi d'en douter...

– Je comprends. La plupart des appelants, surtout les hommes, pensent que nous sommes un service de rencontres, ou une arnaque pour exploiter leur solitude.

– Et vous arrivez à les convaincre que vous n'êtes rien de tout ça ?

Cette conversation avait un réel effet revigorant.

– Le mieux que je puisse faire, dit mon interlocutrice, c'est leur raconter l'histoire de notre petite entreprise.

– Je vous écoute.

– Il y a quelques années, un monsieur très riche considéra que l'Amérique s'enfonçait dans une certaine mélancolie.

Cela sentait le discours bien rodé.

– Les gens perdaient leur dynamisme, continua Cynthia, prenaient du poids, se préoccupaient du sort de leurs héros télévisés, mais n'avaient que faire des millions de victimes annuelles des guerres et des épidémies. Cet homme sentait que la plupart de ses compatriotes n'avaient pas conscience, ou à peine, de cette tristesse qui les rongeait jour après jour.

« Mais il savait qu'il ne pouvait combattre ce dysfonctionnement émotionnel. Son immense fortune ne pouvait à elle seule endiguer cette vague de mélancolie, alors il décida d'agir. Il recruta des centaines de personnes douées d'empathie. Pas des psychologues ou des thérapeutes, mais de simples individus éprouvant de la compassion pour autrui.

« Il a créé ce service téléphonique, pas forcément pour les cas d'urgence, mais pour ceux qui éprouvent le besoin de parler à un ami.

– Vous plaisantez ? répondis-je.

Je caressai mon gros orteil gauche, comme quand j'étais enfant.

– Pas du tout, jura Cynthia. C'est pourquoi, si j'estime que vous feriez mieux de parler à votre famille, je n'hésiterai pas à vous le dire.

– Eh bien... (Je roulai sur le côté.) Il me reste combien de temps ?

– Le temps que vous voudrez, Cordell. Mais commençons par votre famille...

– Mon frère est militaire, commençai-je. Dans les Forces spéciales. Il passe son temps à l'étranger, à tuer des gens ou à enseigner à d'autres comment s'y prendre.

Cela fait sept ans qu'on ne s'est pas parlé. Il considère que les États-Unis accomplissent de grandes choses, et je ne suis pas de cet avis. Oh, je n'ai rien d'un militant. Je ne vote même pas. Simplement, je pense que le gouvernement se fiche pas mal des gens ordinaires.

« Avec ma sœur, on ne s'entend pas. Elle me reproche d'avoir divorcé deux fois. Elle et son mari vivent dans l'Utah, et, entre les gosses et la paroisse, ils sont débordés.

« Quant à ma mère, elle habite une résidence pour le troisième âge, dans le Connecticut. Ce n'est pas une structure médicalisée, et elle se débrouille bien toute seule, mais on ne peut jamais discuter de choses importantes. Au moindre sujet un tant soit peu dérangeant, elle déconnecte et évoque le bon vieux temps, quand Eric, Phœbe et moi étions gamins.

– Et votre père ?

– Il est mort.

– Mais nos parents restent près de nous toute notre vie durant. Votre père vous accompagnera jusqu'à votre dernier soupir. Que vous dirait-il au sujet de votre copine et de son amant ?

À cette question, je me sentis happé par la fatigue. Je bâillai, puis calai l'oreiller sous ma tête.

– Dites, j'ai un gros coup de barre, Cynthia. J'ai les yeux qui se ferment tout seuls. Je suppose que notre discussion m'a détendu. Merci beaucoup, mais maintenant je vais raccrocher.

– Si vous souhaitez me recontacter, faites le même numéro en remplaçant les 3 de la fin par des 4. On vous demandera mon code et il suffira d'épeler mon prénom, C-Y-N-T-H-I-A, suivi d'un 3.

La seule chose que je me rappelle, après ça, c'est que

l'aube éclairait la chambre. Enoch et Cynthia n'étaient sans doute que les fruits de ma fatigue.

Je me levai, me traînai jusqu'au salon, et vis que mes souvenirs n'avaient rien d'imaginaire. Enoch dormait dans la position où je l'avais laissé. Et je portais encore mes fringues de la veille.

Je pris une douche, me rasai, passai des vêtements propres et préparai du café noir. Comme je me versais ma première tasse, Enoch apparut dans la cuisine, emmitouflé sous le plaid en cachemire fauve dont je l'avais recouvert.

– Bonjour, dit-il, son salut porté par un sourire pâle et sensuel.

– Bonjour. De retour parmi les vivants ?

– Je suis arrivé ici comment ?

– Vous avez frappé à ma porte hier soir.

– Je devais être drôlement bourré...

– En effet, répondis-je d'un air amusé. Je n'ai rien compris à ce que vous me racontiez. Puis vous vous êtes effondré de fatigue.

– Ai-je dit quoi que ce soit de cohérent ? fit-il en scrutant mon visage.

– Non. Vous voulez du café ?

– Vous habitez où ? demandais-je à Enoch Bennett.

Il s'assit à la petite table jouxtant le lave-vaisselle. Il était 6 h 36 du matin.

– Je vis à L. A. avec ma mère. Je prévois de m'installer ailleurs bientôt, mais vous savez, les loyers sont hors de prix là-bas, et il faut bien choisir son quartier.

Sasha m'avait dit qu'il avait trente ans.

– Et ça vous a plu, de visiter New York ?

– Ah ouais... Sasha est géniale et j'adore cette ville.

Il paraissait au bord des larmes.

– Ça, je veux bien le croire. Moi-même, je suis de San Francisco, mais ça fait si longtemps que j'habite ici... J'ai du mal à m'imaginer ailleurs.

Là-dessus j'entendis frapper à la porte.

– Excusez-moi, dis-je en me levant pour ouvrir.

Enoch soupira, sans doute heureux que je le laisse à ses tourments.

Sasha était plantée sur le palier, vêtue d'une nuisette à dentelle très échancrée, qui lui arrivait aux genoux.

– Il est ici ? s'enquit-elle d'une voix atone.

– Ouais. Il s'est pointé au milieu de la nuit, il a pleuré quelques minutes et s'est évanoui sur le canapé.

– Qu'est-ce qu'il a dit ?

– Rien d'intelligible.

– Rien du tout ?

– Non. Il a surtout chialé, et son charabia n'était ni anglais, ni français ni espagnol.

Cette remarque de traducteur l'amusa.

– Sasha ? intervint Enoch qui m'avait rejoint dans l'entrée.

– Que s'est-il passé, Enoch ?

Pour toute réponse il se rua sur sa sœur et la serra dans ses bras. Elle l'étreignit mollement pendant qu'il couinait et sanglotait. Le visage de Sasha ne montrait aucune émotion. Pour elle, ce n'était visiblement qu'un épisode supplémentaire dans un drame inextricable.

Au bout d'une ou deux minutes, elle lui tapota l'omoplate.

– Tout va bien, bébé. Tout va bien.

Elle leva les sourcils, un brin embarrassée par l'infantilisme de son frère.

– Merci de l'avoir recueilli, Cordell. Enoch se laisse vite submerger par les sentiments quand il a trop bu.

– Pas de problème, répondis-je.

– Allez, viens, chéri. On remonte.

Enoch eut un mouvement de recul. Il se tourna vers moi ; ses yeux suaient la peur.

– Allez, insista Sasha. Cordell a une vie, lui aussi.

– Ouais, fit Enoch sans me quitter des yeux.

Puis il pivota et la porte se referma.

Je pris une grande inspiration, qui ressortit entrecoupée. Le frère, la sœur et leur passion sombre, abyssale, prouvaient que mes bisbilles familiales n'étaient pas si graves.

J'ai fait mon lit et ouvert les fenêtres, avant de noter le prénom de Cynthia et le numéro qu'elle m'avait indiqué. Le souvenir de notre discussion suffit à calmer ma tension sexuelle, celle qui colorait chaque instant de ma vie depuis que j'avais surpris Joelle et Johnny Fry. Je pouvais même revoir la scène sans éprouver le moindre trouble.

J'étais peut-être prêt à quitter Jo. J'avais Cynthia, désormais.

À quoi pouvait bien ressembler cette confidente professionnelle ? Grande ? Jolie ? Asiatique ? En fait, son physique ne m'importait pas. Cynthia était une amie pure, idéale, une personne qui se souciait de moi et m'acceptait comme j'étais. L'argent qu'il m'en coûtait n'avait aucune signification. Je le considérais comme ma contribution à une œuvre charitable visant à l'éradication de la solitude et de la mélancolie.

Cynthia était mon assistante sociale – c'est ainsi que je voyais les choses. Chaque fois que j'aurais besoin d'elle, elle répondrait présente, pour sonder mon bien-être, ma famille et mon cœur.

Tout à mes pensées, je m'allongeai en travers du lit

et dormis pendant des heures, oublieux de Sasha et d'Enoch, de Jo et de Johnny ou de Lucy et de Billy.

J'étais un esquif dérivant sur une mer d'abandon. Je n'avais ni destination ni point de départ. Ni travail ni petite amie. Ni rendez-vous ni patron.

À mon réveil, le soleil s'étirait sur le lit – pas directement sur moi, mais à mon côté, comme une amante sacrée, une déesse m'honorant de sa présence impalpable pour quelques instants.

J'ai ramassé le fax de Brad et contacté une demi-douzaine de galeries. « Cordell Carmel, annonçais-je, associé de Brad Mettleman ». J'expliquais que je travaillais pour lui depuis quelques années déjà, et qu'il me confiait ses jeunes poulains bourrés de talent.

À 14 heures, j'avais décroché quatre rendez-vous pour défendre les photos de Lucy.

Je pris le métro jusqu'au Westside. En pénétrant dans l'immeuble de Joelle, je consultai ma montre : 14 h 58. Je pris soudain conscience que j'avais toujours été ponctuel, partout et en toute circonstance, jusqu'à ce jour où je ne m'étais pas rendu à Philadelphie.

Je ne comprenais pas qu'on évoque le « temps GC » – le temps des gens de couleur. Je n'étais jamais à la bourre, pas plus que nombre de mes amis d'enfance qui avaient intégré l'armée, où le retard n'était pas de mise.

La ponctualité est peut-être une partie de mon problème, ai-je pensé. Je me sentais peut-être oppressé par les exigences des autres. Si je commençais à vivre à mon propre rythme, les clients et les gens comme Jo cesseraient peut-être de considérer qu'ils pouvaient me marcher sur les pieds.

Le portier était à son poste.

– Oui ? lança-t-il.

– Quoi, on ne se connaît plus, Robert ?

Ma réplique le mit sur la défensive.

– Vous venez voir... Mlle Joelle ?

– Oui, répondis-je en me dirigeant vers le troisième ascenseur.

– Attendez !

– Pourquoi ? Je monte toujours directement, vous le savez bien.

– Je dois la prévenir.

– Rien à foutre, rétorquai-je en continuant mon chemin.

Je l'entendis actionner l'interphone et marmonner quelque chose. À coup sûr il avertissait Jo, qui avait dû prendre l'habitude de recevoir Johnny Fry en semaine. Mais cela ne suffit pas à m'ébranler. J'en voulais un peu à Robert de sa maladresse. Il aurait dû me laisser passer, comme d'habitude, et ensuite seulement prévenir Joelle afin qu'elle échafaude sa défense pendant que je prenais l'ascenseur.

Tout le temps que dura la montée, je me suis demandé quel homme je serais lorsqu'elle m'ouvrirait la porte, et quelle femme elle serait devenue. C'était comme si nous changions d'une rencontre sur l'autre. Le trac me serrait la poitrine et mon cœur faisait des claquettes.

Elle me reçut en robe blanche vaporeuse, sans rien en dessous. Sa toison pubienne et ses larges mamelons bruns étaient aussi francs que son sourire.

– Salut, dit-elle en inclinant légèrement la tête.

– Retire-moi ça, répondis-je.

Elle fit passer la robe au-dessus de sa tête, le temps que je referme la porte.

Là-dessus elle s'avança vers moi.

– Ne me touche pas, ordonnai-je.

Elle hésita.

– Ne me touche pas et laisse-moi te regarder !

Ses lèvres esquissèrent un sourire, mais il ne dura pas.

J'étudiai ses formes splendides. Elle se mit à trembler.

Je sentais frémir mes narines. Ma queue poussait sous mon futal.

– Tu vas te déshabiller ? demanda-t-elle d'un air humble.

– Non.

– On peut aller au salon ?

– Non.

– Tu veux que je reste plantée ici ?

– Retourne-toi. Je veux voir ton cul.

– Ne me parle pas comme ça, protesta-t-elle.

Alors, je l'ai giflée.

Pas fort. Rien de douloureux. Juste une petite tape, amorcée par un geste violent. Elle écarquilla les yeux, puis se retourna pour que j'inspecte son cul.

Au bout d'une ou deux minutes, elle rouvrit la bouche :

– L...

– Ferme-la et remonte-moi ces miches.

Son obéissance m'inspira un sourire grimaçant. Je m'imaginais en hyène vorace, prête à planter les crocs dans une proie mourante.

Cette idée m'effraya, comme si je devenais un monstre. L'espace d'un instant, je songeai à tourner les talons, et à ne plus jamais adresser la parole à Joelle. Pourtant s'opérait en moi un phénomène dont j'avais à peine conscience, une émotion qui se traduisait en actes sans me demander mon avis.

– Écarte, ordonna quelqu'un.

Je compris après coup que c'était moi qui parlais.

Jo agrippa ses fesses et les entrouvrit.

Je claquai celle de droite.

– Je veux que tu écartes à fond. Je dis bien à fond.

Elle grogna et s'exposa aussi pleinement que Lucy.

En m'agenouillant, je vis que son vagin suintait, enduisant d'un vernis visqueux l'intérieur brun de ses cuisses. J'y plongeai ma langue le plus loin possible.

– Oh mon Dieu, gémit-elle.

Quand elle voulut se dérober, je giflai sa cuisse humide. Il y eut un claquement moite et elle poussa un petit cri.

– Reviens sur ma langue, ordonnai-je.

Elle s'exécuta craintivement et attendit la suite des instructions. Son souffle était rapide et ses orteils trituraient la moquette.

– Baise ma langue. Fais-la glisser dans ton cul.

Elle commença en douceur, grognant chaque fois que son anus enveloppait la pointe de mon muscle. Puis elle accéléra le tempo. Ses râles devinrent des aboiements, et je pressentis son extase.

Je me suis relevé aussitôt et j'ai ouvert la porte d'entrée.

– Qu'est-ce que tu fais ? demanda-t-elle, luttant contre l'orgasme qui l'embrasait.

Je poussai Joelle sur le palier et me remis à quatre pattes. Elle revint aussitôt s'empaler sur mon visage. Les aboiements reprirent. Elle était sur le point de jouir lorsque l'ascenseur s'actionna. Elle se pétrifia, mais je me relevai, un bras autour de sa taille.

– Tu vas jouir pour moi, lui murmurai-je à l'oreille.

– Oh mon Dieu ! fit-elle d'un souffle rauque avant de s'enfoncer quatre doigts dans la bouche pour retenir ses cris.

L'ascenseur s'ouvrit au fond du couloir. J'attendis que la voisine quitte la cabine pour ramener Jo chez elle et claquer la porte.

Jo s'écroula sur la sol, torturée par son orgasme.

– Saute-moi ! supplia-t-elle. Saute-moi tout de suite !

Elle arquait son corps depuis les talons, m'exposant à merveille sa motte broussailleuse.

Je l'ai regardée et j'ai ricané. Ricané.

– Non, répliquai-je avant de me diriger vers le salon.

Je m'installai dans le beau fauteuil en cuir qui faisait face à la fenêtre. C'était son siège préféré, celui qu'elle affectionnait pour lire ou pour s'isoler. Je ne m'y asseyais jamais, et je ne la touchais jamais lorsqu'elle s'y trouvait.

Joelle me rejoignit et sauta sur mes genoux, à califourchon, pressant ses seins contre mon torse. C'était excitant de la voir à poil sur moi, alors que j'étais habillé de la tête aux pieds : je l'ai repoussée. Elle valdingua sur la moquette, mais revint aussitôt à la charge.

Je l'ai repoussée de plus belle.

Comme elle allait se relever, j'ai braqué mon index :

– Bouge pas.

Elle ouvrit de grands yeux, pleins de rage et de désir.

Puis j'ai souri et j'ai senti sa peur.

– S'il te plaît, implora-t-elle d'une petite voix.

J'ai ouvert ma braguette. Ma bite était dure comme du marbre.

Jo se dressa sur ses genoux pour considérer ma queue. Ses cuisses cuivrées étaient trempées.

– Tu peux la regarder, mais pas touche tant que je n'ai pas dit oui.

Elle se rapprocha, docile, posa une main sur mon genou et l'autre avant-bras sur ma cuisse.

– Elle est magnifique, dit-elle. Elle palpite.

– J'aime te dominer, déclarai-je d'une voix de basse.

– Le gland est humide, observa-t-elle.

– Elle a envie de se planter dans ta gorge.

– Oh oui, susurra Jo. Elle veut que je lèche cette goutte ?

Je marquai une pause avant de répondre :

– Non.

– Mais j'ai envie de l'embrasser. Elle si noire, si grosse et si dure...

– Elle pourrait t'éclater la chatte.

Elle grogna de plus belle, avant de quémander :

– Elle a envie de moi ?

– Pas maintenant.

– Quand, alors ?

– Elle refuse de le dire.

– Mais elle va me sauter bientôt, pas vrai ?

– Pas cet après-midi. (Jo couina de dépit.) Elle a autre chose en tête.

– Quoi donc ? Elle pense à quoi ?

– Elle pense à un type qui se tient debout derrière toi. Un type avec une grosse bite bien dure. Un type qui désire ta chatte aussi fort que tu désires cette bite en cet instant.

Prenant appui sur mes genoux, Jo se releva, en laissant sa tête à deux centimètres de ma bite. Son cul était dressé vers le ciel, dans l'attente du type dont je venais de parler.

Mon cœur tambourinait si fort que j'avais du mal à garder un ton détaché.

– Sa queue est plus épaisse que la mienne et au moins deux fois plus longue.

– Oh oui, acquiesça Jo. Je la veux.

– Et soudain, sans prévenir, il te l'enfonce en entier, jusqu'au bout.

Joelle roula des hanches et se pencha en avant pour avaler mon sexe. Mais je l'en empêchai en plaquant ma main sur son front.

– Ses cuisses musclées cognent contre les tiennes. Le mouvement se propage dans tout ton corps...

Une lumière fusa dans mon crâne, une lueur vive qui n'avait rien d'une illusion d'optique.

– L ! s'écria Jo.

Baissant les yeux, je vis l'épais jus blanc qui giclait vers le ciel avant de couler le long de mon sexe. La lueur s'intensifiait sous mon crâne, mais la sensation physique était infime. Je sentais juste mon cul se contracter afin d'expulser l'énorme quantité de foutre.

Le front de Jo poussait contre ma main pour atteindre le sperme, mais je tenais bon. Cet orgasme dénué de sensations tactiles semblait le comble de la perfection.

Jo roula sur le sol, attrapant sa chatte à deux mains.

Je me levai pour la regarder gîter d'un bord à l'autre, le visage tordu comme si elle voulait extraire un truc de son corps. Une noisette de semence laiteuse chuta de mon gland sur sa joue.

Je me rendis à la salle de bains. Je mouillai un gant de toilette et nettoyai mon pantalon taché. Puis je pris de la main gauche mon pénis encore dur, pour passer le linge rugueux sur la peau de ma virilité en feu. Je trouvais ma queue magnifique. Elle se sentait en phase avec chaque partie de mon être.

J'avais fait des études. J'avais appris que les êtres humains étaient des créatures sexuelles, mais je n'en avais encore jamais fait l'expérience. Aujourd'hui, je savais que chaque étape de mon existence tendait vers ce tableau. Cela n'avait rien à voir avec Jo. Ni avec Johnny Fry. Leur liaison fut certes l'élément déclencheur. Mais la porte ouverte par ce traumatisme menait à un tout autre endroit.

J'ai éclaté de rire.

J'étais là, bite en main, à philosopher sur le sexe.

– Pourquoi tu te marres ? lança Joelle.

En regardant cette femme, je sentis ma queue se raidir. Et je pris conscience d'une douleur aiguë sous mon crâne, qui était apparue en même temps que la lueur.

– Habille-toi, dis-je.

– On ne va pas au lit ? demanda Jo avec dépit.

– J'ai mal à la tête et j'ai faim. Je n'ai rien mangé de la journée.

– J'ai besoin de baiser quelqu'un, Cordell Carmel.

– Habille-toi.

Elle souffla de stupeur.

– Tu m'as entendue ? demanda-t-elle.

– Recouvre-moi ce cul, ou je te prends sur mes genoux et je te donne une bonne raison de pleurnicher.

Ces mots familiers me venaient sans effort. Je pouvais presque entendre la voix de mon père, une ou deux pièces plus loin, à l'extrémité du couloir.

Je dus réprimer l'envie de partir à sa recherche.

Je fis un pas vers Jo, prêt à mettre mes menaces à exécution. Elle glapit et s'éclipsa. En moins de trois minutes elle reparaissait, vêtue d'une jupe à carreaux et d'un corsage rose. En talons noirs, sans collant. Je n'aurais su dire si elle portait une culotte.

– Allons-y, décidai-je.

Joelle m'enlaça, m'embrassa, puis me regarda dans les yeux.

– Qu'est-ce qui t'arrive ? demanda-t-elle.

– Toi.

– Comment ça, moi ?

– Allons-y, répétai-je, et là elle se mit à pleurer.

Ce n'étaient pas des larmes de chagrin ou de douleur. Juste un trop-plein d'émotion. Jo ressentait la même chose que moi : l'impression d'être un bouchon de liège emporté par un torrent, ou un sac plastique soulevé par des vents ascendants, se retrouvant en un clin d'œil à mille pieds du sol.

Je lui pris le bras et l'entraînai vers la porte.

– Je ne peux pas sortir dans cet état, dit-elle.

– Bien sûr que si. C'est juste ton cœur qui bat très fort.

Je ne savais pas ce que je racontais, mais Jo avait l'air de comprendre. Elle ferma ses mains sur mon bras et posa la tête sur mon épaule.

En franchissant la porte, je sentis qu'il y avait plus d'amour entre nous qu'il n'y en avait jamais eu – et qu'il n'y en aurait jamais plus.

Nous quittâmes l'immeuble, ses cheveux dans mon cou et ses larmes sur ma poitrine.

– J'ai les doigts de pied tout engourdis, me disait Joelle. C'est à cause de ce que tu m'as fait. C'était... c'était à se damner.

Nous remontions Broadway, peu après 16 heures.

– J'ai la pire migraine de toute ma vie, indiquai-je pour ma part.

– Tu as mal où, exactement ?

– Au sommet du crâne. Comme s'il allait exploser.

Jo me retint par la manche, se posta devant moi et

me massa les tempes. Nous restâmes plantés sur le trottoir, dans ce face-à-face sensuel, deux amoureux éhontés s'attirant des regards obliques.

– Ça fait du bien ? demanda-t-elle.

– Un bien fou, répondis-je. Mais je m'en fiche un peu, de cette migraine.

Je raflai d'une main ses deux poignets et nous parcourûmes la moitié d'un bloc. Joelle ne broncha pas contre la prise menottes. Quand je la relâchai, elle me serra dans ses bras, pour me câliner tout en marchant.

Cicero est un petit restau italien du haut de Broadway, juste après la 93e Rue, qui reste ouvert tout l'après-midi. Le serveur nous installa dans un coin au fond de la salle vide. Je commandai une assiette d'antipasti pour deux, ainsi qu'une carafe de rouge.

Assise à mes côtés, Jo me tenait la main. De temps en temps elle embrassait mes jointures boursouflées, ce qui faisait immanquablement palpiter mon érection. Une sorte de vibration, de mouvement souterrain.

– On retourne chez moi, après ? lança-t-elle après que le garçon eut apporté notre assortiment de charcuterie, de fromage et d'olives.

– Je préfère que tu patientes jusqu'à demain.

– Mais je ne peux pas attendre, bébé.

Et comme je ne répondais pas :

– J'ai la chatte en feu...

– Elle est humide ? demandai-je.

– Oh oui ! Très, très humide.

– Ça ruisselait le long de tes cuisses pendant que je te léchais le cul...

– Pendant que *je* te baisais avec mon cul, corrigea-t-elle.

– Je ne t'avais jamais vue mouiller comme ça...

– Je t'en prie, reste avec moi cette nuit.

– Tu t'en taperas un autre, si je refuse ?

– Non, bébé. Il n'y a que toi.

– Et qu'est-ce qui me le garantit ?

Je m'efforçais de garder un ton joueur.

– Mais d'où te vient une idée pareille ?

– Tu es une femme attirante, Jo. Et je viens seulement de comprendre combien tu avais faim d'amour et de sexe. Dans le parc, dans le couloir, dans ton cul... Comment cette lionne pourrait-elle se contenter d'un seul homme ?

– Mais c'était avec toi, tout ça.

– Et ces huit dernières années, alors ? Huit années de rapports archi-classiques. Le bon vieux missionnaire, une petite levrette à l'occasion. Ça ne fait pas bien lourd.

– Votre vin, annonça le serveur, qui m'avait sûrement entendu. Je vous sers ?

– Laissez, répondis-je.

Il sourit. C'était un jeune Asiatique à la peau tannée, genre vietnamien ou cambodgien.

– Mais tout ce temps je t'ai aimé, reprit Jo.

– Et tu pourrais en aimer deux à la fois ?

– Non, répondit-elle, catégorique.

– Et juste embrasser ? Tu pourrais embrasser un autre homme ?

– Pourquoi tu me poses toutes ces questions, L ?

– Robert.

La peur s'insinua dans ses traits. C'était la première fois que je la voyais prise d'une réelle frayeur. Mais ces rides précises montraient que ce n'était pas si rare.

Je m'en voulus un peu. Je la croyais plus forte, imperméable à l'angoisse.

– Mon... mon portier ?

– Ouais, ton portier.

– Qu'est-ce qu'il... Qu'est-ce qu'il t'a dit ?

Un plaisir dominateur balaya mes remords. J'avais dans la tête *Under My Thumb*[1] des Rolling Stones. Le trouble de Joelle me faisait saliver.

Je déglutis et souris. Patientai.

– Qu'est-ce qu'il a dit ? répéta Jo.

– Rien.

– Alors, quel est le rapport ?

– Il ne voulait pas me laisser monter.

– Quoi ?

– En général, quand je te rends visite le week-end, je croise Robert au moins une fois. Il me reconnaît et me fait signe de monter. Puis, quand je frappe à ta porte, tu es souvent occupée et tu mets du temps à m'ouvrir, ce qui prouve que tu n'as pas été prévenue de mon arrivée.

– Et ?

– Mais aujourd'hui – un lundi, donc – je me pointe dans le hall et Robert me dit d'attendre. Et comme je refuse, il t'avertit sur-le-champ.

Le visage de Jo avait perdu toute passion. Elle me fixait avec une réelle gravité.

– C'est tout ? demanda-t-elle.

– J'ai pensé que tu avais un jules pour les jours de semaine, et que Robert craignait qu'il ne soit là.

– Sauf qu'il n'y avait personne.

– Mais Robert ne le savait pas.

– Alors, c'est pour ça que tu voulais que je me désape dans l'entrée ? Pour empêcher mon amant clan-

1. Littéralement *Sous mon pouce*, signifiant *À ma merci*. *(N.d.T.)*

destin de se tirer ? Pour me sauter pendant qu'il resterait coincé dans le placard ?

– Je t'ai prise dans l'entrée parce que, dès que je te vois, je ne peux plus me contrôler. Tu es la plus belle femme que j'aie jamais connue et tu es la seule femme de ma vie. Non, tu as le seule *personne* dans ma vie. Ma seule amie. Le seul être à qui je puisse parler. Mais à l'évidence, je n'ai jamais rien su de toi.

– Comment ça ? s'indigna-t-elle. Tu sais *tout* de moi. Tu connais ma mère, ma sœur, mes amis... Je te raconte tout sur mon boulot.

– Mais j'ignorais à quel point tu étais portée sur le sexe. J'ignorais qu'il y avait un truc qui te faisait peur.

– Je n'ai peur de rien, rétorqua-t-elle.

– Pourquoi Robert n'a pas voulu me laisser monter ?

– Parce que j'ai bien précisé que personne, en semaine, ne devait se pointer sans s'annoncer. Même pas mon oncle. Même pas la femme de ménage.

– Même pas moi.

– Je ne lui ai jamais rien dit à ton sujet, L. Tu ne passes jamais en semaine, d'habitude. Robert s'est contenté d'appliquer les consignes.

Mon but n'était pas de lui faire avouer sa liaison – je n'étais pas prêt pour ce type de confrontation. J'avais juste envie de la voir patauger un peu.

Je tentai de sourire, ce qui eut pour seul effet de relancer la douleur dans mon crâne.

– Qu'est-ce qui ne va pas ? demanda Jo.

– C'est ma tête. J'ai vraiment mal.

– Tu vois des trucs ?

– Comment ça ?

– Des choses qui flottent devant tes yeux, des lumières ?

– Non, mentis-je.

Puisque sa vie était secrète, la mienne le serait aussi.

– Si tu as besoin de rentrer chez toi, je veux bien patienter jusqu'à demain, offrit-elle.

– Alors, disons à 15 heures ?

– Si telle est l'heure de ton désir...

Cette phrase résonna au plus profond de mon cœur. Comme une petite dilatation, un œdème de passion. Jo se transformait en objet pour moi. Ce n'était pas très différent de rester planté dans une salle de bains, à se tenir la pine comme s'il s'agissait d'une sorte de pierre philosophale.

– Tu comprends, expliquai-je, je n'ai pas beaucoup dormi cette nuit.

– Ah bon ? À cause de ta migraine ?

– J'avais de la visite.

D'ordinaire si serein, le visage de Jo ressemblait cet après-midi au ciel de la Nouvelle-Angleterre : en un clin d'œil il passait de couvert à dégagé, puis de grand beau à orageux. Mon tête-à-tête nocturne piquait sa jalousie.

– Qui ça ? demanda-t-elle.

– Enoch. Enoch Bennett.

– C'est qui ?

– Tu te souviens que je t'avais parlé de la nana qui habite deux étages plus haut, Sasha ?

– Pas vraiment.

Je lui racontai donc mes aventures avec le duo Bennett. Notre rencontre dans la rue, nos efforts pour traîner Enoch jusqu'au lit, sa visite en pleine nuit et ses aveux d'inceste.

– Un jour, Sasha m'a confié qu'elle était en guerre contre sa mère. À propos d'un mec, je crois. Peut-être qu'elle se venge à travers son frère...

– Mais quand il s'est réveillé, tu crois qu'il se rappelait ce qu'il avait fait ? demanda Jo.

Ses rides inquiètes étaient de retour.

– Je pense qu'il se souvenait de ses actes, mais pas de sa confession.

– Une chose pareille, il vaut encore mieux l'oublier.

Cette femme qui, une heure plus tôt, se débattait par terre dans un orgasme solitaire semblait avoir vieilli de dix ans, prête à rompre sous son propre poids.

– Qu'est-ce qui ne va pas, Jo ?

C'était la première fois depuis des jours que je m'inquiétais pour elle.

Elle se servit un verre de rouge, le siffla et s'en versa un deuxième. La dernière gorgée passée, ses membres se décrispèrent un brin.

– Tu avais raison quand tu disais que je ne t'avais pas tout raconté. J'ai un secret, L, un secret que je n'ai jamais confié à personne.

– Je t'écoute, murmurai-je.

– Tu me demandais pourquoi j'étais si chaude, ces derniers temps.

– Oui...

– Il y a un rapport avec Enoch.

– Enoch ? Mais alors tu le connais ?

– Non, mais je sais ce qu'il endure.

– Comment ça ?

– Tu te souviens... (Elle déglutit.) Tu te souviens, il y six mois, je t'ai dit que mon oncle était mort...

– Ton oncle... Rex ?

– C'est ça.

– Ouais, je m'en souviens.

J'en savais très peu sur Rex, à part qu'il était le demi-frère du père de Joelle. Elle avait reçu une lettre da sa tante Jemma, annonçant qu'il était mort dans leur maison d'Hawaii.

– Quand j'ai perdu mon père, Rex nous a installées

dans un appartement à Baltimore. J'avais quatorze ans, et il a expliqué à ma mère qu'il était temps que j'apprenne à jouer d'un instrument. Lui-même avait enseigné le piano avant de monter son entreprise de toiture. Alors, il m'a donné des leçons chez lui, trois fois par semaine...

Je voyais déjà où cela nous menait.

– Au début, poursuivit Jo, tout se passait bien. Rex était un bon professeur et il m'a donné le goût du piano. Mais un jour, il m'a déclaré qu'il m'aimait et qu'il fallait que je devienne son amoureuse. C'était très bizarre. Il ne m'a pas touchée ni rien. Il m'a juste expliqué qu'on allait avoir une relation dans laquelle je serais un peu comme sa femme, et que si je refusais il cesserait de nous payer la bouffe et le loyer.

« Ma mère était dépressive depuis la mort de papa. Elle ne pouvait plus travailler, et ni moi ni ma petite sœur n'étions en âge de le faire.

« Mon oncle m'a demandé de réfléchir, en me présentant les choses de manière très simple : si je ne voulais pas que maman se retrouve à la rue, il suffisait que je revienne le surlendemain pour une nouvelle leçon.

Joelle avait déroulé son récit les yeux plongés dans son verre. Quand elle les releva, je vis une tout autre personne, une femme sublime victime de sa beauté.

– Alors j'y suis retournée. C'était un mercredi. Rex m'a dit ce qu'il attendait de moi, et puis il me l'a fait, encore et encore... Je n'ai jamais vu un homme avec une telle endurance sexuelle. Certains jours, il pouvait jouir une bonne douzaine de fois. Et si j'avais le malheur d'arriver en retard ou que j'essayais de le repousser, il me fouettait avec une lanière de cuir, et après... après, il me sodomisait.

Je lui pris la main. Ses larmes tombèrent sur la table.

– Ça s'est terminé comment ?

– Mon oncle Bernard, le frère de ma mère, nous a pris sous son aile. Il a recueilli maman et nous a payé des études, à Augusta et moi.

– Et tu n'en as jamais parlé à personne ?

Elle secoua la tête et me lâcha la main.

– Même pas à ta sœur ?

– Même pas. Rex a continué à m'appeler pendant des années. Il voulait me récupérer. Il croyait sincèrement qu'il m'aimait et que notre relation était plus ou moins réciproque. Il disait qu'il avait besoin de moi.

– Et tu ne l'as jamais revu ?

– Jamais.

– Et il t'a... abîmée ? Physiquement, j'entends.

– Il m'aimait vraiment, tu sais.

– Non, il te violait.

– Parfois j'étais impatiente de le retrouver, avoua-t-elle en reprenant ma main. Parfois, je l'affrontais exprès pour qu'il me punisse...

– Il t'avait démonté la tête.

Mais Joelle ne m'entendait plus :

– J'aimais ses punitions. Parfois, il buvait des litres et des litres d'eau, puis quand j'arrivais il me flanquait dans la baignoire et me pissait dessus parce que j'étais une fille répugnante.

– Ce fils de pute a de la chance d'être mort, parce que sinon j'irais le buter.

Jo planta ses yeux dans les miens. Un regard clair et innocent.

– C'était plus fort que lui, dit-elle en secouant légèrement la tête. Sa belle-mère, c'est-à-dire ma grand-mère, l'a mis à la porte quand il avait à peine douze ans. Il s'est réfugié chez sa mamie, qui a commencé à le battre et à vendre son corps à des hommes et à des femmes. Il n'a jamais connu l'amour normal.

« Avec les années, j'avais appris à le gérer. À faire en sorte qu'il continue de subvenir aux besoins de ma mère.

– Je suis navré, bébé. Je ne savais rien de tout ça.

– Pendant longtemps, j'ai été incapable, ne serait-ce que de sortir avec un homme. Et quand j'ai commencé à fréquenter des types, aucun ne me plaisait. Je ne les laissais jamais m'approcher. Puis je t'ai rencontré et j'ai su que tu étais celui qu'il me fallait. Je ne voulais pas revivre ce que j'avais connu avec Rex. Quand j'avais besoin d'être seule, tu me fichais la paix. Quand je voulais faire l'amour, tu étais doux et tendre.

« Seulement, à la mort de Rex, il s'est passé un truc. Après toutes ces années de calme, l'envie de sexe débridé s'est réveillée d'un coup. Voilà pourquoi j'ai réagi comme une tigresse quand tu as changé d'attitude. J'avais besoin que tu me fasses ce que tu m'as fait dans le parc. Voilà pourquoi ton espèce de fausse gifle m'a excitée à mort.

Et voilà pourquoi, compris-je en silence, Joelle avait entamé cette liaison avec Johnny Fry. Elle avait besoin d'être malmenée, humiliée. D'être traitée comme un objet – l'objet du désir.

– Tu veux que je dorme chez toi ? proposai-je.

– Non. Je préfère que tu rentres et que tu réfléchisses à ce que je viens de te raconter. Ça fait beaucoup à digérer d'un coup. Et puis, je vois à ta façon de cligner les yeux que tu as un sacré mal de crâne.

– C'est vrai. Mais je peux rester si...

– Ce n'est pas le moment, dit-elle en posant le doigt sur ma bouche. Rentre chez toi et reviens demain à 15 heures... si tu veux toujours de moi.

J'ai décidé de rentrer à pied, malgré ma tête prête à péter. À chaque pas sur le béton, je pouvais sentir, et même entendre le choc se propager dans mon corps, comme les coups d'une grosse caisse.

Je ne marchais pas droit. Je zigzaguais sur le trottoir, tout en observant les chiens en laisse ou les nuages dans le ciel. Entre la 62e et la 59e Rue, je m'amusai à compter les taches noires laissées par les chewing-gums sur le sol clair. J'en avais dénombré 292 lorsque ma migraine m'empêcha de poursuivre.

Je me réfugiai dans Central Park, espérant calmer la douleur en m'asseyant sous les arbres. Mais elle ne fit qu'empirer. La lumière brillait toujours sous mon crâne, et des éclairs imaginaires fusaient au-dessus des branchages.

La simple idée de me relever me fichait la nausée. Pour le reste, mon cœur palpitait, j'avais le tournis et, par intervalles, mes mains tremblaient comme des feuilles.

Maudits chewing-gums incrustés ! C'était à eux, bizarrement, que j'attribuais mon état.

Au bout de quelques heures, le soleil déclina. La nuit m'apaisa un chouïa, et je parvins à me traîner jusqu'à Columbus Circle pour prendre un taxi.

– Qu'est-ce que vous dites ? répéta deux fois le chauffeur avant de comprendre ce que je marmonnais.

Ce fut une course à 8 dollars, mais je lui laissai un billet de 20.

Il me fallut un quart d'heure pour sortir et tourner les clés de l'immeuble, puis de l'appart. Ma migraine atteignait de nouveaux sommets, si forte qu'elle semblait produire un son, une vibration sourde entre les plis de ma cervelle.

Je retrouvai le papier où j'avais noté le numéro de Cynthia, que je composai laborieusement sur le clavier du téléphone.

– Vous êtes sur le réseau « Appelez un ami », annonça une voix masculine. Veuillez entrer le code de votre confident, puis appuyez sur la touche dièse.

La manœuvre fut presque impossible. Je voyais des flashes, ponctués de points noirs, et je m'étonne encore de ne pas avoir paniqué. Ces troubles pouvaient suggérer une tumeur cérébrale, un parasite ou je ne sais quel virus. Mais la seule chose qui m'importait, c'était d'entrer le nom de Cynthia dans ce foutu appareil.

– Vous avez composé le mauvais code, indiqua la voix.

Sur quoi la ligne se coupa.

J'enfonçai la touche de rappel. La mémoire électronique recracha plus de chiffres qu'il n'en fallait, mais la connexion s'établit malgré tout. Le gars me redemanda le code.

La douleur suintait de mes yeux, de mon nez, de ma bouche. En appuyant sur la touche dièse, je crus que ce serait le dernier geste de ma vie.

Je savais que j'allais mourir, même si la cause en restait floue – c'était plus ou moins lié à mon irresponsabilité. Un téléphone sonnait quelque part. Je glissais lentement vers le sol. Une fois tombé du fauteuil, il était acquis que je ne remonterais plus jamais sur mes jambes.

– Allô ?

– Cynthia ?

– Cordell ? C'est bien vous ? Comment ça va ?

Comment ça va ?

Il a suffi qu'elle s'inquiète de mon bien-être pour que la douleur s'envole entièrement. J'essuyai mon visage plein de morve, de larmes et de bave, avant d'inspirer à fond par la bouche. L'afflux d'air dans mes poumons fut une bénédiction. Soudain, le monde se remplissait de possibilités.

– Cordell ?

– Oui, Cynthia. Désolé d'appeler si tard, mais il fallait que je vous parle. Ma tête...

– Que s'est-il passé ?

Je lui racontai ma conversation avec Joelle, l'histoire de son oncle Rex et la façon dont elle s'était sacrifiée pour sauver sa famille.

– Du coup, conclus-je, je n'ai pas pu lui parler de ce que j'avais découvert. Elle souffrait bien assez comme ça, et je voyais qu'elle n'était plus maîtresse d'elle-même.

– Au contraire, objecta Cynthia, j'ai l'impression qu'elle contrôle parfaitement les choses. Elle dit qu'elle ne pouvait pas trouver de job ?

– Elle n'avait que quatorze ans, protestai-je tel un gosse défendant sa meilleure copine.

– Au tout début, admit Cynthia, mais elle en avait dix-sept lorsque son oncle... Bernard, c'est ça ?

– C'est ça.

– Lorsque son oncle Bernard a recueilli la famille. Or, à dix-sept ans, rien ne vous interdit de travailler. Et puis, d'après ce que vous me dites, elle se sentait un certain pouvoir sur Rex. Elle n'en a jamais parlé à personne, et elle a continué à lire ses lettres sans le dénoncer à la police. Il serait intéressant de savoir ce qu'il lui écrivait...

– Mais on s'en fiche, rétorquai-je. Elle était victime d'abus sexuels, et elle ne pouvait pas le balancer parce qu'il lui avait pourri la tête.

– Ça n'excuse pas ce qu'elle vous a fait.

– Mais vous êtes une femme, vous aussi. Comment pouvez-vous être aussi dure ?

– Le problème, c'est que si je lui pardonnais ses actes, je serais obligée de pardonner ceux de Rex. Lui aussi a été violenté, disiez-vous. Et sa grand-mère le prostituait et le maltraitait. Par conséquent, lui aussi devrait être absous de ce qu'il a fait à votre amie...

– Cela ne veut pas dire que Jo n'est pas une victime. Je m'en fiche, de ce Rex.

– Moi aussi, je m'en fiche. Et Joelle aussi, je m'en fiche. La seule personne qui m'intéresse, c'est vous. C'est vous qui souffrez, Cordell. C'est vous qui avez besoin de confiance et d'amour. J'ai bien senti votre douleur quand j'ai décroché tout à l'heure.

– C'est vrai ? Et comment expliquez-vous qu'elle ait disparu en un clin d'œil ? Juste avant d'entendre votre voix, je me croyais à l'article de la mort...

– C'est parce que vous savez que je suis là pour vous. Que je ne suis pas là pour vous raconter des salades ni pour vous extorquer de l'argent. Que je ne vais pas vous trahir. Votre douleur annonçait ce grand désespoir qui nous mine quand on se sent abandonné.

– Vous êtes psy ? demandai-je à mon amie téléphonique.

– Non, le philanthrope qui finance ce service ne veut pas de professionnels. Il veut des gens qui écouteront, qui sauront compatir.

Je repris une grande bouffée d'air, puis je fondis en larmes sans pouvoir m'arrêter. Je tombai par terre et me roulai en position fœtale. Les sanglots secouaient ma poitrine. J'avais mal au visage, à force de le tordre dans tous les sens.

Quand mes pleurs faiblirent, Cynthia me demanda :

– Vous pouvez de nouveau parler, Cordell ?

– Appelez-moi L. Oui, je peux parler.

– Vous en voulez à votre amie ?

– Je ne sais pas. Hier, j'aurais dit oui, mais aujourd'hui... je n'en sais rien.

– Et en ce qui concerne son amant ?

– Lui, je le hais. Mais je ne peux pas m'attarder là-dessus.

– Pourquoi donc ?

– Parce que plus je m'écoute, plus je deviens dingue. Tout ce sexe effréné avec Jo, et puis cette nuit avec Lucy, et ma fixation sur le *Mythe de Sisypha*. Je perds les pédales.

– Votre fixation sur... ?

– Un film X que j'ai acheté. *Le Mythe de Sisypha*. Il y a une femme, là-dedans, la vedette... Je ne saurais pas vous l'expliquer, mais j'ai l'impression qu'elle comprend.

– Qu'elle comprend quoi ?

– Je n'ai regardé que quelques scènes, mais je n'arrête pas de penser à cette femme, et à ce qu'elle inflige à son mari. C'est très brutal, mais je sens qu'il a besoin de quelqu'un, et que moi aussi j'ai besoin de quelqu'un pour... je ne sais pas, me réveiller.

– Mmm. Vous dites que vous perdez les pédales, mais il se peut que vous soyez juste en train de trouver votre voie.

– Sauf que ce n'est pas moi, Cynthia ! Je ne suis pas le genre de type à baiser dans un parc pour imiter l'amant de sa copine. Je ne plaque pas mon boulot sur un coup de tête, je ne me lance pas dans un métier auquel je ne connais absolument rien...

– La preuve que si. Ce que vous devez faire, à mon avis, c'est écouter votre cœur. Vous êtes seul, L. Vous cherchez un point de contact avec le monde. Le sexe est la première étape vers ce contact. N'y renoncez pas.

Jo n'y a pas renoncé, elle. Jo a trouvé un amant pour combler le vide de son deuil. Elle vous a conduit là où elle avait besoin que vous soyez.

Que répondre à ça ? Si je devais pardonner à Jo, je devais me pardonner à moi-même. Et j'étais seul, désespérément seul.

– Mais le sexe à gogo, c'est un peu se servir des gens, non ?

– Les gens interagissent en permanence, Cordell. Ils se servent les uns des autres pour nourrir leur existence. Prenez une maman qui marche dans la rue avec un bébé d'un an dans les bras. Soudain, le bambin croise une belle femme gironde et il lui saute au cou pour l'embrasser. La mère ne se sent pas abandonnée pour autant. En revanche, la jolie dame est transportée de joie. Il n'y a rien de mal à ce que les gens s'entraident, à ce qu'ils s'offrent un peu d'amour.

– Je crois que je ne me suis jamais senti aimé de cette façon, avouai-je dans un mélange de pudeur et d'introspection.

– Alors il est grand temps, conclut Cynthia. Suivez votre route, L. Et n'ayez pas peur d'aller vers l'autre.

Il y avait trois messages sur mon répondeur. Le premier me proposait de transférer mes en-cours de carte de crédit sur un nouveau produit offrant un taux exclusif de 2 % les soixante premiers jours. Le deuxième était de Sasha Bennett.

– Salut, Cordell, disait-elle. Je viens de remettre Enoch dans un taxi. Je serai chez moi toute la nuit. Passez quand vous voulez, je serai ravie de vous recevoir.

Le troisième était de Jerry Singleton, encore lui.

– Ton je-m'en-foutisme me laisse sans voix, Cordell.

J'ai ramé toute la semaine pour te trouver un remplaçant à cette réunion. Tu pourrais au moins avoir la décence de t'expliquer.

Même effacés, je craignis que ces trois messages ne relancent mes maux de tête. Mais la douleur redoutée laissa place à l'atonie. Jusqu'au bout des doigts je me sentais faible et las.

Je parvins malgré tout à composer un numéro.

– Allô ? fit-elle à la troisième sonnerie.

– Je t'aime, Jo.

– Ça veut dire que c'est fini entre nous ?

– Mais non. Qu'est-ce qui te fait croire ça ?

– Je m'attendais à ce que tu dises que tu allais devoir me quitter, à cause de ce que j'ai fait, parce que je te dégoûte.

– Mais non, voyons. On se voit demain à 15 heures.

– C'est vrai ? Tu en es certain ?

– Bien sûr que j'en suis certain. Tu n'es pas responsable de ce que t'a fait ton oncle, Jo.

– Ce n'est pas ce qu'ils disaient à la paroisse de ma mère, murmura-t-elle.

– Ah bon ? Et qu'est-ce qu'ils disaient ?

– Qu'un homme ne peut être mauvais tout seul. Qu'on crée toujours le mal à plusieurs.

Elle m'ouvrit quelques secondes à peine après que j'eus frappé, vêtue d'un simple tee-shirt blanc qui lui tombait au-dessus du genoux.

– Je vous attendais, dit-elle.

Il était 2 h 22 du matin.

Sasha me prit la main en me dirigea vers une chaise longue de couleur marron, près d'une fenêtre ouverte. L'appartement était éclairé par des dizaines de bougies et quatre lanternes à huile.

– J'ai allumé tout ça rien que pour nous, dit-elle. Enoch est reparti plus tôt que prévu, mais ça m'est égal. La seule chose qui m'intéresse ces jours-ci, c'est de me retrouver seule avec vous.

Plantée au pied du futon déplié, elle saisit le bas de son tee-shirt et le remonta jusqu'au nombril. Grâce aux deux lanternes posées sur la table de droite, j'eus une image très nette de ses larges hanches et de son pubis fourni.

Sasha n'était pas grosse, mais ses formes étaient généreuses. Elle s'assit dans la chaise longue et leva le pied gauche, m'exposant de manière exquise ses lèvres et son clito.

Sans un mot, je me mis à genoux et tétai le bonbon turgide, en retroussant le capuchon du bout de ma langue baladeuse.

Le râle de Sasha résonna aux quatre coins du grand studio.

Je passai de longues minutes, dans cette grande pièce gémissante, à lécher et sucer cette chatte parfaite d'où perlaient d'épaisses gouttes odorantes. Dès que je baissais la tête pour promener ma langue entre sa croupe et son clito, Sasha ordonnait :

– Bois le jus, bébé. Bois tout. Je veux que tu m'absorbes tout entière.

Alors je m'exécutais, en claquant des lèvres pour montrer que j'avalais bien.

Comme ma langue papillonnait sur son bouton, Sasha se redressa.

– Mets-toi debout, dit-elle.

J'obéis, et elle baissa d'un seul geste mon pantalon et mon slip. Je me rendis compte que j'avais perdu du poids.

Mon dard pointait droit devant. Je l'admirai quelques

instants, avec le visage de Sasha en arrière-plan. Ma présence ici semblait tenir du miracle. C'est parce que Sasha voulait ma compagnie que je bandais si fort.

La table près de la chaise longue possédait un petit tiroir. Sasha en sortit un godemiché en caoutchouc, ainsi qu'une coupe en céramique remplie de liquide et un préservatif dans son étui carré.

Elle déchira l'emballage et bagua mon gland avec le caoutchouc. Puis, déroulant la capote sur ma verge, elle expliqua :

– Le gode a été lavé et bouilli. Il est complètement stérilisé.

– Que vas-tu en faire ?

– Enfonce-moi cette grosse bite, dit-elle pour toute réponse.

Je grimpai sur Sasha et fis ce qu'elle me demandait. Son sexe était très étroit, bien plus que ceux de Jo ou de Lucy. J'en déduisis que tous ses amants avaient un petit engin, et pour je ne sais quelle raison cela aiguisa mon ardeur.

– Pas si vite, Cordell, me souffla-t-elle dans l'oreille.

Je ralentis la cadence.

– Regarde ma main droite, dit-elle.

Elle trempait le gode dans la coupe. Quand elle le ressortit, je vis que le liquide était dense et visqueux.

– C'est le meilleur lubrifiant qui soit, susurra-t-elle.

Elle fit disparaître le phallus dans mon dos. Je sentis l'huile couler entre mes fesses, jusqu'à mes testicules qui s'échauffèrent un brin.

Je grognai bruyamment pour ne pas accélérer le tempo.

– C'est bien, dit Sasha. Baise cette chatte aussi lentement que tu l'aimes. Ressors complètement, puis reviens comme si ta grosse bite voulait l'embrasser encore et encore, encore et encore...

Chaque fois qu'elle répétait ce mot, je le pénétrais de plus belle. Ce rituel nous ravissait l'un comme l'autre.

– C'est si étroit... expirai-je.

Elle reprit de l'huile et la fit couler sur mon cul.

La chaleur augmenta.

Puis je sentis le bout du gode contre mon anus.

– Prépare-toi, bébé. Je vais l'introduire en entier, d'un seul coup. Puis je te laisserai les commandes. Si tu ne l'aimes pas trop enfoncé, il suffit de bien rester dans ma chatte. Si tu parviens à maintenir des petits coups secs et profonds, tu n'en prendras pas trop.

– Et si...

Elle enfourna le godemiché dans mon rectum.

Ce n'était pas vraiment douloureux. J'avais juste l'impression de vouloir déféquer. C'était comme si un vide dont je n'avais jamais eu conscience se trouvait subitement comblé.

– Tu le sens, bébé ? susurra-t-elle.

– Oui.

– Alors nique-le. Nique-le bien fort.

Ses mots étaient mes maîtres. Je m'arquai sur le corps de Sasha et burinai son sexe comme si je ne vivais que pour ça. Lorsque je fus sur le point de jouir, elle décrivit un grand cercle avec la tête du godemiché. Ce fut comme si l'on m'agrippait de l'intérieur pour me tirer en arrière. Mon corps vacilla et ma queue sortit de Sasha, errant au-dessus de sa fente tandis que j'essayais d'intégrer ces sensations inédites.

– Je vais recommencer. Tu es d'accord ?

Je hochai la tête et retins mon souffle.

Je pensais être prêt, mais le moulinet du phallus me

fit gueuler comme un putois. Mes spasmes n'étaient pas finis que Sasha murmurait :

– Baise-moi, papa.

Papa.

En même temps que je m'affairais dans sa moule étroite, son gode allait et venait entre mes miches. Plus j'y mettais de rage, plus elle enfonçait le jouet gris et blanc. Dès que je me mettais à gémir, elle le faisait tourner de plus belle, bloquant aussi sec mon orgasme.

– Comment va ta queue ?

– Plus grosse que jamais.

– Dis-moi que tu m'aimes.

– Je t'aime, articulai-je, mais les mots se coincèrent dans ma gorge.

Elle ressortit le gode, ce qui me fit l'effet d'une flamme.

– Continue, papa !

Je ne demandais que ça, mais la brûlure avait cassé mon rythme. Je remis un gros coup, me figeai, me retirai, rentrai, me retirai de nouveau et stoppai. Entre-temps, Sasha avait replongé le gode dans la coupe. Dès que je le sentis revenir dans mon corps, je retrouvai le tempo. Enfiévré.

– Tu as besoin de ce truc pour me baiser vite, nota Sasha en souriant.

– Oui maman, oui maman, oui maman, scandai-je en rythme.

L'espace de trois minutes, je connus un moment de sexe pur. Mon corps était moite de sueur, celui de Sasha aussi. J'avais mal au dos et au pied gauche, mais pour que je lâche cette femme il aurait fallu me passer sur le corps.

Quand je perdis de nouveau le fil et me mis à geindre dans une langue que je connaissais sans la comprendre, je m'attendis à ce que Sasha tourne le gode pour prévenir mon orgasme. Je guettais ce geste douloureux, mais elle se contenta de dire :

– Relève-toi vite.

Alors je me redressai, un peu vacillant.

Elle arracha avec les dents le bout de la capote incolore, plaça la main gauche à la base de mon pénis et se servit de la droite pour me masser le gland. Je sentis aussitôt le plaisir s'amonceler. Mon rectum se contracta, expulsant le godemiché. Au premier jet de sperme, Sasha pressa mon gland pour augmenter la force du jet, comme si je pissais.

Je poussai un cri de douleur et d'extase. Quand Sasha relâcha la pression, je lui arrosai le visage et les seins.

– Quelle abondance ! s'émerveilla-t-elle.

Je braillai en cherchant des mots aussi excitants que les siens.

Mon abdomen tremblait encore lorsqu'elle releva ma queue pour sucer mes couilles resserrées. Elle y allait de bon cœur, et je craignis que la douleur ne me fasse débander. Mais là-dessus elle me mit un doigt dans l'anus et m'empoigna franchement la queue. En quelques secondes j'avais un nouvel orgasme, si fort qu'il menaça de rallumer la lumière sous mon crâne, de relancer la migraine qui cette fois-ci m'achèverait.

Je retombai sur le divan et serrai Sasha contre mon torse. Mes épaules tressaillaient, jusqu'aux tendons du cou.

– Tu as un sacré débit, susurra-t-elle avant de planter sa langue dans mon oreille.

Je voulus répondre, mais c'était trop bon.

Je finis par avouer :

– Je n'avais jamais joui comme ça.

– Jamais ?

– Non.
– Et on t'avait déjà introduit un gode ?
Sa question réveilla les images de Mel et de Sisypha. Je m'identifiais si fort à ce type que je faillis répondre oui.
– Non, jamais.
– Juste avant ton deuxième orgasme, ta prostate est devenue énorme. J'ai compris que tu allais nous refaire une belle purée.
Une semaine plus tôt, j'aurais pris mes jambes à mon cou si une femme m'avait parlé ainsi.
Présentement, je sentais poindre une nouvelle érection.
Nous sommes restés muets un petit moment. Ma main droite jouait avec la main gauche de Sasha, qui se montrait douce avec ma paluche estropiée. De temps à autre un gros camion vrombissait dans la rue. Il y avait de la lumière dans l'immeuble d'en face.
Je repensai à mon coup de fil à Joelle, quand j'avais dit que je l'aimais. Je ne voyais aucune contradiction avec le fait de tenir Sasha dans mes bras.
– Enoch t'a raconté ce qui s'était passé ? demanda-t-elle.
– Oui.
– Et t'en penses quoi ?
– Il a débarqué dans un tel état que j'ai d'abord cru qu'il t'avait tuée. Alors, quand il m'a expliqué que vous aviez couché ensemble, ça ne m'a pas semblé trop affreux.
Sasha sourit et se redressa pour m'embrasser sur la bouche.
– On baise ensemble depuis qu'il a douze ans et moi quinze. Il dit que je l'allume, mais c'est faux. C'est toujours lui qui me cherche, et je refuse. Alors il dit

d'accord, puis il s'arrange pour qu'on picole. Et après... eh bien...

– Alors toi aussi, ça te plaît ?

– J'adore le sexe, fit-elle en fronçant le nez.

Le téléphone sonna. C'était un appareil sans fil, posé au pied de la chaise longue. Sasha le ramassa d'un geste nonchalant. Il était presque 3 heures du matin.

– Allô ? Ah ! salut, Martine...

Martine Mocking occupait l'étage situé entre nos deux appartements. C'était une Noire de mon âge qui bossait pour un producteur de Broadway. Depuis toutes ces années que nous nous croisions, nous n'avions jamais dépassé le stade du « Bonjour, comment allez-vous ? »

– Mais non, chérie, disait Sasha. C'était juste Cordell, ton voisin du dessous, en train de prendre son pied... Mmm, ouais. Il jouit très fort, et à profusion... Mmm-mm. De mes nichons jusqu'au sol... Épaisse et noire... Je sais que c'est idiot, mais tous les Blacks sont montés comme ça, non ?

C'était bizarre d'entendre Sasha raconter nos ébats à une femme que je connaissais à peine, mais que je saluais au moins deux fois par semaine.

– Je sais pas. Je vais te dire ça.

Sasha s'agenouilla et attrapa ma queue (qui avait durci pendant qu'elle parlait).

– J'y suis, dit-elle à Martine tout en me souriant. Je peux à peine joindre mes doigts... Oh oui, très épaisse... Attends, je vais regarder...

Elle se pencha sur mon gland et le prit dans sa bouche.

– Légèrement salée et très douce, dit-elle avant d'y regoûter.

Une plainte s'échappa de mes lèvres tellement c'était bon.

– Tu entends ? dit Sasha. Il adore le sexe... Je sais, il a pas l'air comme ça. Une petite seconde, il veut que je le suce un peu.

Tout en soutenant mon regard, Sasha glissa la pointe de sa langue dans mon urètre.

– Seigneur, m'écriai-je.

Puis elle prit mon engin dans sa gorge, qui était aussi chaude et humide que son vagin. Je levai le bassin et elle me pompa goulûment.

Je tâchais de ne pas faire de bruit, mais c'était irrésistible. Sa bouche travailla mon dard pendant une bonne minute, puis elle se renversa en arrière, une main sur ma queue et l'autre sur le téléphone, l'air ravi.

– Ça y est, elle est bien enduite... Quoi ?... Bouge pas, je lui pose la question. Martine demande si tu accepterais qu'elle nous écoute baiser.

Sasha flattait mon dard par des caresses rapides. Le plaisir m'empêchait de prononcer le moindre mot.

– Il est d'accord, Martine.

Je pensais qu'elle allait tendre le bras vers la table pour sortir une nouvelle capote, mais elle n'en fit rien. Elle enjamba mes hanches et plia les genoux, s'empalant sur mon pieu d'un mouvement fluide.

– Oh mon Dieu ! criai-je.

– Qu'est-ce qu'elle est grosse ! gazouilla Sasha dans le combiné. Ma foune n'a jamais été aussi écartée.

Elle oscillait lentement de bas en haut, se mordant la lèvre entre deux sourires.

– Ah ouais, ouais. Elle est dure comme un roc... Non, non, elle ne plie pas du tout. Ah ! Ah ! Ah ! Ça, c'est lui qui pousse. Oh oui, oh oui !... Chaque fois qu'il bouge, j'ai un mini orgasme... Oh oui, ça c'est sûr... Martine demande si je vais redescendre pour boire ton sperme quand tu vas décharger... Il avait un goût piquant... Oh oui, jusqu'à la lie !

Elle continua de me baiser à la verticale, avant de se pencher en avant et de rouler son bassin d'avant en arrière. Et pendant tout ce temps, elle parlait à Martine, lui décrivant chaque sensation, chaque goût, chaque odeur...

D'un air amoureux, elle me dit :

– Oh oui, tu as pris le gode dans le cul, hein, bébé ? Hein, que tu l'as fait ?... Il a d'abord résisté, mais je l'ai fait céder.

Mes rugissements se saccadaient, car je la baisais de toutes mes forces. Sasha posa le téléphone à côté de mon oreille et agrippa mes épaules pour me besogner rageusement. Elle se mit à glapir.

– Sasha ? nasilla le combiné. Vous en êtes où ?

– Elle me saute comme une folle ! répondis-je à Martine. Elle ne peut pas tenir l'appareil parce qu'elle est cramponnée à mes épaules.

– Elle jouit ?

– Je crois bien, je crois bien...

– Votre bite rentre en entier ?

– Oui, je sens ses fesses claquer contre mes couilles.

– Seigneur. Et vous faites quoi, vous ?

– J'essaie de m'enfoncer au maximum. Je la tringle, quoi.

Mes paroles devaient combler Sasha, car ses cris s'intensifièrent.

– Et vous, Martine, qu'êtes-vous en train de faire ?

Pas de réponse.

– Dites-moi ce que vous faites, Martine.

– J'ai trois doigts dans ma chatte et je me masse le clitoris avec la gauche.

– Et ça vient ?

Un nouveau silence.

– Ça vient, Martine ?

Sasha sautillait à l'oblique, en larmes, de vraies larmes qui coulaient à mesure qu'elle me pilonnait.

– Oui, ça vient ! gueula Martine.

– C'est moi qui vous baise, répondis-je. C'est ma grosse bite que vous sentez.

– Han ! Han ! Han ! cracha le téléphone.

Sasha hurla.

Puis mon corps se figea et elle se dégagea en catastrophe pour empoigner mon dard. Je la vis lécher ma semence qui s'échappait en cascade, cependant que Martine prononçait des syllabes isolées.

– C'est bon, bébé, déclarai-je.

Les deux filles grognèrent de plaisir.

Sasha continua de me lécher longtemps après ma dernière goutte. Puis elle frotta ma queue contre sa joue, en fermant les yeux pour mieux savourer ce contact.

– Je vais rendre l'appareil à Sasha, Martine.

Sasha reprit le combiné et dit en souriant :

– Merci d'avoir appelé, chérie... OK, je lui dirai.

Elle raccrocha et se nicha contre mon flanc.

– Martine te remercie pour ce moment délicieux.

Sur quoi elle me tourna le dos, et nos corps s'épousèrent telles deux cuillers.

J'attrapai mon sexe mollissant et la pénétrai de plus belle.

– Ouh, fit-elle. Ouh...

– Je veux m'endormir dans ton sexe.

Elle me répondit d'un frisson.

Je redevins très dur et Sasha se pressa contre moi. Mais le sommeil finit quand même par nous emporter. Je ne me réveillai qu'une seule fois, lorsque ma queue glissa hors de Sasha, avec entre les omoplates la plus cinglante lame d'extase.

Cette nuit-là, je rêvai d'un océan. J'étais bien plus jeune, j'étais nu et je marchais sur une plage de sable blanc. Je voyais de gros poissons sauter dans les flots et des oiseaux de couleur vive, des flamants roses, prendre leur envol dans un ciel sans nuages.

Je me demandais comment j'avais atteint cet endroit. Je savais que j'avais toujours voulu être ici, nu et jeune. Mais je savais aussi que je n'aurais jamais dû y arriver ; que j'étais destiné à errer sans fin dans cette jungle qui m'appelait à l'orée de la plage.

Je soupirai dans mon rêve et me réveillai sur la chaise longue, seul. On avait éteint les bougies et Sasha s'était volatilisée. Puis j'avisai une note punaisée à la porte d'entrée.

Mon très cher Cordell,

Merci infiniment pour ta passion et ton ouverture d'esprit. Toute la nuit mon cœur a palpité contre toi. Même endormi, tu bandais encore. J'ai moi aussi essayé de m'endormir, mais il me fallait un dernier orgasme devant ta si belle érection. C'est la première fois qu'un type me plaît autant et j'espère qu'on remettra ça.

Je pars bosser.

Je t'aime

(sincèrement),

Sasha.

À un moment ou à un autre, mon cerveau avait pris une nouvelle direction. J'appréciais Sasha et ses mots affectueux, mais, sitôt rentré chez moi, je l'oubliai complètement.

Midi avait presque sonné.

Je me douchai, me rasai, puis enfilai mon costume gris et un tee-shirt en soie, plutôt qu'une chemise et une cravate.

Je me rendis en taxi à la galerie Stowe, sur la 63e Est. Un jeune type efféminé, Roderick de son prénom, jeta un bref coup d'œil aux photos de Lucy.

– Pas pour nous, déclara-t-il.

Il n'assortit cela d'aucune critique. Il n'était pas désolé, pas plus qu'il ne suggéra de frapper à telle ou à telle autre porte. Il dit simplement : « Pas pour nous », puis son téléphone sonna.

– Je dois répondre, monsieur. Bonne journée.

Je fis halte dans un Galaxy Coffee de Madison Avenue. Je sortis un crayon et le carnet relié que je trimballais dans ma sacoche depuis des années. Je l'avais acheté six ans plus tôt dans une boutique de Provincetown, dans l'idée d'y consigner toutes mes pensées. Je l'avais toujours avec moi, mais les mots ne venaient jamais. Plus d'une fois je l'avais ouvert dans un café ou au restaurant, à la page de garde, mais jusqu'à ce jour elle était demeurée vierge.

Je n'eus aucun mal à écrire sur les petits Soudanais. Il s'agissait moins de prose que de notes sur la meilleure façon de parler d'eux. Comment faire pour intéresser les galeristes à leur sort ? Comment ces enfants et leur calvaire pouvaient-ils nous ouvrir une porte ?

Le temps d'atteindre la galerie Nightwood à quatre blocs de là, j'avais revu de fond en comble ma technique d'approche. Avec Roderick, je m'étais contenté d'ouvrir le portfolio, espérant que les clichés suffiraient à l'émouvoir.

Maintenant, j'étais prêt à me battre pour ma cliente.

Je fus reçu par Isabelle Thinnes, la propriétaire. Une

femme blanche d'une soixantaine d'années, bien conservée, silhouette longiligne et manières aristocratiques – WASP jusqu'au bout des ongles. Sa chevelure grise veinée de noir formait un chignon plumeux dans sa nuque.

Nous prîmes place autour d'un bureau en marbre vert, blanc et noir. Je posai le portfolio devant moi et le protégeai d'une main, pour montrer que j'avais quelque chose à dire avant de dévoiler mes œuvres.

En bonne amie de Brad Mettleman, Isabelle était disposée à m'écouter. Mais mon geste la dérouta, l'obligeant à se demander qui était cet homme assis devant elle.

Tout cela, je le voyais – ou pensais le voir – dans ses yeux.

– Avant que vous ne regardiez ces pièces, je dois vous mettre en garde, madame Thinnes. Les photos que vous allez voir sont troublantes. Ce sont des portraits d'enfants, qui pour la plupart auront sans doute déjà péri. Vous verrez la mort dans leur regard, et vous saurez qu'ils n'ont pas été sauvés. Ces enfants sont victimes de leur propre peuple et de l'indifférence du reste de la planète. Vous verrez dans leurs mains des armes et des poupées, sur fond de bâtiments en ruine ou de champs de cadavres. On trouve beaucoup de fumée sur ces clichés : celle qui s'élève des taudis délabrés où vivent ces orphelins, celle des explosions, ou celle qui brouille l'œil de la raison de toute personne ayant vécu dans ce monde-là. Mais tout cela n'a aucune importance.

– Ah non ? fit Isabelle, ses yeux cherchant à déchiffrer mes mots.

– Non. On trouve ce genre de photos à peu près partout. Elles seront peut-être moins réussies, il leur manquera peut-être le regard affûté de Lucy, mais des images d'enfants mourants, on en voit tous les soirs à la télé, et partout sur Internet. L'un des portraits que je vais vous montrer est celui d'une fillette aux yeux de biche, qui tient à peine debout tant elle est maigre et affamée. Derrière elle, un drapeau américain flotte fièrement au vent. On ne sait pas ce que ce drapeau fabrique là. Notre pays a peut-être installé un camp pour secourir ces enfants... Quoi qu'il en soit, votre clientèle se sentira prise à partie. Elle n'aura rien fait pour aider ces jeunes innocents, et l'Amérique sera intervenue trop peu, trop tard...

– Votre discours n'est pas très vendeur, monsieur Carmel, dit Isabelle Thinnes d'un air grave.

– Je n'en suis pas encore là, madame Thinnes, seulement au contexte général. Nous sommes ici pour parler affaires, et nous le savons l'un comme l'autre. Il s'agit d'art, certes, mais les affaires n'en restent pas moins les affaires. Alors voilà : je pense que Lucy Carmichael compte parmi les meilleurs photographes apparus sur la scène new-yorkaise ces dix dernières années. Mais cela ne sert à rien si ses photos ne se vendent pas.

– C'est crûment dit, monsieur Carmel. Mais je ne peux pas vous donner tort.

– Voilà pourquoi j'ai invité Lucy à créer une association à but non lucratif qui recueillera la moitié des recettes générées par ces clichés. Je sais que les œuvres d'une inconnue comme Lucy se monnaient autour de 2 500 dollars pièce. Mais dans le cas présent, j'en réclame 6 000.

– 6 000 !

– En effet. De cette façon, chaque portrait vendu rapportera 3 000 dollars à la fondation Lucy Carmichael pour les enfants du Darfour.

– Donc vous dites que ces photos donneront mauvaise conscience au public...

– En même temps qu'un moyen de soulager cette mauvaise conscience, complétai-je pour elle.

Mme Thinnes fixa un point au-dessus de mon crâne. Son visage ne trahissait aucune émotion. Puis elle eut un sourire.

Après ça, la présentation des œuvres elles-mêmes fut une simple formalité. L'affaire était dans le sac.

Une heure plus tard, la galeriste avait accepté d'exposer ma cliente sur une base de 50/50, après déduction de la part revenant à la fondation de Lucy. Elle promit de préparer le contrat pour vendredi, et nous scellâmes notre accord d'une franche poignée de main.

Comme je prenais congé, elle ajouta :

– Au fait, monsieur Carmel...

– Oui, madame Thinnes ?

– Comment se fait-il que je n'aie jamais entendu parler de vous ? Je pensais connaître tous les agents de photographes du pays.

– Je travaille avec Brad depuis des années, madame. J'ai attendu qu'il soit débordé pour me frotter au terrain.

– Vous êtes très doué, déclara-t-elle.

Ses yeux brillaient d'admiration sincère.

En vingt ans de traduction, personne ne m'avait jamais témoigné autant d'estime et de respect.

– Merci, madame Thinnes. Cela me touche beaucoup. Plus que vous ne l'imaginez.

Quand je suis arrivé chez Jo, elle portait un corsage blanc cintré, boutonné jusqu'au col, ainsi qu'un pantalon de coton vert jaune. Ces tons soulignaient à merveille sa peau rougeoyante.

Elle me considéra avec une crainte mêlée de suspicion.

Je lui souris et la pris dans mes bras. Il m'avait suffi de la voir pour me sentir excité. Sa peur d'être rejetée jouait comme de l'essence sur ma flamme.

Puis je la soulevai pour l'emmener jusqu'au boudoir.

Le boudoir était une pièce étroite équipée d'un grand canapé marron, d'un petit téléviseur et d'une chaîne hi-fi perchée sur des étagères. Je m'assis sur le sofa et plaçai Jo entre mes genoux. Je déboutonnai son pantalon et le lui baissai jusqu'aux chevilles. Elle portait un string vert, que je baissai à son tour.

– Tu ne crois pas qu'on devrait parler d'hier ? fit-elle.

Je me suis retourné pour l'asseoir sur le divan, avant de me redresser pour laisser choir mon pantalon.

Confrontée à mon érection, Jo saisit ma verge et la releva. Je m'attendais à ce qu'elle me suce les testicules, comme l'avait fait Sasha, mais elle préféra fourrer son nez dans le repli entre le dard et les bourses. Elle inspira profondément par le nez.

– J'adore ton odeur, dit-elle.

Je sortis une capote de ma poche.

– Enfile-moi ça.

– Pour quoi faire ? demanda-t-elle.

– Ça réduit les sensations et j'ai envie de baiser longtemps.

Elle sourit et s'exécuta. Sitôt ma queue recouverte, je rejoignis Joelle sur le sofa et la pénétrai par-derrière.

Elle mouillait énormément. À en juger par son chant, je crois qu'elle a joui sur le coup.

Je pris ses deux seins dans ma main blessée, et de l'autre je lui tirai les cheveux. Ceci tandis que je l'honorais avec une extrême lenteur.

Je laissai passer son deuxième orgasme avant d'ouvrir la bouche :

– Tu as eu des amants depuis qu'on est ensemble ? lançai-je tout en perpétuant mon rythme indolent.

– Non, gémit-elle.

– Jamais ?

– Jamais.

– Et tu n'en as jamais eu envie ? Jamais craqué sur un autre homme ?

– Non.

– Jamais ?

Elle poussait son cul sur ma queue, mais elle ne répondait pas.

– Jamais ? répétai-je.

– Une fois.

– Quand ça ?

– Il y a six mois.

– À la mort de ton oncle ?

– Le lendemain, ou peut-être le surlendemain.

– C'était qui ?

– Un type, dit-elle avant de glapir parce que je lui tirais les cheveux. George Leland.

– L'importateur de cravates italiennes ?

– Oui.

– C'est lui qui t'a chauffée ?

– Oui.

– Raconte-moi ça, dis-je en m'enfonçant jusqu'au bout.

Elle grogna deux fois.

– J'étais là-bas un soir pour peaufiner une présentation, expira-t-elle d'une traite. Il était tard. On avait bu deux verres chacun. Et il... il m'a embrassée.

– Sur la joue ? fis-je d'une petite voix.

Elle secoua la tête.

– Jusqu'aux amygdales, plutôt.

– Et ça t'a plu ?

Elle fit oui de la tête et pressa ses fesses contre moi. Ses cuisses se mirent à trembler.

– Et après ?

– Je l'ai embrassé un petit moment puis je me suis reculée. Mais il m'a attrapé la main...

– Pour quoi faire ?

– Pour me montrer comme il bandait fort.

– Et tu as laissé ta main sur sa queue ?

Mon souffle s'accélérait.

– Elle était très, très grosse. Très longue et très large. Il m'a demandé... Il m'a demandé si je voulais la voir.

– C'est à ça que tu pensais quand je te parlais de l'homme debout derrière toi ?

Elle hocha de nouveau la tête, tendant les mèches que retenait ma main.

Je la troussais déjà plus vite, par de petits coups incisifs.

– Ça te faisait envie ?

Elle hocha la tête.

– Et il a sorti son engin ?

Cette fois la réponse fut non.

– Vraiment ? m'étonnai-je, à la fois soulagé et déçu.

– Non. Je... Je me suis agenouillée et j'ai ouvert sa braguette.

– Tu l'as sucé ?

– Non. Je lui ai dit que je refusais.

– Alors que s'est-il passé ?

– Il m'a fait allonger sur lui, tout habillée. J'avais même gardé mes bas. J'ai serré son machin entre mes cuisses et il a remué d'avant en arrière.

– Comme moi en ce moment...

– Non. Il n'est pas entré. Il était bien trop gros.

– Et ensuite ?

– Il a fini par éjaculer. J'en avais partout dans le dos et dans les cheveux.

Je tirai de nouveau sur ses mèches.

– Et tu as joui ?

Comme elle se taisait, j'augmentai la cadence.

– Tu as joui ?

– Oui ! hurla-t-elle en même temps qu'elle prenait son pied. J'ai joui et j'ai joui et j'ai joui...

Alors j'ai joui moi aussi, si fort que nous avons dégringolé du sofa. Mais ce n'était pas une raison pour cesser de la tamponner.

– Comme ça ? Comme ça ? Comme ça ? gueulais-je en lui tirant les cheveux.

– Oui ! Son éjaculation était interminable, et chaque fois que sa queue frottait mon clitoris, je grimpais aux rideaux !

Mon orgasme était en bout de course, et pourtant je ruais toujours. Quand le vagin de Jo expulsa mon membre flaccide, je continuai de le frotter contre son cul. Alors elle se cambra pour me caresser la tête.

Puis elle se redressa, me fit faire de même, et elle se remit à genoux pour s'occuper de mon engin. Elle le libéra du latex et l'enveloppa dans ses paumes.

– Même après ça il était toujours excité, alors je me suis baissée, comme ça, et j'ai commencé à le branler.

Accrochée à mon organe, Joelle oscillait de tout son être, un roulis lent et régulier.

– Son gros gland violet était si brillant que je pouvais

presque me voir dedans. Il me suppliait de l'accueillir dans ma chatte, mais plus il réclamait, plus je l'astiquais fort. (Elle accéléra ses caresses sur ma pine.) Il a fini par m'agripper les épaules, et j'ai su qu'il allait jouir. Je tenais sa queue tout près de mon oreille, et quand il est parti j'ai senti son foutre éclabousser mes chevilles.

Je déchargeai une nouvelle fois, sans m'y attendre ni même le souhaiter. Joelle m'avait eu par la seule force de sa volonté.

Je me suis effondré par terre et nous nous sommes enlacés, deux camarades épuisés au terme d'un voyage dans une lande vierge et hostile.

Je me suis réveillé à minuit trois. Je ne me souvenais pas d'être remonté sur le divan, mais nous y étions bel et bien, figés dans la même étreinte. Je me suis assis et j'ai regardé Jo, en me disant que je ne l'avais jamais connue, mais qu'elle était ma seule amie.

Comme je quittais le canapé, Joelle se retourna et se mit à ronfler. Elle avait toujours eu le sommeil lourd, et quand les ronflements commençaient, je savais qu'elle était partie pour la nuit.

Je me suis traîné vers la cuisine. J'ai allumé la lumière et pris la chaise près de la fenêtre, pour ruminer tout ce qui s'était passé.

J'avais l'impression de dériver seul sur un radeau, dans une mer à la fois calme et traîtresse. Personne n'allait venir à ma rescousse. Il n'y avait aucune terre en vue. Mais ni la soif ni la faim ne me tenaillaient encore. Je me sentais bien, même si la mort était proche.

Je n'arrivais pas à chasser cette idée stupide, l'idée que rien ne pourrait me sauver. J'avais pourtant Lucy et Sasha, j'avais Cynthia, et puis mon nouveau boulot d'agent artistique. Une vie entière s'ouvrait à moi.

J'avais de l'espoir, et à l'évidence Jo m'aimait. Certes, elle n'osait pas aborder son aventure avec Johnny Fry, mais je pouvais le comprendre...

Blip-blip.

C'était un son curieux et néanmoins familier. Comme je restais sur ma chaise à tenter de l'identifier, il se manifesta de nouveau.

Blip-blip.

Je repris le long couloir, dépassai mon amoureuse endormie et atteignis la petite pièce – ou plutôt le cagibi – qui lui servait de bureau. L'ordinateur était allumé et connecté à Internet. Joelle avait reçu du courrier d'un certain JF1223.

Tu es là ? demandait le premier message, posté à 19 h 25.

Je me languis de toi, disait le suivant à 20 h 14. *Ces jours de solitude m'ont montré combien je tenais à toi. Bettye n'est plus rien à mes yeux. Je ne la reverrai jamais.*

À 22 h 47, JF1223 écrivait : *Tu as réfléchi à l'idée de nous retrouver à Baltimore ? Ne t'inquiète surtout pas. Je veillerai à ce que Cordell ne sache rien de nos petites affaires. Je sais que tu as aussi besoin de lui et je respecte ça.*

L'avant-dernier message annonçait : *Ma queue se languit de toi, elle aussi. Je ne me suis même pas masturbé depuis la dernière fois. Je revois encore tes efforts et tes suffocations pour la contenir...*

Plein de contrition, JF1223 ajoutait enfin : *Pardon pour ce dernier message. C'est le fait de poireauter tous les soirs à attendre que tu te décides. Je pense à ta peau, à ton contact. Je repense au soir où t'as m'as ramené chez toi, quand on s'est rencontrés à la fête chez Brad. Je n'ai jamais été à ce point envoûté par une femme. Sans toi, je crois que je mourrais.*

Je suis resté assis devant l'écran de Jo, à me demander ce que tout cela signifiait.

Je me suis alors souvenu de cette fameuse soirée chez Brad Mettleman à Brooklyn. Ignorant qu'elle était avec moi, Johnny Fry s'était mis à draguer Jo sous mon nez. Elle l'avait repoussé en riant, puis il lui avait demandé ce qu'elle voulait boire. J'avais répondu que je me chargerais moi-même de lui trouver un verre, pensant que cela suffirait à calmer les ardeurs de monsieur.

Un peu plus tard, Brad me fit venir dans son bureau pour que je lui traduise une lettre reçue d'un peintre espagnol. Je la parcourus deux fois, pas une de plus, avant d'expliquer à Brad que le Miguel Rios en question souhaitait faire de lui son unique représentant pour tous les États-Unis. À tout casser, cet aparté avec Brad avait dû me retenir douze minutes.

Douze minutes. Quand j'avais regagné le living, Jo s'était plainte d'un début de migraine.

– Je la sens là, au milieu de ma tête, dit-elle en montrant l'endroit où siturait le troisième œil.

Douze minutes. Sept cent vingt secondes pour qu'un inconnu la persuade de me faire stopper un taxi afin qu'elle le reçoive chez elle et s'offre à lui comme jamais elle ne s'était offerte à moi.

Soudain, j'étais debout dans la cuisine, un couteau de boucher à la main. Je ne me souviens toujours pas d'être passé d'une pièce à l'autre ni d'avoir ouvert le tiroir.

Puis j'étais devant Jo, le couteau serré dans mon poing. Elle avait le cul à l'air mais portait toujours son corsage.

J'ai d'abord songé que le sang laisserait des traces indélébiles sur le chemisier. J'ai néanmoins levé la lame. Mais cette histoire de taches m'obsédait – le sang sur son corsage et sur la moquette. *Le sang ne part jamais*, disait ma mère à l'époque où elle avait encore toute sa tête.

Je me suis retrouvé dans la salle de bains, devant l'armoire à pharmacie, un flacon de comprimés à la main.

Jo prenait parfois un somnifère, lorsqu'elle travaillait tard. Veiller après minuit la mettait à cran, et elle avait alors besoin d'un adjuvant pour s'endormir.

J'ai avalé deux comprimés ovales avant d'aller la rejoindre.

Je suis resté là, allongé contre elle, à scruter son visage. Au début je n'éprouvais rien, ni haine ni jalousie ni sentiment de trahison. Puis j'ai repensé aux propos de JF1223 comme quoi elle avait suffoqué en essayant de dompter sa bite. Alors je me suis redressé sur un coude, avec la ferme intention de l'étrangler dans son sommeil. Mais presque aussitôt les somnifères m'ont pris au collet et je suis retombé sur le dos, me débattant contre le puits noir qui m'engloutissait.

Je me suis réveillé dans les rayons du soleil. Jo était levée, je l'entendais s'affairer dans l'appartement. Les événements de la nuit me revinrent par fragments et par flashes. Je me souvenais de la lame et des pilules. Je me souvenais...

– L ?

Jo se tenait dans l'entrée, le couteau de boucher à la main.

– Salut.

– J'ai trouvé ça dans la salle de bains, dit-elle en tenant l'objet dans sa paume ouverte.

– Oui, je... je n'arrivais pas à dormir. Alors je suis allé à la salle de bains pour prendre ton sirop contre la toux. Mais la bouteille était neuve et je n'arrivais pas à ouvrir le bouchon, alors j'ai pris ce couteau. Puis juste après j'ai trouvé tes somnifères.

Elle eut un regard intrigué, mais nullement suspicieux.

– C'est sûr que je n'ai pas eu ce problème, dit-elle. J'ai sombré sans même éteindre mon ordi !

– Alors c'était ça, tous ces *blip-blip* ?

– Tu les as entendus ?

– Ouais, j'ai entendu un truc mais je ne savais pas d'où ça venait. J'ai voulu te réveiller mais tu écrasais ferme.

– C'est rien de le dire. Bon, tu veux quoi pour ton petit déj ?

– Je dois filer, chérie. Ce livret sur le vinaigre ne va pas se traduire tout seul.

Voyant que je me levais, Joelle fondit sur moi et posa ses mains sur mon torse.

– Tu ne vas pas me quitter ? lâcha-t-elle.

– Mais non, pourquoi ?

– George Leland, dit-elle en baissant les yeux.

Elle colla son front contre ma poitrine.

Je lui attrapai le menton et l'embrassai sur le nez.

– Tu venais d'apprendre le décès de ton oncle, n'est-ce pas ?

– Oui, mais...

– Et il n'y a jamais eu personne d'autre depuis ?

– Non. Personne.

– Alors que veux-tu que je te dise ? Quand tu m'as parlé de George, ça m'a tellement excité que je ne pouvais plus m'arrêter. C'était comme si tu avais trouvé mon interrupteur et que tu l'avais coincé sur *marche.*

– Alors on est toujours ensemble ?

– Absolument. Jusqu'à ce que la mort nous sépare.

De retour à la maison, je tâchai de m'arracher à l'irrésistible appel de la mort.

La mort me poursuivait, compagne muette mais fidèle. Cynthia soutenait que Jo était responsable de ses actes, or la preuve était faite qu'elle n'avait pas tiré un trait sur Johnny Fry.

Non pas que je projetais de tuer Jo, ni Johnny ni qui que ce soit. C'est juste que j'avais empoigné un couteau. C'est juste qu'il me venait des envies de meurtre dès que je pensais à leur liaison.

Il fallait y mettre un terme. Je devais cesser de la voir.

J'ai décroché le téléphone afin qu'on en discute. Mais la seule chose que je pouvais me rappeler, c'était son prénom – et celui de son amant. J'ai reposé l'appareil et je me suis concentré. Son numéro a fini par me revenir, et je l'ai composé.

– Allô ? répondit Joelle.

– Salut, chérie.

Ma langue était lourde comme celle d'un ruminant.

– Salut, bébé.

– Je voulais simplement te dire un truc.

– Quoi donc ?

Je me raclai la gorge et secouai vivement la tête.

– C'est à propos de notre conversation d'avant-hier.

– Oui ?

– Tu as peut-être besoin de faire une pause. De ne plus me voir pendant quelque temps. Cette histoire avec ton oncle, ça signifie peut-être que tu as besoin de faire le point dans ta tête. Tu as peut-être besoin d'une thérapie, ou bien d'un autre jules.

– Tu es un ange, L. Mais non, bébé, c'est de toi que j'ai besoin. Tu me le prouves à l'instant même, par ce grand geste d'amour. Tu fais passer mes besoins avant les tiens.

Si seulement elle savait... Je cherchais un moyen de ne pas l'assassiner, et voilà qu'elle me remerciait. J'aurais voulu lui dire les choses, mais les mots restaient enfouis sous toute une vie de torpeur. Mes émotions étaient une lave courant sous une plaine en friche. Je me résumais à ma rage, et à mon impuissance.

– L ?

– Oui, Jo ?

– Tu sembles ailleurs.

– Non, non, chérie. Je suis bien là.

Une semaine plus tôt, j'étais à peine vivant et je n'en savais rien. J'ignorais ce qu'était le sexe ou ce qu'était l'amour. Je ne comprenais goutte à la haine ou au désir. Je n'aurais jamais soupçonné cette soif de sang qui couvait dans mon âme. Si seulement j'avais pu rebrousser chemin, remonter le temps jusqu'au jour où j'aurais dû prendre ce fichu train pour Philadelphie...

Debout dans une cuisine, armé d'un grand couteau. Comment en étais-je arrivé là ? Un homme sain d'esprit ne pouvait-il retracer les étapes ayant nourri ses envies de meurtre ?

Assis dans mon canapé face à mon écran plasma, je me suis dit que Sisypha aurait peut-être des réponses.

Je venais d'attraper la télécommande lorsque le téléphone sonna. *Stop*, semblait dire ce cri strident.

– Allô ?

– L ?

– Ah, bonjour, Lucy.

– Tu as une drôle de voix.

– Il n'y a pourtant rien de drôle.

– Ça ne va pas ?

– Si, si, t'inquiète. Mon cœur bat la chamade. Le ciel bleu n'est plus seulement un simple souvenir.

Je partais en roue libre, comme lorsque j'avais pris des notes dans mon carnet.

– Ça veut dire quoi ? demanda Lucy.

– Tu sais, quand tu regardes un truc que tu as vu un millier de fois...

– Comme cette tasse posée sur mon bureau ?

– Ouais, par exemple. Si tu cherches juste un récipient pour boire, tu repères cette tasse et tu crois la connaître, mais ce n'est pas vraiment le cas.

– Pourquoi ça ? dit-elle avec le plus grand sérieux.

– Parce que cette tasse est dans ta tête. C'est une sorte de souvenir imparfait – ou alors un souvenir idéal. Tu n'as sans doute jamais examiné cette tasse de près. Tu t'en sers depuis des années, mais tu n'auras jamais remarqué la petite bosse à la base de l'anse, ni l'endroit où la peinture s'est cloquée, laissant apparaître la terre cuite.

– C'est vrai, dit Lucy. J'ai les yeux rivés dessus. Je l'ai achetée sur un stand de poterie à Northampton, lors de mon semestre à Smith. Pour moi, ça a toujours été une tasse bleue, mais à présent je vois qu'elle n'est bleue que par endroits. L'autre moitié est verdâtre, avec des paillettes dorées.

– Tu pourrais sans doute passer la journée à étudier cet objet, et toutes les deux minutes tu découvrirais un élément nouveau. Il y aurait sans doute de quoi écrire tout un roman.

J'avais l'impression de tenir des propos d'étudiant, le genre de découvertes que les jeunes font ou refont la première fois qu'ils quittent le foyer parental. Mais en vérité, c'était bien plus que ça. Je pensais vraiment ce que je racontais là. J'avais toujours vécu à la surface des choses, sans jamais regarder au fond, sans jamais trop savoir ce que je traversais – ni ce que j'avais raté.

– J'appelais pour te parler d'un truc, enchaîna Lucy.
– Je t'écoute. Les galeries d'art...
– Non, coupa-t-elle. Je ne m'attends pas à ce que tu obtiennes des résultats aussi vite.
J'allais la détromper, mais elle continua :
– Cela concerne l'autre nuit...
– Ah bon ?
– J'aimerais qu'on parle de ce qui s'est passé.
– Aucun problème, répondis-je en espérant que cela éclipserait mes idées noires. J'espère que tu ne m'en veux pas trop...
– Pas du tout, jura-t-elle. Pas le moins du monde. Je suis étonnée d'avoir fait ça avec un type bien plus vieux que moi, mais je ne suis pas du tout fâchée. J'ai juste peur que tu me prennes pour une espèce de salope...
– Je te prends pour une espèce de merveille, rectifiai-je, tout en trouvant idiot de paraphraser une vieille chanson[1].
– Moi aussi, dit Lucy.
– Pardon ?
– Billy est venu dimanche soir, expliqua-t-elle. On a passé la nuit ensemble, et je me suis aperçue qu'il ne comprenait rien aux femmes ni à leurs sentiments. C'est un mec chouette et j'ai beaucoup d'affection pour lui, mais il ne m'a jamais vraiment conquise. Tu vois ce que je veux dire ?
– Comme quand tu regardes la tasse ?
– En quelque sorte. Maintenant écoute-moi bien, L. Je suis très embêtée par ce qui m'arrive. J'ai toujours

1. Allusion à *Some Kind of Wonderful* des Soul Brothers Six (1966), repris avec succès par Grand Funk Railroad en 1975. *(N.d.T.)*.

défendu l'égalité entre hommes et femmes, et le respect entre les sexes. Seulement voilà, dimanche soir, j'avais envie que Billy me fasse perdre la tête, plutôt que d'enchaîner bêtement des gestes mécaniques. Alors... alors je l'ai giflé.

– Vraiment ? Pourquoi ?

– Je ne sais pas. J'étais sur lui, il me faisait son sourire de bon toutou, puis soudain j'ai perdu mon calme et je l'ai giflé. Et quand il s'est mis à geindre en demandant ce qui m'avait pris, je lui en ai collé une deuxième.

Je me couvris la bouche pour ne pas éclater de rire.

– Et ensuite, que s'est-il passé ?

– Il ne comprenait pas ce que je lui disais. J'expliquais que je voulais de la passion. Que je voulais le voir crever de désir. Que je voulais qu'il me rendre mes coups. Bref, j'ai un peu perdu la boule. Puis j'ai compris qu'en fait je lui reprochais de ne pas être toi, Cordell.

– Moi ?

– Je... je voudrais qu'on reprenne là où on s'est arrêtés samedi soir. Écoute-moi bien, L. Je serais incapable de dire ça en regardant quelqu'un dans les yeux. L'autre nuit, je te voyais dans le miroir de la porte...

J'essayai de me rappeler où nous avions baisé, et ce que Lucy aurait pu voir.

– Je ne me souviens pas bien où était le miroir, avouai-je.

– Tu ne pouvais pas le remarquer, murmura-t-elle. Je te demande un petit instant...

J'entendis des bruits sourds, puis Lucy reprit l'appareil.

– Ma chef me demande de faire un truc, mais j'ai dit que c'était un appel important.

Je n'en revenais pas que Lucy parle de choses aussi intimes sur son lieu de travail.

– J'ai toujours eu un gros cul, reprit-elle. Il m'a toujours complexée, et je passe mon temps à faire de l'exercice pour l'amincir.

Son derrière n'avait rien d'énorme, mais j'aimais bien qu'elle m'en parle. La voix de Lucy était une corde m'arrachant à la morosité. À cet instant je l'aurais suppliée de ne pas raccrocher.

J'avais deux fois son âge, à un an près, et j'en ressentais chaque minute sur mes épaules. Mais au téléphone Lucy et moi redevenions égaux. Mieux, elle prenait l'ascendant, en se révélant la plus fine des deux. Elle savait m'emmener là où je voulais être, bien qu'elle n'eût à mon avis aucune conscience de son pouvoir.

– Mais quand j'ai regardé la glace, me disait-elle, cette impression s'est envolée. Et tu sais pourquoi ?

Je souris en constatant que je retenais mon souffle. Il fallut que je tousse pour répondre :

– Non...

Sa voix candide se fit mutine :

– Parce que ton visage était plongé dans mes fesses, et que ta langue me fouillait. En voyant mes miches recouvrir ta figure et en sentant que tu cherchais à t'y enfoncer encore plus, je suis tombée amoureuse de mon cul... L ?

J'étais reparti en apnée.

– Ben dis donc, expirai-je. Ouaouh... Je... je n'ai pas de mots pour... On peut se voir ?

– Je t'appelle justement à ce propos.

Le temps qu'elle précise sa pensée, je me suis pétrifié. Je ne vivais plus que pour ça, recevoir cette Lucy chez moi. Et si elle ne venait pas, je tuerais Johnny Fry sur-le-champ.

Tuer Johnny Fry ?

– Je pense à toi sans arrêt, poursuivit-elle. Le simple

fait de m'asseoir m'excite, parce que cette pression sous mes fesses, c'est encore toi. Toi à genoux, qui m'embrasses le cul. C'est de ça que j'ai envie. Tout de suite.

– Et que devient Billy dans l'histoire ?

– Je m'en balance. C'est toi qu'il me faut. Je n'ai rien contre Billy, je pense même qu'on restera ensemble, qu'on se mariera et qu'il me fera des gosses. Mais ce soir, j'ai besoin de ta grosse bite dans mon cul. Voilà, c'est dit. Je n'ai jamais parlé comme ça à personne. Jamais. J'ai besoin de toi, L. J'espère que tu comprends.

– Oui. Je comprends très bien.

– Alors qu'est-ce qu'on décide ?

– Je vais m'introduire à fond. Je vais t'éclater comme une figue mûre.

– Toute la nuit ?

– Et le lendemain.

– Mais demain, je dois bosser.

– Erreur.

– J'ai épuisé tous mes congés, même pour maladie. Je resterais bien, mais ce ne sera pas possible.

– Je t'ai trouvé une galerie, annonçai-je tout à trac. Je vais t'avancer 5 000 dollars, comme ça tu démissionnes et tu commences à préparer ton expo.

– Quoi ? Tu... tu plaisantes ?

– Tu viens toujours ?

– Je suis là dans quinze minutes.

Elle me raccrocha au nez, mais je ne fus pas vexé.

Une heure plus tard, l'employée démissionnaire Lucy Carmichael reposait nue, luisante d'huile de massage, sur mon canapé futon. J'étais à poil moi aussi, et pour la première fois depuis des années je n'avais pas besoin d'être allongé pour bander à la verticale.

Oubliés, le couteau de boucher et mes pulsions sanguinaires. Oubliés, Johnny Fry et mes dictionnaires multilingues. Mes pouces frottaient l'intérieur des fesses musclées de Lucy, qui geignait de plaisir.

Je portais une capote jaune vif.

J'enfonçai mon index dans le rectum de Lucy.

– C'est ça que tu veux ? demandai-je.

– Je veux ta grosse bite, répondit-elle. Il ne se passe pas une minute sans que je pense à elle.

– C'est à elle que tu pensais quand tu baisais avec Billy ?

– Oui. Oui. Oui. La seule façon de jouir avec lui, c'était de penser à toi.

– Moi, à genoux, en train de t'embrasser le cul ? fis-je tout en me plaçant derrière elle.

– Oui. Vas-y, maintenant.

Je l'enfilai comme une balle la chambre huilée d'un flingue. Elle poussa un râle caverneux qui dénotait plus de plaisir que je ne l'aurais cru. Elle se cambra, recula le bassin pour engloutir les cinq centimètres que je lui épargnais, puis elle grogna, ou plus exactement rugit, tel un monstre des bois se pâmant devant la nature.

Je bougeais à peine, rôdais dans son dos plus qu'autre chose, mon engin tout entier enfoncé dans sa chair brûlante. Elle remuait de haut en bas, en roulant du coccyx, gémissant à chaque petite poussée de mon engin.

– C'est bon, disait-elle d'une voix frémissante. C'est bon...

Je me tenais tranquille, la laissant découvrir par elle-même les points sensibles. Chaque fois qu'elle trouvait une nouvelle zone de plaisir, elle expirait d'un trait bref.

Puis elle commença de se tordre, en crispant les épaules et en battant des pieds. Elle finit presque sur le flanc, accrochée à ma pine.

– Euhhh, fit-elle d'une voix grave, presque masculine.

Puis elle retomba sur le ventre pour mieux frétiller sur mon dard.

– C'est ce que tu voulais, Lucy ?

– Oui, bébé. Oui. Oh oui ! C'est exactement ça. Maintiens-la enfoncée, pour que je danse avec.

– Serre tes fesses l'une contre l'autre.

– Ohhhh, réagit-elle en m'obéissant.

Là-dessus je me suis retiré, malgré la résistance de son sphincter. Lucy poussa un cri de douleur, frissonna de tout son être et s'aplatit tel un poisson sur le pont d'un chalutier.

– Remets-la, dit-elle dans un sanglot. Remets-la !

Je m'exécutai.

– Ressors-la encore une fois et tu reçois ma main dans la gueule.

Nous avons continué comme ça pendant plus d'une heure. Je me suis retiré à deux reprises, et les deux fois Lucy s'est assise pour me coller une gifle. Je sentais à peine ses coups, mais cela n'ôtait rien à leur force. Chaque fois qu'elle me frappait, je la repoussais sur le matelas pour lui donner son compte.

Elle finit par poser la main sur mon nombril :

– J'en peux plus. Désolée.

Je me suis redressé pour l'accueillir sur mes genoux. Elle a calé la tête sur mon épaule, les genoux remontés sur sa poitrine.

– J'avais besoin de ça depuis que je suis née, dit-elle. D'un homme charmant qui me fasse des cochonneries. J'avais besoin de toi.

Ma gorge se refusait à expulser le moindre mot. Lucy avait absorbé toute ma passion. Le plus curieux, c'est que la question de mon orgasme semblait étrangère à ce combat. Car en un sens, il s'agissait bien d'un combat – d'une bataille répondant à je ne sais quelle règle oubliée.

– Tu es une enfant, chuchotai-je.

– Et tu m'as enculée à vif, renvoya-t-elle.

– J'ai le double de ton âge.

– Et tu bandes encore.

Lucy s'agenouilla devant moi, ôta le préservatif et serra mon pic dans sa main. Elle y versa la moitié du flacon d'huile de massage, bousillant le futon et aspergeant le sol au passage, mais je m'abstins de tout commentaire. Elle me branla d'un air presque indifférent, le genre d'expression que prendrait une femme pour ramasser le sac d'une autre.

Il n'empêche, toute cette baise anale avait produit son effet, et soudain je perçus un grondement. Je crus d'abord qu'il s'agissait du métro, ou bien d'une secousse sismique. Puis je compris que la vibration venait de moi. Mon diaphragme faisait des bonds sous ma peau. Avant même d'avoir identifié le phénomène, j'ai sauté sur mes jambes. Mais je n'avais plus d'équilibre et je me suis vautré sur le flanc.

Lucy rigolait. Elle tenait encore ma queue glissante. Elle la pressa de toutes ses forces, et la semence se mit à gicler alors que je criais d'effroi.

Mais Lucy ignora ma peur :

– C'est bien, bébé. Donne-moi tout. Je veux ton sperme rien que pour moi. Regarde-le sortir.

Je considérai ma pine comprimée. L'éjaculation semblait interminable, et cela aussi m'effraya. J'avais l'impression de ne plus rien maîtriser.

– Tu peux jouir encore, bébé. Allez ! Je n'ai pas fait tout ce chemin pour te voir flancher.

Son visage en sueur brillait d'exultation féroce. Cet

air sauvage me fit décharger de plus belle, avec de nouveaux cris. Des spasmes secouèrent tout mon corps, comme une crise d'épilepsie.

– Ouaouh, fit Lucy quand mes convulsions s'estompèrent. Je n'ai jamais vu un homme s'abandonner comme ça.

Je secouai la tête et tentai de sourire. Dieu sait de quoi j'avais l'air.

– Lève-toi et montre-moi ton lit, réclama Lucy.

Alors que je doutais de pouvoir seulement tenir debout, je remontai sur mes jambes et portai Lucy dans mes bras.

Sitôt sur le plumard, elle me tourna sur le ventre et me lécha l'anus en se délectant bruyamment. Ce n'était pas du plaisir, juste une façon de prouver qu'elle irait aussi loin qu'elle me faisait aller.

Nous sommes restés allongés l'un à côté de l'autre pendant une éternité, lessivés mais incapables de dormir.

– Tu n'as pas l'impression que tu pourrais mourir tout de suite ? lança Lucy au beau milieu de la nuit.

– Si. C'est tout à fait ça.

– Et tu ne trouves pas ça merveilleux ?

– Flippant, aussi.

– Ne t'inquiète pas, L. Je n'attends rien de plus que ça : que tu me bourres pendant des heures, puis que tu jouisses à en faire trembler le sol.

– Et tu ne te demandes pas d'où nous vient ce besoin ?

Elle ne répondit rien, car elle s'était endormie.

Regagnant mon salon à 3 heures du matin, j'appelai un numéro qui n'était relié à aucun téléphone. La ligne sonna, ce qui prouvait que l'ordi de Joelle n'était pas connecté au Web.

Cela me permit de consulter sa boîte Freearth via mon écran plasma.

Il y avait trois messages de JF1223, et deux réponses de Jo.

JJ,

Je sais que je t'ai longtemps poussée à quitter Cordell. Je constate aujourd'hui que tu en es incapable, et j'accepte de te partager. J'ai plaqué Bettye. Je ne la reverrai plus, même si tu ne devais jamais revenir vers moi. C'est le cadeau que je te fais – mon sacrifice.

Si tu consens à me pardonner, je ne dirai plus rien au sujet de Cordell. Je ne ferai pas obstacle à votre amour. Mais par pitié, ne m'abandonne pas. Ne me laisse pas tomber de cette façon. C'est comme si nous faisions l'amour et qu'au moment de jouir tu te levais pour disparaître de ma vie, sans un mot.

Tu es tout pour moi. Tu es mon cœur qui bat. Je ne peux ni sourire, ni chanter, ni rien faire sans toi.

Je t'aime,

JF

Ce message, intitulé « Perdu », était resté sans réponse.

Le suivant, « Trouvé », disait :

JJ,

Cela fait deux heures que je suis assis devant ma bécane à espérer de tes nouvelles. Je sais que tu es en ligne. Je sais que tu as lu mon mail. Ça me fait bizarre de rester là à t'attendre. Je pense à toi, et à ce que tu répétais sans cesse : que tu ne pouvais renoncer à ma présence. Tu disais que tu n'en voulais pas, mais que c'était plus fort que toi. De telles paroles, ce n'est tout de même pas rien.

Tu m'auras fait faire beaucoup de choses dont je n'avais pas spécialement envie. Les fessées, la baignoire... Mais je m'y suis prêté de bonne grâce, et s'il le faut j'irai plus loin, parce que je t'aime. J'aime la courbure de ton cou et la manière dont tes yeux se plissent quand tu lis un truc important. J'adore ta façon de replier les serviettes quand tu empruntes ma salle de bains. Et ta méfiance maladive face aux vendeurs dans les boutiques.

J'adore le beurre noir de ta peau, et tes yeux qui voient derrière mes mots.

En attendant que tu me répondes, je pense à toutes les façons dont je t'aime. Ce moment fou avec la lanière de ton oncle et les roses que tu m'as offertes le lendemain. Je sais à présent que je t'aime avant tout parce que tu m'as accordé ta confiance dans la période la plus intime et la plus angoissante de ta vie. Et je sais que si je t'aime vraiment, je dois cesser de penser à mes besoins, pour te laisser tourner la page.

Alors adieu, Joelle. Je te libère de mon désir.

JF

Jo avait confié ses petits secrets à Fry bien avant de m'en faire part à moi, ce message le prouvait. Et j'avais beau savoir qu'elle se servait de lui pour assouvir des obsessions morbides, ma jalousie hurlait comme un puissant moteur relié à une boîte cassée.

Je voulais leur mort à tous les deux, mais je n'avais pas forcément envie de les tuer moi-même.

La première réponse de Jo à JF1223 avait pour titre : « Re : Trouvé. » Je me suis d'abord interdit de la lire. Puis j'ai fini par craquer.

John-John,

J'ai apprécié ce que tu m'as écrit. Je sais combien la blessure est profonde. J'en ai saigné toute ma vie. Quand on s'est rencontrés, j'avais besoin d'une certaine chose et tu me l'as donnée. Une chose dont je n'avais jamais parlé à personne. Comme une tumeur au fond de mon être, que tes griffes ont su extirper. Tu m'as rendue entière – ne fût-ce qu'un temps. Et pour cette raison je...

J'allais dire que je t'aimerais toujours, mais ce serait trop facile. Tout le monde parle d'amour, les pères et les mères, les grands-pères et les grands-mères ; on aime son pays et on aime le genre humain. Il y a l'amour dépendance que les enfants vouent aux parents, et l'on voit des amoureux se promener dans les villes du monde entier. L'amour est une chose banale, or ce que j'éprouve pour toi n'a rien de banal. Ce que j'éprouve pour toi ravive des plaies cicatrisées de longue date ; cela me contusionne les cuisses, les yeux, et s'échappe de moi comme du sang. Si tu étais un cerf, ou que j'étais une biche, le sang de l'autre ruissellerait de la gueule du loup – le loup étant la passion qui nous lie.

Tu es une douleur dans le tréfonds de mon être, une agonie que je ne puis soulager. Et tes paroles, en me rendant ma liberté, me font souffrir au-delà des mots. Mais si tu m'as appris une chose, c'est que je peux survivre malgré la douleur.

JJ

C'est là que j'ai décidé de tuer Johnny Fry, quand j'ai constaté qu'il avait été plus proche de Jo que je ne le serais jamais moi-même. Il avait renoncé à tout, juste pour lui dire qu'il l'aimait. Et elle lui témoignait des sentiments à faire pâlir mes plus vives émotions. Jo et Johnny Fry m'humiliaient avec leur rupture ; je haïssais ce mec, et par-dessus tout je lui en voulais de me rendre si minable.

J'ai failli me déconnecter. Que pouvait bien m'apporter le second mail de Jo ? Ce que je venais de lire faisait déjà de moi un citoyen de seconde zone dans ma géographie mentale. Et pourtant, non, je ne pouvais tourner les talons sans connaître ses derniers propos. Peut-être, sait-on jamais, ce message-ci me rendrait-il un peu d'amour-propre.

Il s'intitulait : « Attends... »

Je t'ai répondu à la va-vite. Après ça, j'ai sorti ta chemise du tiroir du bas et j'ai respiré ton parfum, puis je l'ai roulée en boule et je l'ai serrée entre mes cuisses. J'ai eu deux orgasmes, avant de me rappeler ce que je venais d'écrire.

Je ne peux pas rompre, John-John. Je ne peux pas te dire adieu. La douleur que tu as introduite dans mon existence est la chose la plus exquise que j'aie jamais connue. Alors on s'en fiche, qu'il y ait L ou Bettye. On s'en fiche, que tu sois blanc et dénué de remords. Peu importe si l'on est amoureux – d'autres personnes, j'entends. Même assise ici, à penser combien notre séparation t'affecte, je ressens une chaleur qu'aucune bite, qu'aucune langue, que pas même un bébé ne pourraient me procurer.

Je repense à Atlantic City, quand tu as engagé un type pour me baiser et que tu nous as regardés, assis au pied du lit. Mes yeux sont restés rivés sur toi du début à la fin. Ma passion, c'était toi me soumettant à cet inconnu.

Allons ensemble à Baltimore la semaine prochaine. Je me soumettrai et je te dominerai, jusqu'à ce que nos cœurs nous ressortent par la bouche. Quand les flics nous trouveront, ils se demanderont à quels rites pervers nous nous serons livrés.

Johnny Fry répondit dans la minute, sans inscrire de titre.

je serai là
JF

J'avais chipé les somnifères de Jo. Il m'en restait dix-huit. Je me serais suicidé sur-le-champ si je n'avais pas décidé de buter Johnny Fry.

Je n'ai pris que deux comprimés, avant de rejoindre Lucy qui dormait, paisible et nue à même les couvertures. Le store était relevé, et la lune quasi pleine baignait sa peau blanche, lui donnant un aspect surnaturel – luminescent comme le souffle d'une déesse.

J'ai approché la main de son épaule, avant de me raviser.

Je me demandais ce qui me poussait à tuer Johnny Fry. À l'évidence, ce n'était pas sa faute si Jo avait ces besoins troubles et viscéraux. Il disait accéder à ses demandes dans le seul but d'être avec elle. Elle-même niait être amoureuse de lui...

La lune parcourait la peau claire de Lucy.

C'est à cette jeune photographe que j'ai pensé ensuite, celle qui se trémoussait sous moi de douleur et d'extase. Elle aimait toujours Billy, même si ses attentes contredisaient cet amour. Elle faisait passer ses propres besoins avant le reste. Ce qu'elle recherchait, ce n'était pas moi, Cordell Carmel, mais un truc que j'avais *en* moi. Je donnais à Lucy, de la même façon que John Fry donnait à Jo. Et Jo prenait, de la même façon que Lucy prenait.

Elle savait que j'avais une copine, mais elle n'avait jamais abordé la question. Les sentiments de Jo ne l'intéressaient pas. Lucy avait le feu au cul et j'avais des genoux à plier, point à la ligne.

Personne ne pourrait me reprocher d'avoir tué Johnny Fry.

La lune resplendissait, mais ses rayons n'étaient rien sans la peau de Lucy pour cible... Dans ses rêves, Lucy devait être en train de mourir de soif dans un désert, quand un étranger, disons un ennemi de son peuple, arrêtait son chameau pour lui tendre une gourde d'eau fraîche... Ailleurs, Johnny Fry s'abstenait de se branler pour pouvoir juter à torrents dans la gorge serrée de Jo... Quelque part, Jo brûlait de retrouver les bras de l'homme qui lui faisait sentir que même l'amour était banal... Et à tel instant du passé, j'attrapais un couteau et traversais le temps dans l'espoir de surprendre ce type allongé à côté de ma femme – dont la première sensation, quand elle se réveillerait, serait celle du sang tiède sur sa peau. Et quand elle se lèverait d'un bond, il ne resterait de moi qu'un claquement de porte, mon adieu à la mascarade qu'étaient nos vies respectives...

Un sursaut me tira de ce délire narcotique. Le claquement de porte semblait presque réel.

Presque réel... J'étais en train de faire mon entrée dans la réalité. Jusque-là, ma vie n'avait été qu'un rêve, un songe blafard ayant pour sujet un certain Cordell Carmel. Une piètre imitation d'homme, dans un monde qui me prenait tout avant même que je ne puisse comprendre le sens du mot perte. Mais là, je devenais réel, un couteau dans la main, prêt à verser le sang...

Au petit matin, Lucy fut réveillée par les allers-retours de ma queue dans son rectum encore huilé. Elle inspira un grand coup, puis :

– Han, han, han, han...

Je me montrais brusque et froid, prenant grand plaisir à son extase convulsive.

Cette fois c'était moi qui allais et venais, c'était moi qui trouvais et allumais les points chauds.

Lucy planta ses ongles dans mes biceps. Alors, je l'ai

enculée plus fort. Elle s'est mise à crier, mais n'a rien fait pour m'arrêter.

Cinquante minutes plus tard, nous étions lavés et poudrés à la table du petit déj. Le café terminait de passer près de l'évier. Nous étions habillés, prêts à retrouver le monde civilisé. Lucy s'excusa de m'avoir fait saigner. Je lui répondis que je n'en regrettais pas une goutte.

Nous avons parlé de ses engagements vis-à-vis de la galerie. Lucy devait choisir quinze photos, ainsi qu'un type d'encadrement. De mon côté, je m'occuperais de Mme Thinnes, en veillant à ce que son contrat nous parvienne d'ici vendredi.

Puis j'ai signé un chèque de 5 000 dollars.

– Voici l'avance, dis-je en remettant le bout de papier à Lucy.

– Tu n'as pas besoin de me donner autant.

– Prends-le. C'est le début de ta carrière, et de toute façon tu en auras besoin pour le comptable.

– Quel comptable ?

– Pour convaincre Mme Thinnes d'exposer tes clichés, je lui ai dit que tu avais créé une fondation pour les orphelins du Darfour. Au lieu de vendre chaque œuvre 2 500 dollars, elle les facturera 6 000, et 3 000 iront directement à ta fondation.

– Pour chaque photo vendue ?

– Pour chaque photo vendue.

Lucy me considéra, bouche bée. On n'entendait plus que la cafetière.

– C'était mon rêve, balbutia-t-elle.

– Quand le rêve est assez fort, il se réalise, répondis-je tout en songeant qu'il en allait de même des cauchemars.

Lucy se leva, serra les poings de manière inconsciente.

– C'était mon rêve, répéta-t-elle. Je vais pouvoir sauver des enfants, financer un petit orphelinat. Je vais pouvoir...

Elle enfouit ma tête dans ses bras et se laissa tomber sur mes genoux. Puis elle fondit en larmes, et je ne compris pas bien ce qu'elle me disait dans ses sanglots.

Mais au fond, peu importait. J'avais conçu ce plan caritatif pour des raisons peu avouables. J'avais juste pressenti que je parviendrais à mes fins en jouant sur la mauvaise conscience des clients blancs. J'étais un imposteur et un menteur, quels que fussent les bienfaits de mes actes. Cette jeune enfant blanche se souciait bien plus que moi du sort de l'Afrique noire. Elle se souciait davantage de mon peuple, et pour cause : je n'avais pas de peuple. Je n'avais que les échos d'un cœur perdu, et les images fanées de ce qui n'avait, je le savais à présent, jamais été de l'amour.

Mais cela aussi m'était égal, car désormais je me vouais corps et âme au meurtre de Johnny Fry, l'homme qui avait écrabouillé mon illusoire virilité.

Lucy partit pour la banque. Elle souhaitait revenir le soir même, mais je lui dis qu'un vieux croulant comme moi avait besoin de récupérer après des séances comme les nôtres.

– Souviens-toi, Lucy. Question ancienneté, je t'explose.

– Et il n'y a pas que là que tu m'exploses...

J'ai dû la pousser vers la porte pour ne pas la ramener sur le lit.

Ensuite j'ai appelé Linda Chou, la secrétaire de Brad Mettleman.

– Je me demandais si je pouvais passer vous voir après 17 heures, lançai-je tout en sachant que Brad finissait à 16.

– Bien sûr, acquiesça-t-elle avec entrain. Je ne pars jamais avant 19 heures.

À première vue, mon quotidien demeurait inchangé. J'habitais toujours le même appartement et me trouver chez moi à midi n'avait rien d'exceptionnel, puisque je n'étais plus salarié depuis des lustres. Je portais les mêmes vêtements, je me servais du même téléphone, j'avais toujours la même copine – du moins sur le papier. Ma vie, vue de l'extérieur, était aussi morne et plate qu'au cours des vingt années passées.

Mais à l'intérieur il y avait un homme nouveau, à défaut d'un homme meilleur. Je ne valais pas mieux qu'avant, mais j'étais différent dans la mesure où j'allais commettre un meurtre – ce qui me distinguait de tous ces amoureux banals que Jo voyait dans la rue.

J'étais là, assis sur un canapé souillé d'huile, à sentir la pesanteur tirer sur mon squelette. J'étais une force de la nature, maintenant. J'étais prêt à franchir le pas ultime. Je n'avais pas mis le nez dehors que mon plan était déjà en marche.

Le temps s'écoulait, mais je me sentais en paix. Je n'attendais ni l'amour, ni le sexe, ni le succès. J'avais connu tout ça, ou bien je ne le connaîtrais jamais – dans un cas comme dans l'autre, je n'avais plus rien à désirer.

À mesure que les minutes s'égrenaient en chiffres rouges sur le boîtier du câble, mes pensées commencèrent à s'évaporer, à se tamiser en mots : meurtre, vie, douceur, sexe. Ces termes isolés ne signifiaient plus grand-chose. Ils n'étaient que les instants précédant les sons. Puis ils n'étaient même plus ça. Appliqué à un insecte, ce qu'il me restait sous le crâne se serait appelé un bourdonnement, mais en la circonstance c'était tout au plus une friction – le frottement de deux ou trois idées inexistantes.

Attendre, attendre, attendre.

Le téléphone me fit bondir sur mes pieds. Cette sonnerie semblait inconcevable, tant mon esprit se trouvait loin.

– Allô ? articulai-je, tout estourbi par l'intrusion.

– Bonjour, répondit une voix sensuelle. Puis-je parler à Cordell, s'il vous plaît ?

– C'est lui-même.

– Salut. Je m'appelle Brenda. Une amie m'a demandé de vous appeler.

– Quelle amie ? fis-je tout en recouvrant mon calme.

Cette femme avait un timbre grave et suave, comme l'intérieur de ma nouvelle sérénité.

– Cynthia, répondit-elle.

– Cynthia comment ?

– Son nom de famille est Cook, mais elle ne le mentionne jamais sur la ligne de l'amitié.

– C'est... c'est elle qui vous a demandé de me joindre ? Mais pourquoi ?

– Elle pensait que ça vous ferait du bien de discuter.

– Pourquoi ? répétai-je.

– Je ne sais pas. Elle m'a juste dit que vous aviez certaines difficultés à surmonter.

– On ne s'est jamais vus, n'est-ce pas ?

– Je ne vous ai jamais vu, répondit-elle d'un ton plutôt énigmatique.

J'étais troublé. Cynthia m'avait trahi, et cela menaçait la quiétude que j'avais acquise en décidant de tuer Fry.

– Elle n'a rien fait de mal, affirma Brenda comme si elle lisait dans mes pensées.

– Pourquoi vous a-t-elle donné mon numéro ?

– Elle a dit que vous traversiez une mauvaise passe et que vous seriez content de me parler.

– Pourquoi ?

– Écoutez, Cordell, si vous ne tenez pas à cette rencontre, il n'y a aucune obligation.

– Une rencontre ? Je croyais que vous vouliez discuter...

– Je ne veux rien de particulier, Cordell. Cynthia m'a appelée pour me dire qu'un petit repas en tête à tête vous serait sans doute bénéfique, et elle m'a donc demandé de vous contacter. Je ne sais pratiquement rien de vous, hormis votre prénom.

Il y avait quelque chose de familier dans sa façon d'agencer les mots. J'avais l'impression de la connaître, même si je savais que c'était faux. Cynthia avait peut-être trouvé un moyen de m'aider. Parler m'éviterait peut-être d'avoir à tuer Johnny Fry...

– Et quand souhaitez-vous me rencontrer ? demandai-je.

– Je ne suis en ville que pour quelques jours. L'idéal serait ce soir, 22 heures.

– Où ça ?

– Je vous propose le Steak House de Michael Jordan.

– Celui de Grand Central Station ?

– Rendez-vous là-bas à 22 heures, dit-elle avant de raccrocher.

Une fois le téléphone reposé, j'ai repris le fil de mon humeur détachée, hypnotique. Le coup de fil de Brenda se dissipait tel un rêve. Ce n'était même plus un souvenir. Je ne voulais pas de l'aide de Cynthia. La seule chose dont j'avais besoin, c'était de tuer Johnny Fry.

Pas pour récupérer Jo – j'avais tiré un trait sur cette femme qui me prenait pour un chienchien quand Johnny Fry était sa drogue. Non. J'allais tuer Johnny Fry, car c'était un parasite logé sous ma peau. Une infection qu'il fallait enrayer et détruire ; une grosse larve blanche, pleine de sang jaune comme du pus, qui s'imaginait que ma chair allait la sustenter.

Mes mains étaient engourdies, tout comme mes lèvres et mes orteils. Je restai là, le souffle lent, assis, à attendre.

Quand l'horloge numérique afficha 16 h 09, je quittai le sofa et l'appart.

Tout se passa bien dans la rue. Je faisais un pas à la fois, posais un pied gourd après l'autre, en direction du métro.

Je m'assis dans la rame à côté d'une jeune femme noire qui faisait des exercices de conjugaison française.

Voyant qu'elle se trompait, je me permis de lui souffler le bon participe présent. Elle me remercia et se replongea dans son manuel, avant de relever la tête.

– Vous venez d'un autre pays ? fit-elle.

Je me demandai si elle avait lu le roman[1].

– Non, répondis-je. Je suis américain, originaire de San Francisco, mais je vis à Manhattan depuis plus de vingt ans.

– Ah ? opina-t-elle d'un sourire un peu pincé.

Elle était plus noire que Jo, plus petite et plus épaisse. Avec de grosses lèvres charnues et des formes pulpeuses. De près, on distinguait d'adorables petites taches de rousseur autour de son nez, encore plus foncées que son teint d'ébène.

---

1. Allusion à *Un autre pays* de James Baldwin. *(N.d.T.)*

– Comme vous avez l'air de connaître le français, expliqua-t-elle, je me disais que vous veniez peut-être d'un pays francophone.

– Études de langues, à Berkeley.

– Carrément ? Moi, j'apprends le français au City College de Harlem. J'aimerais m'installer à l'étranger.

Elle soupira et se tourna vers la vitre où filait l'obscurité.

– Pourquoi ? demandai-je.

– Pour trouver un Noir valable.

– Parce qu'il n'y en a pas, ici ?

– Oh non, dit-elle avec une moue dégoûtée. Les mecs que je rencontre ici sont soit des moins que rien, des homos honteux, des dealers ou des camés, soit ils s'attendent à ce que je leur paie le dîner *et* le loyer.

– Tous les hommes sont des moins que rien, vous savez. Les Français comme les autres. Les Africains, les Jamaïcains et même les Pygmées, quelle que puisse être leur langue.

La jeune femme sourit, tandis que le train ralentissait. Je craignis qu'elle ne descende au prochain arrêt. Son sourire me donnait envie de prolonger ce moment.

– C'est votre station ? demandai-je.

Elle ouvrit la bouche, hésita.

– Non, dit-elle finalement. C'est la vôtre ?

– Non plus.

Elle sourit de plus belle.

Les gens fourmillaient autour de nous. La voiture était bondée, et l'affluence nous comprimait sur la banquette en plastique bleu.

– Alors le français ne m'apportera rien ? demanda-t-elle par-dessus le signal sonore et le bégaiement des portes.

– Ça vous rendra plus savante. Mais le savoir est souvent pire que l'ignorance...

– Je préfère quand même le savoir, me répondit-elle droit dans les yeux.

Son chemisier rouge et jaune bâilla, révélant la naissance de ses seins. J'évitai de loucher dessus et elle ne se détourna pas.

– On dit toujours ça, repris-je. On veut absolument savoir les choses, jusqu'au jour où votre mère vous avoue qu'elle préfère votre frangin. Ou que votre femme déclare qu'elle préférerait partager son lit avec du verre pilé. Ou que le docteur, la lettre officielle, la banque... On veut savoir les choses, mais uniquement celles qui font plaisir ou qui nous laissent indifférents.

– C'est vachement triste, réagit la jeune femme (je lui donnais vingt-sept ans). Vous êtes triste ?

– Oui, avouai-je. (Mes mains et mes pieds se mirent à picoter.) Je crois que je suis très triste.

– Pour quelle raison ?

– Comment vous appelez-vous ?

– Monica. Monica Wells.

– Cordell Carmel.

Je serrai la main qu'elle m'offrait.

– Ravie de vous connaître, monsieur Carmel.

Il y avait dans sa voix comme une invite.

Contemplant ce joli bout de femme, je me suis interrogé. Et j'ai songé, avec une netteté proche de la folie, qu'un homme à pied ne pouvait emprunter qu'un seul chemin à la fois, mais que son âme pouvait suivre de front deux directions contraires.

J'étais là, en train de préparer l'exécution de Johnny Fry, et en même temps j'essayais de faire sourire Monica Wells dans un train.

– Je ne suis qu'à moitié triste, nuançai-je.

– Et de quelle moitié s'agit-il ?
– De celle qui ne vous parle pas.
– Qu'est-ce que ça veut dire ?
– Je me trouve à la croisée des chemins, Monica, confiai-je en employant son prénom à dessein. J'étais traducteur free-lance, quasiment depuis mon arrivée dans cette ville, et puis la semaine dernière j'ai tout plaqué. J'ai aussi rompu avec ma copine, et j'ai fréquenté d'autres femmes. Ça pourrait sembler palpitant, mais ça ne l'est pas du tout. J'ai lâché mon boulot sur un coup de tête. Ma copine refuse de l'admettre, mais elle en aime un autre...
– Aïe, fit Monica. Ils se voient en cachette ?
– J'en sais rien. Peut-être.
– Et vous aurez de quoi payer votre loyer, sans ce travail ?
– J'en ai dégoté un autre. Il se peut même que ça paie davantage. Mais c'est surtout, comment dire... perturbant.
– Je comprends.
Elle avança la main comme pour me toucher le bras, mais sans suite.
– Et vous ? m'enquis-je. Votre vie ressemble à quoi ?
– J'habite dans l'East Village avec ma mère. Et ma fille.
– Elle a quel âge ?
– Cinq ans.
– C'est chouette, ça. Elle marche, elle parle, elle va aux toilettes toute seule, mais elle vous écoute – enfin, la plupart du temps.
– Bien vu, sourit Monica en rentrant un peu le menton. C'est une gentille fille. Son papa lui manque, mais ça, on n'y peut rien.
– Il est parti ?

– Il est en prison.

– Ah, je suis navré.

– C'est rien, fit-elle en levant une paume fataliste, ou bien rassurante. La seule chose qui l'intéressait, c'était de courir les rues avec ses copains, et ça a mal fini.

– Il est à l'ombre pour longtemps ?

– Oh oui. Vous voyez, c'est pour ça que j'ai repris des études. Je voudrais que ma fille rencontre des tas de gens différents, des tas de modes de vie différents. J'aimerais l'inscrire dans une école française, un *lycée* comme ils disent, ici à New York. Pour qu'elle puisse découvrir un tout autre univers.

– Je connais justement une femme qui travaille au Lycée français. Je lui avais traduit quelques textes anglais.

– Une Noire ? demanda Monica.

– Non. Elle s'appelle Marie Tourneau, et elle enseigne presque tous les jours de la semaine. Vous pourriez la contacter de ma part, et quand elle m'appellera je vous couvrirai d'éloges.

– Mais vous ne me connaissez même pas !

– Je vous connais sans doute mieux que n'importe quelle personne faisant passer un entretien. Je sais que vous essayez de bâtir une vie meilleure pour votre fille et pour vous-même. Je sais toute l'importance que vous accordez à l'école. Quel est le prénom de votre bout de chou ?

– Mozelle.

– Très bien. Alors parlez-moi un peu de Mozelle.

Le temps de dépasser dix ou douze stations, Monica m'entretint de sa fille unique. Elle était petite comme sa maman et athlétique comme son papa – un certain Ben Carr. Elle adorait les crayons de couleur, le papier jaune et la musique. Tous les soirs, elle aidait sa mère et sa grand-mère à préparer le repas, et elle savait cuire un œuf s'il y avait un adulte à ses côtés.

Chaque week-end, la maman et la fillette faisaient une sortie : le zoo du Bronx, le muséum d'Histoire naturelle, le Metropolitan. Une fois, elles avaient pris le ferry pour Staten Island, après avoir visité le Musée juif de Manhattan.

– Je veux que ma fille connaisse l'histoire de tout le monde, dit Monica. Qu'elle sache d'où nous venons les uns et les autres.

Le métro s'arrêta à la station de la 135ᵉ Rue. Monica se leva pour descendre, et je l'imitai.

– Vous allez au City College, vous aussi ?

Il y avait peut-être un soupçon d'appréhension dans sa voix. Après tout, elle ne savait rien de moi – hormis ce que j'avais raconté.

– Je me rends sur la 59ᵉ, avouai-je, mais c'était tellement agréable de discuter avec vous que j'ai préféré continuer. Je vais remonter et repartir en sens inverse.

– Dans ce cas, vous devrez utiliser un nouveau ticket. Si vous continuez jusqu'à la 145ᵉ, vous pourrez revenir avec le même.

– Ne vous inquiétez pas, répondis-je. (Nous avions déjà quitté la rame.) Je vous accompagne de l'autre côté de la rue, et là je reprendrai ma ligne. Ça vaut largement la dépense.

Au passage piéton, j'ai lancé :

– Résumons, Monica. On est d'accord sur le fait que tous les hommes sont des moins que rien ; je reconnais ouvertement que je fréquente de nombreuses femmes ; vous savez que j'ai un boulot ; je ne suis pas un homo refoulé, je ne vends pas de drogue, pas plus que je n'en consomme, et, si vous acceptiez de sortir avec moi, je serais ravi de vous inviter au restau.

Le bonhomme vert s'illumina. Monica resta immobile.

Elle était nettement plus petite que moi, mais moins boulotte que je ne l'avais cru.

– Et pourquoi voudriez-vous sortir avec moi ?

– C'est simple. Quand je vous ai expliqué les raisons de ma tristesse, vous avez voulu me toucher le bras pour me dire que tout irait bien, mais vous n'avez pas osé car nous ne sommes pas assez intimes.

– Ça, c'est sûr.

Un sourire gagna son visage, comme la lumière le matin noir.

– Alors je me dis qu'un bon dîner nous permettrait de faire plus ample connaissance, et de cette façon, la prochaine fois que je serai triste, vous pourrez me tapoter le bras.

– Et vous n'attendez rien de plus ?

– Pour l'instant, je suis heureux rien qu'à me trouver là devant vous.

– Ce soir ? suggéra-t-elle.

– Demain, plutôt.

– Et où ça ?

Je lui indiquai l'adresse du bistro italien de la 6e Avenue.

– À quelle heure ?

– Disons 19 heures ?

– OK. J'y serai.

Elle posa le pied sur la chaussée, mais le bonhomme était repassé au rouge. Un bolide klaxonna. J'attrapai le bras de Monica pour la ramener sur le trottoir.

Plutôt que de me remercier, elle demanda :

– Elle existe vraiment, cette Marie Tourneau ?

– Oui, m'dame.

Quand le feu changea de nouveau, je relâchai son bras.

Nous avons marché ensemble jusqu'à la bouche de métro, puis nous nous sommes séparés. Monica avait gravi la moitié de la côte du City College lorsqu'elle se retourna. Je lui fis un signe et elle éclata de rire, littéralement pliée en deux.

– Je vous attendais pour 17 heures, lança Linda Chou, petite et charmante avec son léger teint d'olive.

J'était à la porte du cabinet de mon vieux copain Brad Mettleman, au deuxième étage de l'immeuble.

Linda ôta le verrou et m'ouvrit. Elle s'était fraîchement remaquillée, rouge à lèvres rubis et traits d'eyeliner au coin des paupières.

Elle avait vingt-cinq ans, grand maximum, et elle était toute menue. Non pas famélique comme les enfants photographiés par Lucy, mais sèche et nerveuse, comme ces vieux couples de fermiers pauvres qui voient mourir leurs enfants aux confins de l'Amérique rurale – là où Dieu, le péché et George Washington font encore vibrer les âmes.

– Désolé, Linda. Sincèrement. J'étais dans le métro, perdu dans mes pensées, et quand j'ai relevé les yeux c'était déjà la 135e Rue.

– Vous êtes remonté aussi loin ?

Ses yeux pouvaient devenir très grands.

– Je suis vraiment confus. D'abord je me montre grossier, ensuite je vous fais poireauter...

– Ce n'est rien. Les fleurs étaient très belles. Vous voulez les voir ?

Elle me sourit, la tête légèrement penchée sur le côté.

D'un geste joueur, elle saisit la manche de mon

blouson marron et me conduisit vers l'accueil où trônait son bureau.

Les roses jaunes étaient magnifiques, en effet. Leurs longues tiges biseautées se dressaient dans un étroit vase en verre, sans ces habituels flaflas de verdure qu'adorent les fleuristes sans talent.

– Elles semblent faites pour vous, déclarai-je à Linda.

En la voyant se mordre la lèvre inférieure, j'ai regretté d'avoir rendez-vous avec cette mystérieuse Brenda.

– Que désiriez-vous, monsieur Carmel ?

– Et si on s'asseyait ? proposai-je.

Deux sièges faisaient face au bureau en chêne. Linda prit l'un et je pris l'autre. Seuls quelques centimètres séparaient nos genoux.

Ma vie touchait à sa fin, j'en avais la certitude. J'étais capable de tuer Johnny Fry, mais je doutais de m'en tirer à bon compte. La police m'arrêterait ou m'abattrait ; un tribunal me condamnerait à mort, ou à la perpétuité.

Le plus drôle, c'est que je m'en fichais complètement. Je devais être à moitié cinglé. Je m'extasiais de sentir que chaque instant concentrait en lui tout le sel de l'existence.

Je pouvais presque entendre palpiter le cœur de Linda Chou.

Mes narines frémirent. Elle m'adressa un sourire.

– J'ai convaincu Mme Thinnes d'exposer les travaux de Lucy Carmichael, annonçai-je.

– C'est vrai ?

Les yeux et la bouche de Linda formaient trois cercles parfaits. Sans rien ôter à son sourire engageant.

– Mme Thinnes est pourtant très difficile. En douze ans, Brad n'a signé que deux fois avec elle.

– J'ai joué sur sa fibre politique, expliquai-je. J'ai dit

que Lucy dirigeait une fondation pour les orphelins du Soudan. Visiblement, Mme Thinnes aime se sentir utile...

– N'est-ce pas un peu cynique ? fit Linda en croisant les jambes.

Elle portait une robe coupée à mi-cuisse, en soie orange vif, où erraient çà et là des silhouettes de poissons jaunes. Le bas semblait taillé de façon à paraître plus échancré qu'il ne l'était vraiment.

Ce spectacle m'émoustillait, mais c'est le mot *cynique* qui emporta mon attention – ou plus exactement le défi qu'il impliquait. J'étais sommé de justifier mes doutes quant aux motivations de la vénérable Mme Thinnes.

Ce qui me fit penser à mon père. Je le revis, de manière fugace, dans le living de notre appartement d'Isabella Street, à Oakland en Californie. (À force de raconter que je venais de San Francisco, j'oubliais ce petit appart coincé au fin fond d'un immeuble.)

Mon père était assis dans son vieux fauteuil bordeaux, qu'il avait déniché dans les poubelles des riches collines blanches séparant Oakland de Berkeley.

– *La jugeotte, c'est la seule défense du Nègre*, disait-il dans cette rêverie. (Mais il parlait très vite comme toujours, en agglutinant les mots.) *L'homme blanc t'aime, l'homme blanc te hait. C'est du pareil au même. Parce que tu sais qu'y sentira jamais c'que toi tu ressens. Nan nan, jamais. Même pas une pauv'minute. L'homme blanc te connaîtra jamais, alors y f'ra jamais exprès d'aller dans ton sens. L'en est pas capable. Alors c'qu'y faut, c'est penser comme lui, et trouver à quoi y pense dans sa tête pour l'am'ner à faire quequ'chose et faire que ce quequ'chose soit c'que tu veux, toi.*

– Eh oui, répondis-je à Linda. Vous avez raison. J'ai permis à Mme Thinnes de croire qu'elle pourrait aider le peuple soudanais en offrant de l'argent à une jeune Blanche qui s'était rendue là-bas. J'ai obtenu qu'elle vende ces photos 6 000 dollars pièce.

– 6 000 ? La vache !

– Lucy pense elle aussi pouvoir aider les gens, ajoutai-je avec un sourire un rien désabusé.

– Et pas vous ? demanda Linda en décroisant les jambes.

Elle cala ses coudes sur ses genoux, à la manière d'un homme.

– Vous êtes très jolie, Linda Chou.

– C'est ça, votre réponse ?

– Non. Je crois... Je crois que personne, ni vous ni moi ni qui que ce soit, ne peut vraiment comprendre la souffrance des autres. Nous pensons d'une certaine façon, en imaginant que le monde entier partage notre vision des choses. Nous éprouvons certaines émotions, en imaginant que le monde entier ressent les mêmes. Mais la plupart du temps, on se fourre le doigt dans l'œil. Nos croyances sont comme la poussière qui tombe sur les montagnes, comme la lumière du soleil tout au fond de la mer.

Mes paroles nous surprirent autant l'un que l'autre.

– C'est costaud, ça, dit Linda Chou.

Je souris, avant d'ajouter :

– Il vous est déjà arrivé d'être amoureuse d'une personne, puis de rompre et de vous apercevoir qu'en fait vous ne l'aviez jamais connue ?

– Oui, répondit-elle avec un intérêt nouveau.

– On la regarde et on se demande ce qui a pu nous passer par la tête quand on s'est mis ensemble. Comment a-t-on pu l'embrasser, ou même lui parler ? Elle n'a jamais été celle qu'on pensait...

Linda se mordait la lèvre.

– Mais quel rapport avec les gens du Darfour ? dit-elle en espérant obtenir une vraie réponse.

– L'humanité fonctionne comme un corps humain, répondis-je alors que je brûlais d'enfouir mon visage entre ses cuisses orange et olive. Ce n'est pas un groupe d'hommes par ici et un groupe d'hommes par là. L'autre jour, je me suis blessé à la main. Elle était bien amochée, et quand je l'ai montrée au toubib, il a voulu connaître l'ensemble des paramètres. Comment j'étais tombé, par exemple. Si j'avais de la fièvre. Si j'avais une congestion cérébrale. En cas d'infection, il ne m'aurait pas piqué directement dans la paume, car ç'aurait été trop douloureux. Nous formons un système, tous autant que nous sommes, sauf que nous ne pensons jamais en ces termes. On condamne, on compatit, on ignore. Voilà pourquoi je n'ai pas foi dans les intentions des hommes. Les gens sont aveugles et, le pire, c'est qu'ils ne le savent même pas.

– Sauf vous, fit Linda Chou sans que je sache si c'était ironique ou non.

– Ça vous dirait qu'on sorte ensemble, un de ces soirs ?

– Où ça ? demanda-t-elle.

– Je ne sais pas. On pourrait aller danser.

– Vous aimez danser ?

– Je n'ai jamais dansé de ma vie. Et je ne connais aucun pas. Mais vous avez l'air d'une danseuse, et je veux bien me casser la figure une ou deux fois s'il le faut.

– Mais imaginez que vous ayez de la fièvre ou une tumeur...

– Eh bien, je mourrai sur la piste. Que peut-on rêver de mieux ?

Linda poussa un rire sonore. Je pense qu'elle était nerveuse, désarçonnée par la soudaine intensité de la discussion. Cela me fit penser à Lucy, au cambrement de son dos quand je l'avais pénétrée dans son sommeil. Elle en avait envie, et en même temps c'était trop.

– D'accord, fit Linda. Quand ça ?

– Pas ce soir, j'ai un rendez-vous pour le boulot. Mais après-demain, si vous pouvez.

– D'accord, sourit-elle en haussant les épaules. Je me charge de trouver un lieu sympa, et vous n'aurez qu'à me prendre ici à 21 heures.

– J'ai besoin d'aller aux toilettes, lançai-je alors. Ça ne vous embête pas si j'utilise celles de Brad ?

– Non, non, allez-y.

Le bureau de Brad possédait une porte en verre dépoli : Linda aurait pu suivre mes mouvements en se levant de son siège. Inutile, donc, de refermer derrière moi. J'ai traversé la grande pièce au design moderne, passé un bras dans la salle d'eau, ouvert les robinets pour faire un maximum de bruit, puis je me suis accroupi pour fouiller dans le dernier tiroir du bureau.

Je savais que Brad y cachait une arme. Un calibre 32, acheté à un client junky. Il disait l'avoir fait pour permettre au gars de s'acheter à bouffer et pour l'empêcher de tuer quelqu'un, par exemple lui-même.

Quand le junky mourut trois semaines plus tard d'une overdose, Brad vendit ses toiles pour plus de 100 000 dollars. Mais il n'y avait même pas de petite amie à qui transmettre la somme.

Je glissai le pistolet non chargé dans la poche intérieure de mon blouson, et la boîte de balles dans celle de droite. Puis je regagnai les toilettes, tirai la chasse, tournai les boutons de lavabo, pareils à des lézards d'argent, et ressortis.

Linda était assise à son bureau, derrière trois documents dactylographiés.

– Voici les contrats-types que nous proposons à tous nos clients et vendeurs, dit-elle. Vous devriez les emporter, pour les lire à tête reposée. Quand devez-vous revoir Mme Thinnes ?

– Samedi.

– Eh bien, lisez-les, et quand on ira danser, je vous dirai ce que vous pouvez réclamer de plus.

– Ça, on verra.

– Pardon ?

– C'est-à-dire que... ce ne serait pas très élégant de vous faire travailler ce soir-là.

– Ne vous en faites pas pour moi, lança-t-elle avec un sourire délicieux. C'est vous qui allez bosser quand on sera sur la piste !

Je raccompagnai la jeune secrétaire jusqu'à son métro et l'embrassai sur la joue. J'avais très envie de la revoir, mais le poids dans mes poches suggérait que je serais peut-être mort avant notre rendez-vous. Je ne sais pas pourquoi, cette idée me fit rire.

Je retraversai Central Park puis descendis la 5e Avenue. C'était une nuit de fournaise et les gens sortaient en masse : businessmen replets, employées de bureau, fumeurs exilés, taxis et limousines filant de porte à porte, et puis bien sûr des amoureux – des amoureux ordinaires.

Je m'arrêtai dans une cabine pour appeler Joelle.

– Allô, fit-elle comme si elle avait attendu ce coup de fil.

– Salut.
– Ah, c'est toi...
– Tu devais recevoir un autre appel ?
– Non, non.
– Je peux rappeler plus tard, si tu veux.
– Mais non, je t'assure. Tu es où ? Il y a comme des bruits de rue derrière toi.
– Je suis sur la 5e Avenue. Mon gars de Philadelphie repart de Penn Station à 22 heures. Je vais là-bas lui remettre mes pages. Et toi, tu fais quoi ?
– Rien. Je travaille.
– Pas de coups de fil intéressants ?
– Non. Je...
– Ouais ?
– Je dois me rendre à Baltimore la semaine prochaine. Pour le service funèbre de mon oncle.
– Si tard après le décès ?
– Ben... Ma famille d'Hawaii est de passage, alors ma sœur et moi on s'est dit que c'était la bonne occasion... de lui dire adieu.
– Drôle d'idée...
– Je sens que je dois le faire.
– Je vais venir avec toi.
– Non.
– Mais si, c'est mieux. Maintenant que tu m'as raconté toute l'histoire, je me sens concerné, moi aussi.
– Non, L. S'il te plaît. C'est une chose que je dois faire seule.
– Bon, d'accord. Écoute, il va falloir que je te laisse.
– Tu passes me voir après ta réunion ?
Sa voix sensuelle me fit presque oublier tout le banal de notre amour.
– D'accord. Je passerai.

J'atteignis Grand Central Station, peu après 20 h 30. Le pic d'affluence était passé, mais il y avait encore du monde.

Je m'aventurai à la librairie, cherchant un roman à lire en attendant mon rendez-vous avec Brenda. Je feuilletai un John Updike, un Colson Whitehead, un Philip Roth et un récit érotique signé d'une star du X. Ils avaient tous leurs mérites, mais en fin de compte je n'étais pas d'humeur à lire.

J'en voulais à Cynthia de m'avoir trahi. Et plus j'y repensais, plus j'étais en colère.

Pourquoi ne pouvait-on décidément se fier à personne ?

Pourquoi fallait-il toujours qu'on me fasse un enfant dans le dos ?

J'entrai dans une cabine et alignai tous les bons chiffres. Il y eut trois sonneries, puis une annonce de répondeur :

– Vous avez demandé Cynthia. Je suis actuellement en ligne, mais laissez-moi un nom et un numéro, et je me ferai un plaisir de vous rappeler.

– C'est Cordell, dis-je d'une voix atone.

Je dictai le numéro de la cabine et raccrochai.

Trente secondes plus tard, alors que je commençais à me dire que je croyais au Père Noël, le téléphone sonna.

– Allô ?

– Cordell ?

– Je n'en reviens pas que vous me rappeliez...

– Je vous attendais. J'espérais de vos nouvelles. J'ai tout de suite regardé si c'était vous, mais comme le numéro était masqué, j'ai d'abord écouté le message. Vous vous sentez comment ?

– Disons, légèrement floué... par vous.

– Oh non, ne croyez pas ça. J'ai longuement réfléchi avant d'appeler Brenda. Je savais que vous aviez besoin de la rencontrer, de lui parler. C'était une évidence.

– Mais qui est-elle, au juste ?

– Quelqu'un qui vous aidera à accomplir votre voyage.

– Mais elle est quoi ? Thérapeute ? Prostituée ?

– C'est une femme très puissante. Une femme qui comprendra votre chagrin.

Chagrin.

– Écoutez, Cynthia. On n'est pas intimes au point que vous puissiez m'arranger des rencards.

– Détrompez-vous, cela n'a rien d'un rencard. Cette rencontre avez Brenda pourrait bien changer le cours de votre existence. Elle pourrait vous amener à mesurer toute l'importance d'être ouvert au monde.

Je voulais rouspéter, mais la colère me glissait entre les doigts. La sollicitude de Cynthia sonnait vrai, et c'était la seule chose qui comptait.

– Je ne demande qu'à vous croire. Parce que je sens que cette histoire avec Jo est en train de m'achever.

– Vous le lui avez dit ?

– Non.

– Elle a renoué avec son amant ?

– Je crois qu'elle en a l'intention. Ils vont descendre à Baltimore pour assister aux obsèques de l'oncle qui abusait d'elle.

– Et vous prenez ça comment ?

– Ça me détruit.

– Que comptez-vous faire ?

– Il y a certaines choses que je dois garder pour moi, Cynthia. J'espère que vous le comprenez.

– Absolument. Mais sachez néanmoins que vous

pouvez tout me dire. Vraiment tout. Je serai toujours là pour vous.

Ce fut une émotion très forte. Les larmes jaillirent sans crier gare. Pris au dépourvu, j'ai marmonné : « Je dois filer », avant de me sauver dans la nuit. J'ai descendu la 42e Rue en direction de Broadway, léchant les vitrines et m'interrogeant sur l'amour. J'ai pensé à ma mère dans sa résidence pour retraités du Connecticut. Je l'appelais tous les quinze jours pour lui parler trois minutes, parfois moins. Je lui demandais comment elle allait, et s'il lui fallait quoi que ce soit. Mais elle allait toujours bien et n'avait jamais besoin de rien. En lui disant au revoir, j'ajoutais toujours : « Je t'aime. » Alors elle hésitait, puis murmurait : « Euh, oui. Au revoir. »

Cynthia, elle, se faisait un devoir de m'épauler. On ne s'était jamais vus, et pourtant elle guettait mon numéro sur un écran.

Comment s'étonner que Jo me considère, au mieux, comme un type ordinaire ? Je n'étais même pas fichu de réagir quand je la voyais avec un autre. Ce type baisait le cul de Joelle comme s'il lui appartenait, et Joelle l'encourageait en lui donnant du « papa ». Et moi, devant ça, je faisais quoi ?

Je palpai le pistolet dans ma poche. Au même instant une goutte d'eau s'écrasa sur ma joue. Le temps que je sorte et que j'ouvre mon parapluie Brookstone, il pleuvait des cordes.

Mes pieds se mouillaient, mais cela ne me gênait pas. La pluie tombait bien droit, et le pébroc avait de l'envergure.

Sur la 6e Avenue, je me retrouvai à côté d'un jeune Noir de vingt ans. Son pantalon sombre et son tee-shirt lâche étaient gorgés de flotte.

– Vous allez de quel côté ? me demanda-t-il d'un air timide.

– Vers l'ouest.

– Je peux... ?

Je l'invitai d'un mouvement de sacoche sous mon abri précaire.

Nous marchâmes côte à côte, sans nous toucher, réunis par les circonstances, sans échanger un mot. Tout autour, les gens couraient et se réfugiaient dans des entrées. Un type énorme tenait un parapluie si minuscule qu'il lui servait à peine de chapeau. Au bout de quelques blocs, le jeune homme me dit :

– Je vais chez Billy's Burgers, juste après la 10e. Vous allez aussi loin ?

– Pas de problème.

Étrange impression que de marcher avec cet inconnu et de le protéger. Cela me rappela les loups aux yeux de verre du muséum d'Histoire naturelle. Certains comportements relèvent de l'instinct – une chose précieuse, dans ce monde soi-disant civilisé.

Arrivé à la porte du fast-food, le jeune me demanda :

– Vous allez où, au fait ?

Il avait un œil paresseux et une dent en argent.

– Je me balade. Pour tuer le temps.

– Vous voulez quelque chose ?

– Quel genre de chose ?

– Une petite pipe ?

– Euh... Non... Non, merci.

– Ça vous coûterait que dalle. Vous habitez dans le coin ?

– Désolé, mais... non.

– OK. Merci pour l'escorte.

Il se retourna et entra dans le restaurant, où des garçons l'embrassèrent sur les joues et sur la bouche.

L'averse tournait au déluge.

Repartant vers Grand Central, je pensai à la dernière fois que j'avais rendu visite à ma mère. Elle se plaisait bien là-bas. La seule chose qui nous mettait d'accord, mes frères, mes sœurs et moi, c'était le désir de la voir dans un lieu calme et confortable. Nous nous cotisions pour les mensualités et sa pension couvrait le reste. La résidence organisait des soirées bingo ou cinéma dans un petit auditorium. Ma mère avait même un fiancé, un Blanc qui jouait encore au tennis et dînait avec elle tous les soirs de la semaine.

– Et tu envisagerais de l'épouser ? avais-je demandé lors d'une de nos causeries de trois minutes.

– Oh non, Eric, avait-elle répondu.

Elle m'appelait souvent par le prénom de mon frère. Au point que je me demandais parfois si elle se souvenait d'avoir eu deux fils.

– Oh non ! répéta-t-elle. Je n'ai même pas épousé ton père.

– Quoi ?

– On ne s'est jamais mariés. Je suis une femme libre. Je ne lui appartiens pas. Je n'appartiendrai jamais à personne.

Elle parlait avec flamme, au bord de la colère.

– Alors tu n'as jamais voulu te marier ?

– Non, jeune homme. Pas moi.

– Oui, monsieur ? fit l'hôtesse hispanique.

– Je m'appelle Cordell. Et j'ai rendez-vous avec Brenda. Nous avons réservé pour 22 heures.

La jolie brunette consulta son écran et sourit.

– Madame vous attend à votre table, monsieur Cordell. Ce sera à droite après le bar.

À l'orée de la salle à manger, une fille blanche potelée en robe bleue à volants me sourit à son tour.

– C'est par ici, dit-elle en cachant sous la carte son large décolleté.

Le restaurant se divisait en deux parties. La première, qui était aussi la plus petite, proposait de grandes tables et une banquette pouvant accueillir huit ou neuf couples. La seconde, la nôtre, donnait directement sur le hall de la gare, avec sa haute voûte turquoise où se côtoyaient les créatures des différentes constellations, parmi de petites lumières jaunes figurant les étoiles.

La serveuse me conduisit vers une table excentrée qui offrait la meilleure vue sur le hall. Tout à ma joie d'être si bien placé, j'eus à peine un regard pour mon rendez-vous surprise.

C'était une Noire, peau caramel, cheveux défrisés. Elle portait une robe rouge et paraissait bien faite.

La serveuse tira ma chaise et posa les menus sur la table. C'est alors que je découvris le visage de Brenda.

– Bon appétit, gazouilla la jeune fille.

– Euh... oui... bredouillai-je, en arrêt devant la femme qui disait s'appeler Brenda.

– Vous pourriez peut-être vous asseoir, Cordell, suggéra-t-elle.

Je m'aperçus que la serveuse tenait toujours ma chaise. Dans mon trouble, j'avais immobilisé le siège avant que la demoiselle n'ait fini de l'avancer.

– C'est bon, dis-je. Je domine la situation.

La fille pulpeuse s'éloigna et je pus contempler le visage rayonnant de Brenda.

– Je n'en crois pas mes yeux...

– Vous me reconnaissez ?

– Je... je... (Je repris mon souffle.) Mais vous êtes

une créature de rêve, pas un être de chair et de sang qui vit, respire, rit et mange...

Son sourire était net, affûté.

– Serais-je votre fantasme ?

– Mel était-il vraiment un acteur, ou juste un type qui ne savait pas où il mettait les pieds ? demandai-je de but en blanc.

– Alors vous avez remarqué ?

Sa surprise lança une vague d'allégresse dans mes tripes. Je dus résister de toutes mes forces pour ne pas sautiller sur ma chaise.

– Comment Cynthia a-t-elle su ? m'étonnai-je. Comment a-t-elle eu l'idée de nous mettre en rapport ? Et comment se fait-il que *vous*, vous ayez accepté de rencontrer un type comme moi ?

Son sourire respirait l'intelligence. Ses yeux défiaient mon humilité.

– Je suis une femme et vous êtes un homme. On ne peut rien changer à cela. Cynthia est une ancienne hardeuse. Nous étions copines à West Hollywood, et elle a toujours gardé mon numéro.

– Alors elle vous a appelée et vous avez débarqué à New York comme ça ?

– Je parlerais plutôt d'un heureux hasard...

Rien qu'à l'entendre dire ces mots, j'étais transporté de désir. Sous la table mon pied droit épelait son prénom en morse – ma toute première langue étrangère. Enfant, je composais *va chier papa connard* pendant que mon père faisait la loi au dîner.

– ... j'étais attendue à New York pour les jeux, m'expliquait Sisypha. Cynthia le savait, alors elle m'a appelée pour me parler d'un type qui allait au-devant d'une chose merveilleuse, ou bien d'une catastrophe.

Elle disait que vous aviez vu mon film, *Le Mythe*, et qu'il vous avait marqué.

– La façon dont vous avez réussi à soumettre cet homme...

– C'est ce que vous recherchez ?

Je passai la main sur mon visage et la reposai devant moi. Je voulais appeler un serveur, mais je n'en apercevais aucun.

– Et... et c'est quoi, ces jeux ? fis-je tout en craignant que mon cœur ne jaillisse de ma gorge.

Sisypha (pour moi elle s'appellerait toujours ainsi) se renversa sur son dossier et sourit de ses belles dents blanches.

– Les Jeux du sexe, dit-elle. Ils se tiennent à New York tous les trois ans. Douze grandes épreuves et le double de performances scéniques. Il y a aussi des soirées rencontres, très tard dans la nuit, après les compétitions.

– Je n'en ai jamais entendu parler.

Son sourire s'élargit.

– C'est normal. On enfreint quelques lois, alors il faut rester discret. Les billets coûtent 1 000 dollars l'unité, et ça se déroule à Brooklyn et dans le Bronx, dans deux entrepôts spécialement aménagés.

– Et vous... vous aimez fréquenter ce... cet événement ?

– Moi ? Je fais partie du jury. À chaque édition, je note quelques épreuves.

– Avant de venir ici, je me promenais dans la rue. Il pleuvait et un jeune homme a demandé s'il pouvait marcher avec moi, pour... pour profiter du parapluie.

Les traits de Sisypha étaient durs par endroits, mais cela n'entamait guère son irréductible beauté. Je voulais à tout prix retenir son attention, sur moi, sur mes paroles.

– Et donc ? fit-elle.

– Quand on est arrivés à l'adresse où il se rendait, il m'a proposé une fellation gratuite.

J'avais chuchoté les deux derniers mots.

– Et vous avez accepté ?

– Non. Non, ça ne m'intéressait pas.

– Ah bon. Mais alors pourquoi vous me racontez ça ?

– Jusqu'à la semaine dernière, ma vie était aussi terne qu'un sac en papier recyclé. Je ne baisais ma copine qu'en position du missionnaire, hormis quelques variations mineures de temps à autre. Jamais une fille ne m'avait fait d'avances de nature sexuelle – je ne parle même pas des hommes – et je n'avais jamais rencontré de femme comme vous.

– Et je suis une femme comment ? demanda-t-elle avec une pointe de menace.

– Vous êtes une femme qui vit dans le vrai monde. Qui prend elle-même ses décisions et mène sa barque en conséquence. Qui fait en sorte de donner un débouché à ses sentiments. Vous êtes tout ce que j'aimerais être, et je n'en savais rien.

– Vous voudriez être une femme ?

– Non. Je voudrais être libre.

Je vis poindre une lueur dans ses yeux, par-delà l'humour ou l'indignation. Elle scruta mon visage et joignit ses mains devant elle.

Je notai qu'elle ne portait aucun bijou.

– Parce que nous ne sommes pas libres, en Amérique ?

– La liberté est un état d'esprit, non un état de fait, répondis-je sans savoir d'où je tenais ça. Nous sommes tous soumis à la pesanteur, à la mortalité, aux caprices de la nature. Nos gènes nous gouvernent bien plus que nous ne voulons le croire. Le corps ne peut connaître la liberté absolue, mais l'esprit, lui, en est capable. En tout cas, il peut essayer.

– Tout cela est très verbeux, Cordell, fit-elle avant de lever les yeux.

– Vous désirez boire quelque chose ? demanda un garçon vêtu en noir et blanc.

Son visage lisse portait des marques de rasoir. Il se tenait assez près pour que je sente le fumet de cèdre dans son gilet.

– Juste de l'eau, répondit Sisypha. Et je prendrai une salade César au poulet.

– Et moi les travers de porc, avec des haricots verts et votre fameux pain en tranches.

– Parfait, dit-il sans rien noter.

J'attendis qu'il soit parti pour reprendre la discussion :

– Verbeux, disiez-vous ?

– La liberté est aussi une pratique, Cordell. Sa maîtrise requiert de l'entraînement.

Je gonflai mes poumons, et l'espace d'un instant j'oubliai comment expirer.

Je faillis lui parler de mon projet de tuer Johnny Fry, mais je parvins à me retenir.

– Ça vous dirait de m'accompagner aux Jeux ce soir ?

– Mais oui, déclarai-je sans savoir à quoi je m'engageais. Avec joie.

Ma réponse sembla lui plaire. Elle y voyait peut-être un acte de soumission.

C'en était peut-être un.

Après la salade, elle commanda du cheese-cake.

– Vous devriez boire un café, me conseilla Sisypha. Les Jeux commencent assez tard. Jamais avant minuit.

J'optai donc pour un triple expresso et une part de flan. Les deux furent délicieux.

Au cours du repas Sisypha m'entretint de sujets ordinaires, parfois même ennuyeux. Elle était originaire de Milwaukee et avait étudié la comptabilité pendant trois ans. Elle possédait la quasi-totalité des photos la concernant, ce qui lui assurait de jolies rentes grâce au Net.

– Mon public est restreint, mais très fervent, me confia-t-elle. Il aime le côté sérieux de mon travail. Je m'efforce toujours d'y glisser un message sur l'amour ou sur la perte, ou sur le fait que nos désirs sont impossibles à assouvir.

– Parce qu'on désire à la fois une chose et son contraire ?

Elle sourit.

– Cynthia ne m'avait pas dit que vous auriez des choses à m'apporter, vous aussi.

– Et quand va-t-on assister à ce jeu ?

– *Ces* jeux. Je ne sais pas. Je pensais qu'on pourrait marcher un peu après le dîner.

– Sauf s'il pleut...

La star du X me sourit, et je sus qu'il ne pleuvrait pas.

– Alors, dit Sisypha, à quels problèmes Cynthia faisait-elle allusion ?

Nous remontions la 6e Avenue, aux abords de la 44e Rue. Des voitures filaient sur la chaussée, mais les trottoirs étaient déserts. Il se dégageait de cette artère morne une sorte de charme brut, une idée d'attente qui entrait en résonance avec mes émotions.

– J'ai surpris ma copine avec un mec, un Blanc du nom de Johnny Fry.

– Et ça vous a rendu jaloux ? demanda-t-elle avec nonchalance.

Je considérai son beau visage, en songeant que ses fiancés à elle pouvaient la voir avec des dizaines d'autres types. Quand elle partait le matin, ils savaient que c'était pour faire l'amour avec une flopée d'étalons. Non, pas l'*amour* – c'était encore autre chose.

– Il la sautait, et elle le regardait comme une espèce de dieu vivant... Puis il l'a retournée pour la sodomiser. Ça m'a flingué.

Sisypha/Brenda me toucha le creux du coude. Elle joignit ses phalanges sous mon menton et me dévisagea. Je m'attendais à une nouvelle question, mais elle se contenta de scruter mon regard, en quête de quelque chose.

Elle finit par dire : « Allons-y », et nous reprîmes notre lente promenade.

– Il n'y a rien à ajouter. Joelle était ma copine et c'était ma seule amie. Je n'ai personne d'autre à qui parler. Parler vraiment, j'entends. À quelqu'un qui me connaisse...

– C'est pour ça que vous avez appelé la ligne de l'amitié ?

La simple évocation de Cynthia me mit à cran, me donna le vertige.

Nous dépassions un petit bistrot, le Trente-Sept. Il était fermé, mais un banc en bois était enchaîné à la grille en fer. Je fis deux pas pour m'y laissai choir. Je respirais lourdement et ma poitrine tremblait.

Sisypha s'assit à mes côtés, sa cuisse chaude contre

la mienne. Elle me caressa la joue, ajustant sa paume aux dimensions de ma mâchoire.

– Et vous avez... réagi ? demanda-t-elle.

– Non. Je n'ai rien fait. Ils ne m'ont même pas vu. J'ai juste tourné les talons. (J'hésitai un instant, avant de lâcher :) Il avait un de ces engins... Je me suis senti minuscule, inexistant.

– Et vous avez peur qu'elle vous quitte si vous lui dites que vous savez ?

Elle me parlait avec douceur. Je me suis tourné vers elle. Elle m'observait avec une profonde empathie.

– J'ai l'impression de n'avoir ni chair, ni os, de ne tenir debout que par elle. Si elle me quitte, je me disloque. Un tas de viscères sur le sol...

Sa paume quitta ma joue pour envelopper ma main blessée. Il n'y avait aucune tension sexuelle entre nous. C'était comme si rien ne nous séparait, comme si nous ne formions qu'un.

– Vous allez le lui dire ? demanda-t-elle.

– Je ne m'en sens pas capable.

L'idée de tuer Johnny Fry me semblait absurde à présent. Il ne comptait pas, lui, pas le moins du monde. Rien n'avait d'importance, hormis ce banc et la main de Sisypha sur ma douleur.

– Pourquoi pas ? chuchota-t-elle.

– Son oncle.

– Eh bien ?

– Il l'a violée... Il y a longtemps, quand elle était gamine. Puis il est mort, tout récemment, et là elle a eu besoin d'un truc... d'un truc que je n'ai pas.

– Des tas de gens connaissent une enfance difficile. Vous n'y êtes pour rien.

– C'est aussi ce que pense Cynthia. Elle dit que chaque individu est responsable de ses actes.

– Et comment ! fit Sisypha avec une ardeur inattendue. Une Noire offre son cul à un Blanc et là-dessus son mec débarque ? Son mec noir ? Mais elle devrait s'attendre à prendre une balle !

– Ouais, soupirai-je. Mais vous ne comprenez pas ? Quand je les ai vus ensemble, j'ai senti au fond de moi que Jo réclamait davantage que ce que j'avais à lui offrir. J'étais à mille lieues de soupçonner ce qui lui travaillait l'esprit. Alors que Johnny, lui, il l'a vue une seule fois et il a tout de suite trouvé son chemin.

L'indignation de Sisypha vira en étonnement.

– Vous avez vraiment ressenti ça ?

– Ouais. Et j'étais plein de haine, surtout contre Johnny. Mais dans le même temps je me rendais compte qu'ils... qu'ils n'avaient pas peur d'écouter leurs besoins. Alors quand Jo m'a fait reproduire ce qu'elle et Johnny...

– Elle a fait quoi ?

– Mais vous ne comprenez pas ? dis-je à l'actrice porno. Je n'aurais jamais trouvé le chemin tout seul !

– Alors qu'est-ce qui vous chagrine ? Vous devriez vous réjouir de toutes ces découvertes.

– Je sais, mais ce n'est pas le cas. J'ai plaqué mon boulot et commencé une nouvelle vie. J'ai pris deux maîtresses. Et malgré ça...

Brenda caressa mes jointures avec ses deux mains.

– Vous baissez les bras, Cordell ?

– Qu'entendez-vous par là ?

À cet instant, une longue limousine blanche se rangea le long du trottoir. Je m'attendais à voir sortir quelqu'un, mais personne ne descendit. On aurait dit que cette grosse Lincoln venait exprès pour nous.

– Seriez-vous en train de fuir la vie ? reprit Sisypha.

– Je n'ai aucune vie à fuir, rétorquai-je. Personne ne me retiendrait.

– Mais c'est la faute de Joelle si vous vous sentez si mal.

– Imaginez qu'une immense faim sommeille en vous, et qu'un jour... et qu'un beau jour vous compreniez enfin quel est l'objet de cette faim. La personne que vous aimez essaiera-t-elle vous en éloigner ?

– Oui, bien sûr. Elle voudra me garder pour elle.

– Sauf que vous serez déjà partie.

Sisypha/Brenda fit un « Oh ! » muet avant de se couvrir la bouche. Je m'attendais à une nouvelle question, mais elle se tut.

– Qu'y a-t-il ? demandai-je.

Elle sourit et se leva.

– On y va ? fit-elle en indiquant la voiture.

La portière du chauffeur s'ouvrit. Apparut un grand Asiatique à la mise impeccable. Quelques mèches grises se perdaient dans ses cheveux noirs mi-longs. Son visage ne trahissait aucune émotion. Il portait l'uniforme et la casquette, et il avait des mains robustes.

– C'est votre voiture ? demandai-je à Sisypha.

– Bien sûr.

– Comment a-t-il su où vous trouver ?

– Je porte sur moi un petit appareil qui lui permet de me localiser. Il suffit que je lui dise quand venir me prendre, et où que je sois, il apparaît.

– Mademoiselle Landfall, salua le chauffeur.

– Wan, voici mon hôte : Cordell.

Il hocha la tête et nous invita à monter.

Nous nous installâmes au fond de la limousine, dans le sens de la marche. La banquette opposée était occupée par un couple. La femme était la blancheur incarnée, de ses cheveux platine jusqu'à la combinaison de satin qui lui servait de robe. Son voisin, quant à lui, était aussi noir que la nuit vue à travers un bandeau.

– César, Inga, je vous présente mon ami Cordell.

Les dents blanches de César furent un choc, tant son visage était sombre. Ses yeux aussi devaient être blancs, mais il portait des lunettes noires.

Inga baissa son corsage, exhibant deux seins bien fermes.

– J'aime avoir une bite entre les nichons quand je me fais sauter, Cordell, dit-elle avec un petit sourire narquois tandis que la voiture s'ébranlait.

– Non, non, non, protesta Sisypha. Je n'ai aucune envie de renifler ta chatte jusqu'à Brooklyn. Si vous voulez qu'on vous emmène, César et toi, vous laissez la marchandise dans les slips.

– Pigé ! gueula César.

– Je n'ai pas de slip, dit Inga en me fixant droit dans les yeux.

Cette fille n'avait pas plus de vingt et un ans, et pourtant son regard était plus averti que je ne le serais jamais. On sentait une grande force en elle.

Sisypha avait bien fait d'intervenir. C'était bien le sexe qui m'avait attiré ici, mais Inga ne m'intéressait pas. Elle ne représentait que la chair, or je commençais à croire que je recherchais autre chose.

Je me tournai vers ma guide :

– Qu'alliez-vous me demander ?

– Plus tard, dit-elle en me tapotant la main. Peut-être.

César profita du trajet pour nous parler de son ascendance africaine. Deux mille ans plus tôt, ses ancêtres étaient des nomades, et leur l'histoire s'était transmise de père en fils jusqu'à nos jours.

– Soixante-seize générations en amont, expliqua-t-il, mon aïeule a couché avec Jules César. Depuis, tous les fils aînés de ma lignée portent ce prénom.

– Et qu'est-ce qui vous amène aux Jeux du sexe ? lui demandai-je.

L'imposant Africain me regarda de biais, comme s'il flairait une insulte. Puis il ôta ses lunettes, révélant deux lentilles rouge sang.

– Le sexe, susurra-t-il. De longues et rudes campagnes dans les chambres des plus belles créatures au monde...

Il passa un bras autour d'Inga pour capturer ses seins dans ses immenses paluches. Elle ferma les yeux, comme transportée par ce contact.

– Ces jeux, ajouta César, sont la seule chose qui me retienne de me planter un couteau dans le ventre.

– Oh la vache ! gémit Inga. Je peux le sentir en moi sans même qu'il y soit...

Le dieu noir aux yeux rouges me fit un grand sourire, et je pensai de nouveau à Mel. Allais-je connaître le même sort que lui ?

Je craignais d'avoir commis un faux pas, mais je craignais surtout de l'avoir commis exprès. Sisypha avait peut-être raison. Je voulais peut-être qu'on me punisse, comme Fry punissait Joelle.

Une fois de plus, sans dire un mot, je me fis le serment de tuer Johnny Fry.

Le bâtiment cubique où nous conduisit Wan se trouvait au milieu d'un quartier d'entrepôts. Hormis d'occasionnels sans-abri poussant leur chariot, le coin était complètement mort.

La porte métallique verte s'ouvrit à notre approche. Deux femmes – l'une Blanche, l'autre à la peau mate, mais toutes deux en tenue d'Ève – sourirent à Sisypha et lui donnèrent l'accolade.

Notre petit groupe emprunta un long couloir poussiéreux jusqu'à un vieil ascenseur au plancher gondolé. Wan manœuvra la cabine pendant que les deux nudistes noyaient Sisypha sous un flot de paroles.

Je n'écoutais pas, car je tentais de contrôler ma respiration.

J'étais pétrifié. La sérénité que j'avais acquise en décidant de tuer Fry s'était subitement envolée. Les gens se touchaient les uns les autres, et me dévisageaient. Mon voisin avait des yeux plus rouges que rouges et un arbre généalogique qui remontait à l'Empire romain.

L'ascenseur bringuebalant s'arrêta et Wan fit rouler la porte.

L'immense salle qui nous accueillit était nimbée de lumière multicolore. Trois cents personnes au moins s'étaient réparties sur douze rangées de gradins pliants ou fourmillaient autour de l'estrade ronde dressée au centre.

Les gens étaient tous plus ou moins dénudés, même les plus vieux et les plus gros. Dans un coin, je vis un homme et une femme copuler à même le sol, lents et appliqués. Juste derrière eux, un homme agenouillé faisait une gâterie à son voisin.

Il régnait une forte odeur de sueur, avec quelques notes sucrées.

Je me mis à transpirer. Ce que j'avais connu jusqu'à présent n'était qu'une gentille bluette pour gosses de maternelle. Ici, les choses devenaient trop sérieuses pour moi.

– Tiens, fit Sisypha.

Elle me tendait une petite pilule rose.

– C'est quoi ?

– Un truc qui chassera cette pâleur de ton visage.

Elle sourit et me souffla une bise sur la main.

Comme elle s'éloignait, je vis le type à genoux tirer à pleine main sur la queue de son copain, lequel éjacula sous les vivats des spectatrices.

Je gobai la pilule rose, puis demandai :

– On est assis où ?

– Par ici, fit Sisypha.

Elle me guida vers une table proche de l'estrade. Sitôt assis, je plongeai la tête dans mes bras, impatient que la drogue fasse son effet, quel qu'il soit.

De la foule grouillante perçaient parfois un râle, une plainte. L'odeur de sexe gagnait l'atmosphère.

Pendant une éternité, je restai comme ça, la tête enfouie dans mes bras.

Aux seuls bruits de pas et aux froufroutements des vêtements, je savais que la salle continuait de se remplir. Dans le même temps, les sons s'assourdissaient. J'en déduisis que les gens prenaient place dans les gradins.

J'avais la tête baissée, les paupières scellées. C'était comme si tout ce qui m'était arrivé depuis que j'avais surpris Joelle avec Fry me retombait sur le dos d'un seul coup. J'avais beau faire le vide, je n'entrevoyais aucune lumière.

– Allez, dit Sisypha, sa douce voix comme une caresse dans ma nuque. Tout va bien se passer.

Je relevai la tête. La peur ne m'avait pas quitté, mais elle était comme assourdie.

Les tribunes étaient bondées d'hommes et de femmes prêts pour le spectacle.

– Qu'est-ce qu'on va voir ? demandai-je.

– C'est comme aux JO. Ils se retrouvent ici pour que l'on désigne le meilleur.

– Le meilleur en sexe ?

– D'une certaine manière, dit Sisypha en se tournant vers moi, son visage café au lait beau comme un souvenir d'enfance.

– C'est-à-dire ?

– Le sexe peut être synonyme de choses très diverses. Pour certains hommes, c'est la maman. Pour de nombreuses femmes, c'est l'idéal du père. Je connais des types qui ne jurent que par les nanas à très forte poitrine. L'élue aura beau ne pas s'être brossé les dents depuis un an, du moment qu'ils pourront fourrer la tête entre ses lolos, ils seront à elle jusqu'à l'aube. Il existe toutes sortes d'obsessions et de perversions, et cette série de concours nous permet d'en couronner les champions. Ce matin, par exemple, il a fallu élire la plus grosse bite. Ce qui est loin d'être facile...

– Pourquoi ? m'étonnai-je tout en sentant la drogue agir. Il suffit de prendre une règle...

– Certains mecs en ont une longue, mais fine. D'autres en ont une grosse qui ne durcit jamais complètement. Un type peut avoir un salami d'un kilo, mais s'il n'arrive pas à le dresser, ça lui fait perdre des points.

– Ah, d'accord.

Je lui effleurai la joue du bout des doigts.

Son visage se durcit aussitôt.

– Ne me touche pas sans y avoir été invité.

Je remis ma main sous la table.

– C'est quoi, le prochain concours ? demandai-je pour cacher mon embarras.

– Verge-combat.

– Et ça consiste en quoi ?

– Tu vas voir.

Les lumières s'éteignirent, puis une poursuite éclaira le fond de l'estrade. Les six blocs de gradins se répartissaient en deux arcs de trois, l'un devant la scène et l'autre derrière.

Dans le feu des projecteurs se tenait l'homme qui attachait Mel dans *Le Mythe de Sisypha*. Il portait un mini-short pourpre et une chemise en velours rouge aux manches démesurées. Ses cheveux roux étaient taillés à l'iroquoise, les pointes recourbées tels des épis de blé sous le vent.

Il leva les mains au ciel. Ses manches lui retombèrent aux coudes. Il avait une bague à chaque doigt.

– Putes et macs ! commença-t-il.

La foule exulta.

– Catins et masochistes, attoucheurs et attouchés, troncheurs et tronchés, bienvenue, bienvenue, bienvenue... bienvenue à l'épreuve royale !

Il salua si bas que sa crête rousse brossa les planches. Les gens se relevèrent en beuglant, lui jetèrent des fleurs et lui envoyèrent des baisers, lui montrèrent leurs seins, leur pénis et leurs fesses, dansèrent sur place sous une constellation de briquets allumés.

Le clown sexuel attendit que les acclamations s'estompent. Dans ses yeux dédaigneux, la dérision semblait faire place au contentement. Je revis alors le regard de Sasha face aux sanglots de son frère. C'était ça, compris-je soudain, l'amour qu'elle lui vouait.

– Nous y sommes ! reprit le clown. L'événement phare... Le verge-combat !

La foule se déchaîna de plus belle.

À nouveau le clown patienta.

– Ces trois derniers jours, les hommes hétérosexuels se sont affrontés à la lutte gréco-romaine. Soixante hommes baraqués, bagarreurs, rueurs et belliqueux se sont démenés pour atteindre la finale de cette compétition.

Deux spots s'allumèrent à gauche et à droite de l'estrade. Ils révélèrent deux types, un Noir et un Blanc, chacun drapé dans un luxueux peignoir. Celui du Noir – à la peau foncée comme du charbon – était de couleur crème. Celui du Blanc était vert mousse et brasillait dans la lumière.

À présent, le public hurlait.

– Je te demande pardon, me dit Sisypha à l'oreille.

À peine eus-je tourné la tête qu'elle me gratifia d'un baiser sur la bouche, un gros baiser avec la langue et des doigts plantés dans ma nuque.

Le baiser même dont on rêve au début de l'adolescence. Le baiser qu'on voit dans les films ou les romans-photos. Un puissant et vibrant appel à ma virilité.

Les cris de la foule refluèrent. Ce qu'il me restait de peur s'évapora.

Puis Sisypha se renversa sur son dossier et m'observa.

– Je regrette de t'avoir dit ça – de ne pas me toucher sans y être invité. Mais tu comprends, dans certains cercles je suis une véritable icône, et les hommes se permettent de me toucher sans le moindre égard pour ma dignité ou mon indépendance. Ils veulent m'arracher à mon existence pour m'entraîner dans leurs fantasmes.

– Ce n'était pas le but.

– Je sais bien, dit-elle avant de ramener son attention vers la scène.

– ... ces messieurs ont été dépistés contre les MST, expliquait le clown sexuel, et ils sont restés à l'isolement toute la semaine précédant les jeux. Comme je vous l'ai dit, ils sont tous hétéros. Mais quand vient l'heure du combat, même un hétéro peut perdre la boule ! (Ces mots soulevèrent une clameur assourdissante.) Même un hétéro peut attraper la gaule quand le Dr Themopolis lui administre sa piqûre magique !

Les deux filles qui nous avaient accueillis montèrent sur scène pour dévêtir les concurrents de leurs beaux peignoirs.

Les deux hommes étaient nus, puissants et musclés. L'imminence de la lutte leur gonflait la poitrine. Leur peau était huilée, luisante. Et tous deux présentaient une splendide érection, longue et raide, qu'un anneau pénien aidait à rester ferme.

Femmes et hommes sifflèrent et braillèrent leur approbation.

Je voulus poser une question à Sisypha, mais elle mit son doigt sur sa bouche. Au même instant, le clown leva les bras et soudain le public se tut. Vu d'ici, c'était comme si Sisypha les avait réduits au silence avec son geste minuscule.

– Que le concours commence ! lança le type avant de quitter la scène en s'inclinant très bas.

Sans plus de façons, les deux hommes fondirent l'un sur l'autre et s'entrechoquèrent avec un bruit violent. Ils s'accrochaient, s'empoignaient, mais l'huile qui recouvrait leurs corps les empêchait de bien s'agripper. Puis, d'un méchant coup de poing, le guerrier blanc envoya le Noir au tapis. La foule applaudit. Le Blanc sauta sur le dos du Black, mais ce dernier se releva et se dégagea. Ils respiraient de plus en plus fort, se fracassant l'un contre l'autre, cherchant à placer et maintenir une prise.

À un moment donné, le Blanc coucha le Noir sur le ventre. Les gens derrière moi se levèrent pour mieux voir. Le public restait assez silencieux, mais on le sentait tendu.

En tout, le Noir encaissa quatre coups de poing sans jamais riposter. Dans mon excitation brumeuse, je me dis qu'il s'agissait peut-être d'une règle politique – donner l'avantage à l'homme blanc, comme dans le monde réel.

Mais je faisais fausse route.

D'après ma montre, le combat dura douze minutes, sans interruption. Les ahanements des lutteurs se répercutaient dans la salle. Régulièrement ils reprenaient leurs distances, pour se tourner autour, tout en soufflant comme des bœufs. Mais sitôt qu'ils revenaient en contact, ils déployaient une force colossale. Le Noir saignait de la narine gauche. Le Blanc boitait un peu.

Puis, brusquement, le Black contra une prise et se servit enfin de ses poings, assénant trois coups d'affilée dans le ventre de son adversaire.

Le public se leva comme un seul homme. Le lutteur blanc tomba à genoux, puis à plat ventre des suites d'une gifle. Le Noir lui grimpa sur le dos, l'immobilisa d'un clé, lui pointa son pénis turgescent entre les fesses et regarda les spectateurs.

– À la une ! crièrent-ils à l'unisson.

Alors, le Noir planta sa queue tout au fond de son adversaire.

Le Blanc hurla de douleur.

Dès que le Noir se fut retiré, le public brailla :

– À la deux !

Alors il replongea. Le vaincu se débattait en couinant.

Les poings serrés, je priais pour qu'on en finisse au plus vite.

Se retirant de nouveau, le Noir promena son sourire sur les spectateurs debout.

– À la trois !

Il s'enfonça une dernière fois, puis se releva d'un bond, en faisant un V avec les bras. Recroquevillé sur lui-même, le Blanc semblait en pleurs.

La foule rugissante se mit à envahir la scène.

– On ferait mieux de partir, me cria Sisypha à l'oreille. Ils sont tous remontés à bloc.

En effet. Les gens se ruaient sur l'estrade, arrachant dans leur course le peu de vêtements qu'ils portaient. Ils s'exclamaient, s'embrassaient, certains commençaient même à baiser. Deux types se battaient. Le clown sexuel (j'appris par la suite qu'il s'appelait Oscar) sautait d'avant en arrière, criant et giflant les ouailles comme pour leur conférer je ne sais quel sacrement.

Le vainqueur du verge-combat repoussait ses admirateurs, les hommes comme les femmes. Ceux-ci souhaitaient visiblement s'offrir à lui, mais il en était encore à savourer sa victoire, à crier des mots abscons tout en levant les poings au ciel.

Je ne voyais plus le lutteur blanc.

– Allez, dépêchons, fit Sisypha en me tirant par le bras.

Deux filles nues, toujours les mêmes, nous entraînèrent dans un couloir dissimulé par les gradins, et claquèrent la porte derrière nous pour éviter que l'on nous suive. Ce long boyau débouchait sur une grande pièce d'où partait un escalier en bois.

– C'était super rapide, commentait la latino tandis que nous descendions. Je pensais que Mike Dour en avait plus que ça.

– Tu m'étonnes, acquiesça la Blanche. Il s'est écroulé comme une lopette.

– Peanut l'a salement cogné, dit Sisypha aux deux nanas.

Aucune des deux ne pouvait avoir plus de dix-neuf ans.

– Il l'a bien niqué, sourit celle au teint mat. Jusqu'à l'os.

Nous dévalions les marches de palier en palier. Il restait l'équivalent d'une bonne vingtaine d'étages.

Quand nous fûmes enfin en bas, les filles poussèrent les portes et nous précédèrent dans la rue sombre. Wan nous attendait avec la limousine.

– Au revoir, mademoiselle Landfall, dit la jeune Blanche.

– Vous devriez venir avec nous, répondit Sisypha.

Les nymphettes se rengorgèrent.

– Ce serait merveilleux, dirent-elles en chœur.

– Wan, appela Sisypha. Trouvez-leur des vêtements dans le coffre.

Le chauffeur inexpressif nous ouvrit les portières, puis fouilla dans la malle et rapporta aux filles de simples blouses blanches.

– Vous vous appelez comment ? demanda Sisypha, tandis que la voiture démarrait.

– Moi, c'est Krista Blue, répondit la Blanche.

– Et moi Freefall, enchaîna l'Hispanique. Freefall la Vida.

– Et vous avez quel âge ?

Krista avait dix-huit ans, Freefall dix-neuf.

Elles avaient toutes deux travaillé pour un certain Andy dans les milieux du sexe de la côte est. Tantôt comme mannequins, tantôt comme serveuses nues. Et bien sûr, il leur arrivait aussi de se prostituer.

– On a beau le leur expliquer, les gens ne veulent jamais comprendre, me confia Freefall alors que nous traversions le pont de Brooklyn. Pour eux, si jamais tu baises pour du fric, toute ta personne se réduit à ça.

Sauf que les gens peuvent être des tas de choses à la fois. Une femme peut être mère, médecin, danseuse et prostituée. Une prostituée pourrait aussi peindre de jolis tableaux, elle pourrait avoir une adorable petite fille qu'elle couvrirait d'amour.

– Absolument, opinai-je, ce qui me valut un sourire radieux. Je suis sûr que la plupart des gens sont loin d'être tout ça, et parce qu'ils ne sont pas tout ça, ils pensent qu'ils sont meilleurs.

– Celui-là me plaît bien, lança la fille en me couvant de ses yeux légèrement drogués. Il est à vous ?

– Je ne sais pas, avoua Sisypha d'un ton dubitatif.

Elle et Krista étaient assises dos à dos sur la banquette d'en face.

– Tu es à moi, Cordell ? hasarda Sisypha.

– Corps et âme. Tripes et trique.

– Ouuuuh, roucoula-t-elle. C'est très joliment dit.

Freefall s'étira de tout son long pour m'embrasser.

– Où aimeriez-vous aller, les filles ? demanda Sisypha.

– On habite à Newark, indiqua Krista. Mais si vous voulez faire la fête, on vous suit avec plaisir.

Nous nous sommes arrêtés devant un club privé de la 33e Rue Est. Le seul élément signalant l'existence de cette boîte était une petite plaque de cuivre amovible, d'environ huit centimètres sur cinq. Elle était accrochée au mur à côté d'une porte des plus ordinaires. Le Wilding Club occupait trois anciens immeubles d'habitation reliés entre eux.

C'était un établissement aussi discret que prospère.

L'entrée consistait en un vestibule de bois sombre et de velours bleu, tenu par un sexagénaire blanc en redingote. Le type arborait des favoris de la même couleur que ses gants blancs, et ses yeux faisaient à la fois brave grand-père et vieux truand.

– Mademoiselle Landfall, dit-il en scrutant mon visage.

– Tout va bien, Winter. Krista, Freefall et M. Cordell sont avec moi.

– Je connais ces dames, répondit le grand cerbère.

– Il vient de l'autre monde, dit Sisypha à mon sujet. Mais il n'y a rien à craindre.

– Veuillez lever les mains, monsieur, me demanda Winter d'un ton plutôt respectueux.

Toujours sous l'emprise de la drogue, je dressai mes paumes bien haut, à la manière d'un criminel dans une vieille série B.

Je fus un rien surpris de voir un flingue et des balles sortir de ma poche. Non pas que j'aie oublié leur présence, mais cet attirail ne semblait guère à sa place, pas plus que je n'étais à la mienne entre les murs de ce club.

– Étiez-vous avisée de ceci ? demanda Winter à Sisypha.

– Oui, j'étais au courant, répondit-elle, mais je n'ai pas pensé à lui dire de les laisser dans la voiture. C'est la première fois qu'il vient.

– Je vois, fit le cerbère, qui semblait grandir à vue d'œil.

Mon petit doigt me disait que cet homme était davantage qu'un simple employé. Même Sisypha, qui, sans être hautaine, cultivait d'ordinaire un petit air supérieur, même Sisypha semblait lui témoigner une grande déférence.

– Je vais devoir vous demander de laisser vos armes au vestiaire, monsieur Cordell, expliqua-t-il en maniant les objets à la manière d'un commissaire-priseur.

– Ça me va, monsieur Winter.

– Juste Winter, corrigea-t-il.

Il consigna mon flingue volé dans un placard en acajou, puis il me remit une carte à jouer, le huit de trèfle, en guise de ticket.

Pendant ce temps, Krista et Freefall avaient ôté leurs blouses d'emprunt. Elles les remirent à Winter, qui leur tamponna sur la main une couleur et un chiffre, de sorte qu'elles n'aient pas à s'encombrer d'une carte.

Après quoi nous franchîmes une porte battante tapissée de velours bleu, et nous fûmes transportés dans un tout autre monde.

La première pièce était obscure, hormis cinq alcôves éclairées par des spots, où des gens faisaient l'amour selon diverses combinaisons.

Debout dans le premier recoin, un obèse d'âge moyen s'envoyait une jeune femme de petite taille suspendue à un harnais, les jambes écartées. Du fait d'avoir le pénis assez court, il devait se tenir le ventre quand la fille descendait sur lui. Chaque fois qu'il la pénétrait elle lui fouettait la cuisse, la fesse ou le dos avec une baguette en fibre de verre jaune. La chair flasque du type était zébrée de marques rouges, et les coups lui arrachaient de vrais cris de douleur.

– Souffre pour moi, Jerry, disait-elle en abattant sa cravache.

Elle était asiatique et paraissait extrêmement concentrée. Elle scrutait le visage de l'homme à la manière d'un chat surveillant un trou de souris. La queue du type semblait la laisser de marbre, mais chaque fois qu'elle le sentait frémir sous son fouet, elle remuait les orteils et grimaçait de contentement.

– Viens, Cordell, chuchota Sisypha. Ce n'est que le début.

– Attends... Elle paraît tellement heureuse.

– Ça te rendrait heureux, toi ? demanda Sisypha en ramenant mon menton vers elle.

– Ça me donne envie de pleurer, mais... mais je ne sais pas vraiment pourquoi.

La deuxième niche abritait une femme et deux hommes. Il s'agissait d'une cabine de douche fermée par une porte en verre. L'eau coulait du pommeau et la femme était debout entre les deux mâles. Elle avait une quarantaine d'années et un corps assez quelconque – une peau blanche, des seins légèrement tombants, un visage sans éclat mais sublimé par le plaisir. Le type derrière elle était maigre et bronzé. La cinquantaine, les avant-bras couverts de tatouages indéchiffrables. Physiquement parlant, il n'avait rien pour lui.

L'homme laid sodomisait la femme quelconque avec une infinie lenteur. Il lui fallait une minute pour enchaîner cinq ou six allers-retours, après quoi il ressortait complètement, enduisait de crème son membre courtaud et recommençait. Pendant ce temps, un beau blond plein de muscles et monté comme un étalon se tenait à genoux devant la nana. Il lui savonnait les seins et les jambes, puis la lavait avec une grosse éponge. Elle le regardait d'un air subjugué, émue aux larmes par la douceur de ces caresses. Il hochait la tête en souriant, l'encourageant à chaque fois qu'elle jouissait.

Le renfoncement suivant était occupé par deux hommes en costume cravate. Ils s'embrassaient, assis sur un faux banc public. Leurs baisers étaient passionnés et profonds. Par instants ils s'interrompaient, le temps d'échanger un regard, puis ils se dévoraient de plus belle.

– On peut passer à la section suivante ? lançai-je à Sisypha.

Je devinais que chaque salle avait plus ou moins son thème.

– Tu es mal à l'aise ?

– Très.

– Ce sont les deux hommes ?

– C'est l'ensemble.

– Pourquoi ?

Sisypha se planta devant moi, résolue à me bloquer jusqu'à ce qu'elle obtienne sa réponse.

– Il y a trop d'émotion, ici. C'est insoutenable.

– Alors pourquoi m'as-tu accompagnée ?

– Parce que j'ai dans la tête une histoire qui m'obsède.

De la niche suivante s'échappèrent des cris frénétiques :

– Oh oui, oh oui, oh oui !

Cela me fit penser aux bêtises de la mère de Sasha et attisa ma curiosité.

– Ne les regarde pas, dit Sisypha. Regarde-moi Et raconte ton histoire. Celle de ta copine ?

– Non. Enfin... si, en quelque sorte. Cela concerne surtout le moment où j'ai vu ton film. C'était mon histoire, mais en plus fort.

– En mieux ? fit-elle comme une gosse espiègle.

– Pas vraiment. C'était juste plus fort, plus flippant, une chose dont je suis incapable de détourner les yeux. Toi.

Elle me saisit le poignet et m'emmena vers la sortie. Comme nous dépassions l'alcôve d'où s'élevaient les cris, je vis un couple uni en un vigoureux missionnaire. Leur peau claquait au rythme des saillies du monsieur. Le visage de la dame, le seul que je pouvais voir, affichait un mélange de peur et de fascination.

La porte au fond de la salle débouchait sur un bar d'aspect tout à fait digne. C'est là que j'ai remarqué que nous avions perdu Krista et Freefall en route. Mais cela m'était égal, alors je n'ai rien dit.

Cette pièce-ci était lumineuse et aurait pu se trouver n'importe où dans Manhattan, n'eussent été ces quelques femmes nues, ou ce type accroupi sous les jupes en mousseline d'une cliente.

Il lui faisait un cunnilingus pendant qu'elle discutait avec un voisin de comptoir.

– Je vous retrouve d'ici vingt minutes dans la chambre verte, disait-elle au moment où nous passions derrière eux.

– On pourrait peut-être boire un verre, proposai-je à Sisypha.

– Cela ne ferait pas bon ménage avec ton premier cocktail.

– Comment ça ?

Elle ouvrit une porte blanche et me fit signe de la précéder.

– La pilule que tu as prise contient en fait quatre substances distinctes qui font effet à tour de rôle, expliqua-t-elle tandis que nous passions une nouvelle porte. La première, qui cessera bientôt d'agir, sert à se détendre. La deuxième te fouettera les neurones, et la troisième te fera bander et saliver.

– Et la quatrième ?

– La quatrième, c'est juste pour t'assommer.

Nous descendions un long couloir vide, sur un

damier de petits carreaux noirs et blancs. Les murs et le plafond étaient rouge cerise.

Je me suis arrêté et je l'ai retenue par le bras.

– Je ferais mieux de rentrer, Sisypha.

– Pourquoi ?

– Je ne connais personne et j'ai peur. En tout cas, je *devrais* avoir peur.

– Mais je veux qu'on passe la nuit ensemble.

Les yeux de Sisypha étaient plantés dans les miens. Elle avait trente ans à tout casser, c'est-à-dire bien moins que moi, et pourtant je voyais en elle une déesse, dans un grand panthéon que les mortels de mon espèce n'étaient pas censés visiter.

– Mel savait-il dans quoi il s'embarquait ?

– Pas de manière consciente.

– Et tu me réserves le même traitement ?

– Tu n'es pas lui, répondit-elle. Tu n'as pas besoin d'être attaché à un cadre ni de te faire élargir le cul par une femme qui te caresse doucement la joue, si ?

J'approchai mon visage du sien et lui saisis les deux poignets.

– Ne me détruis pas, Sisypha, implorai-je.

La salle suivante était un restaurant. Bien éclairé, lui aussi, avec des tables de quatre et des box où l'on pouvait tenir à six. Au centre, plusieurs tables étaient occupées. Seul un box était pris, par un homme et une femme dont je ne discernais pas les traits.

– Mademoiselle Landfall, salua le maître d'hôtel.

C'était un latino corpulent, que j'imaginais mexicain, mais bien malin qui sait reconnaître les gènes au sud de nos frontières. Cet homme pouvait venir du Panama comme de Bolivie, de Porto Rico comme du Pérou.

– Pero, salua-t-elle avec un accent parfait.

– Votre box ? suggéra-t-il.
– Une simple table suffira.
Lorsque nous fûmes installés avec la carte, Sisypha me dévisagea.
– Qu'est-ce qu'il y a ? demandai-je.
– Que sais-tu de moi, au juste ?
– J'ai seulement vu les premières scènes de ton film. Je n'ai pas regardé le making of.
– Mais tu as consulté les blogs qui me sont consacrés ? Ou mon site Internet ?
– Non.
– Tu es inscrit à mon fan-club, alors ?
Je secouai la tête, avant de demander :
– Vous avez beaucoup de membres ?
– Au dernier pointage, onze mille quatre cent soixante-deux.
– La vache...
– Et plus de la moitié sont des femmes, souligna-t-elle fièrement.
– À cause de ton côté dominateur, plein d'assurance ?
– Tu voudrais que je te saute, Cordell ?
– Non.
– Que je te fasse l'amour ? nuança-t-elle avec une pointe de sarcasme.
– Même pas.
– Alors quoi ? Qu'est-ce que tu attends de moi ?
– C'est toi qui m'as contacté, Sisypha.
– Mais tu m'appelais à l'aide.
Je me sentais d'humeur, disons... hardie.
– J'aimerais apprendre de toi. M'imprégner de ta maîtrise des choses. Ma copine me considère comme un brave toutou. Jusqu'à la semaine dernière, elle m'avait si bien dressé que je n'avais jamais osé

demander à la voir en semaine. Et quand on était au téléphone et qu'elle disait : « Je dois te laisser », je ne mouftais pas, même si j'avais très envie de parler.

« Elle a un amant qui la jette par terre, qui la nique en plein Central Park, et qui paie des gigolos pour la baiser devant lui pendant qu'il fume des clopes.

J'ignorais d'où sortait l'idée de la cigarette. Jamais je n'avais vu Johnny Fry avec une tige au bec.

– Désirez-vous boire quelque chose ? demanda un deuxième garçon.

À cet instant, je me souviens m'être demandé combien de serveurs et de serveuses il y avait eu dans ma vie. Des gens qui satisfaisaient mes attentes mais ne me connaîtraient jamais. Celui-ci était petit et brun, sans accent, avec des yeux minuscules.

– De l'eau, Roger. Et deux salades vertes.

Je ne me suis pas formalisé que Sisypha commande pour moi. Je me sentais capable de briser la table en deux, mais restais maître de moi-même.

– C'est pour quoi, ce flingue ? demanda-t-elle soudain.

Je vis dans ses yeux qu'elle devinait mon intention de tuer Fry.

Va chier, ai-je pensé. *Si tu sais déjà tout, j'ai pas besoin d'en parler.*

– C'est un ami qui me l'a filé. Il m'arrive de sortir avec.

– Pour te protéger ?

– Pour le plaisir.

– Tu sens monter la deuxième drogue, Cordell ?

– Un peu, que je la sens. Je pourrais te porter dans mes bras et faire le tour du quartier en courant. Mais ce n'est peut-être pas nécessaire.

Elle tendit le bras par-dessus la table et pinça le dos de ma main blessée. Très fort.

La rage me prit comme un typhon. Je poussai un meuglement et me levai d'un bond, renversant ma chaise. Tous les dîneurs m'observèrent, même le couple du box. Malgré ma colère rouge sang, je pus remarquer que la femme était assez âgée, alors que son compagnon n'avait pas atteint la trentaine.

– Quelque chose ne va pas, monsieur ? s'inquiéta Pero en venant ramasser mon siège.

– Je... je... je...

– C'est sa première fois, expliqua Sisypha.

Pero me présenta ma chaise. Après un instant de flottement, je lui fis l'obligeance de me rasseoir.

Sisypha souriait.

– C'est quoi, ce truc que tu m'as filé ?

– Une drogue de synthèse. Le gars qui la fabrique vit à Berlin. Au départ, il vient de la baie de San Francisco, mais je crois que son passeport est brésilien. Il doit avoir un bon millier de clients. On lui paie un forfait annuel, et il nous fournit des drogues si secrètes et si nouvelles qu'elles ne sont jamais illicites.

– J'ai encore mal, là où tu m'as pincé. Ça me donne envie de me lever et de courir à travers ce mur.

– On devrait peut-être faire un tour au Gym après le repas.

– Allons-y tout de suite.

Elle sourit et opina.

Nous quittâmes la salle sans payer. Sisypha était sans doute membre du Wilding Club. Sa vie s'inscrivait sur une facture mensuelle, et non au coup par coup.

Nous enfilions un énième couloir. Couloirs et serveurs, ai-je pensé, tels sont les remparts du néant de mon existence.

Ce passage-ci était tapissé de rouge, avec des murs peints en marron.

– Tu voulais me demander quoi ? lançai-je au dos de Sisypha.

Elle se retourna.

– Je t'aime bien, Cordell. (Elle riva ses yeux aux miens.) Mais...

– Mais quoi ?

– Mais je ne te connais pas.

Sans me laisser dire un mot, elle se remit en route.

Le Gym était mieux doté que je ne le pensais. Il y avait un bar diététique, toutes sortes d'appareils d'entraînement, et même un ring pour pratiquer la boxe ou la lutte. Comme dans les pièces précédentes, des gens à poil prenaient la pose çà et là. Mais ici, pas de sexe. On s'exhibait ou on s'exerçait, rien de plus.

On s'est assis à une petite table. Sisypha a commandé un jus de céleri, moi une infusion censée favoriser le sommeil. La drogue bouillait en moi ; c'était comme un sale gosse cherchant à nuire au travers de mes mains et de mes pieds. Hormis Sisypha, j'étais incapable de rester concentré sur quoi que ce soit.

– Qu'est-ce qui te plaît chez moi ? demandai-je à la femme du nom de Brenda Landfall.

Elle sourit et secoua la tête.

– Je t'en prie, réponds-moi. Je sais que c'est bête et puéril, mais je ne pouvais pas deviner quel serait l'effet de cette putain de drogue.

– Tu te défausses sur la pilule ? dit-elle d'un air taquin.

– S'il te plaît...

– L'amour, je pense, est une chose matérielle, devisa-t-elle tout en promenant ses doigts sur les miens. C'est une chose que l'on fabrique naturellement au quotidien, comme le tartre, le sang ou la peau. La plupart des gens que je connais ne stockent pas leur amour, mais le dilapident sitôt qu'il apparaît. Ils en font cadeau à des enfants ingrats, à des amants indignes, à des amis déloyaux ou à des inconnus qu'ils croisent dans la vie quotidienne...

Voilà pourquoi j'appréciais tant la compagnie de Sisypha : le savoir qu'elle me transmettait était comme un pain sortant du four, comme de la pénicilline calmant une fièvre infectieuse.

– Mais parfois, je rencontre un homme qui n'a jamais dépensé l'amour qu'il a produit. Il ressemble à ces fourmis qui se transforment en immenses sacs de miel au sein de leur colonie. Mais caressez-lui le cou, et la douceur se met à couler...

Pour l'heure, elle caressait mes doigts et je la fixais avec appétit.

– Un homme tel que toi est un trésor pour une femme comme moi. La plupart des gens veulent simplement recevoir. Mais de temps en temps, de loin en loin, on rencontre quelqu'un qui a juste de l'amour à donner.

– Tu parles de moi, là ?

– Et pourquoi pas ?

– Mais je ne suis qu'un type froid et ennuyeux. Je suis... je suis parfaitement quelconque.

– Non, Cordell, dit-elle en m'agrippant la main. Tu es unique. On a coupé ta faculté de donner de l'amour, mais celle d'en fabriquer demeure intacte. Tu es comme une mine d'or. Il y a suffisamment de passion en toi pour enrichir quelqu'un jusqu'à la fin de ses jours.

– Je ne comprends pas.

– Je sais que tu ne comprends pas. Et j'aimerais bien t'expliquer, mais... mais je ne te connais pas.

– Qu'est-ce que ça veut dire ? Il faut qu'on soit amis de longue date pour que tu saches et que tu m'expliques ?

– Il y a toutes les chances qu'on ne se revoie jamais, Cordell.

– Pourquoi ? Tu veux dire qu'on ne peut être amis ?

– Bren, intervint alors une voix d'homme.

Je découvris un grand Black, vêtu d'un pantalon en lamé doré et d'une chemise blanche de très belle qualité. Sa grosse queue faisait une bosse sous le tissu moulant.

– Salut, Stan, répondit Sisypha en prenant un faux air soumis. Voici mon ami Cordell.

– Ravi de vous rencontrer, me dit le type beau à tomber.

Son crâne chauve brillait comme un parquet ciré.

– Allez viens, Sis, on va dans la salle de jeu.

Pour la première fois de la soirée, je vis ma cavalière indécise.

– C'est-à-dire que... Je suis ici avec Cordell.

– Je te ramène dans quarante-cinq minutes – si d'ici là tu souhaites toujours revenir.

– Ça t'embête ? me demanda Sisypha.

– Absolument, répondis-je sans détour.

Je n'avais aucune intention de devenir le nouveau Mel.

– Tu disais pourtant que tu ne souhaitais pas faire l'amour...

– Mais je veux rester avec toi. Toute la nuit.

Sisypha prit une grande inspiration et me sourit.

– Désolé, Stan, mais il a besoin de ma compagnie.

– Il n'a qu'à venir, fit le type en haussant une épaule. Il apprendra peut-être des trucs.

Sisypha secoua la tête et réitéra son sourire. Il y avait un truc entre ces deux-là, ça sautait aux yeux. Elle l'aurait suivi sur-le-champ si je ne m'étais braqué.

Je craignis un instant d'agir en dépit du bon sens. Pourquoi l'empêcher de filer dans la salle de jeu, si elle tenait tellement à la grosse bite dans le cul ? Mais à cette pensée, j'imaginai Jo me demandant si j'accepterais que Fry grimpe dans notre lit, pour la baiser, pendant que je lirais le *New York Times* ou regarderais *Seinfeld* à la télé.

La drogue et les images s'amalgamèrent à l'intérieur de mes muscles.

Je bondis sur mes jambes, en beuglant une connerie du style :

– Pas question ! Va chier, fils de pute !

J'avisai de la peur au fond des yeux de Sisypha.

– Pardon ? réagit Stan.

– J'ai dit : prends ton futal de mac et ton corsage de tante et casse-toi !

Des mots qu'en temps normal je me serais contenté de penser.

– Tu vas pas me les briser longtemps ! ajoutai-je pour enfoncer le clou.

Stan me considéra puis secoua la tête, ignorant mes menaces.

Il se tourna vers Sisypha :

– Bon, tu fais quoi, Bren ? Tu es censée me suivre, normalement.

– Eh ! t'es sourd, mec ? Je t'ai dit de foutre le camp !

Voilà la personne que j'avais toujours rêvé d'être.

Quand jadis mon père me giflait, m'humiliait, me disait où j'avais le droit d'aller et pendant combien de temps – même quand j'avais seize ans –, c'était cet homme-là que je voulais être. Quand les profs refusaient de me croire intelligent, quand la police me demandait ce que je fabriquais dans le quartier de mes copains blancs. Je voulais tenir tête à mon père, comme à tous les racistes et à toutes les brutes que je croisais. Mais jusqu'à ce soir, j'avais toujours manqué d'estomac.

Après ce que j'avais hurlé à l'adresse de Stan, je me sentais grandi à jamais, même si on en restait là. Je pouvais regarder en arrière en me disant que j'étais un homme – que je ne laisserais pas un petit connard piquer ma gonzesse sans broncher.

Piquer ma gonzesse. Ces mots furent comme une armée de rats courant le long de mes bras. Les poings en avant, je fondis sur Stan. J'ignorais ce que je faisais, mais l'instant d'après nous étions par terre et nous nous débattions.

Avec le recul, je mesure combien c'était stupide. Stan faisait bien dix centimètres et quinze kilos de plus que moi. Sa chemise laissait entrevoir un torse sculpté au burin.

Mais je me suis battu comme un lion, jusqu'à ce que des mains inconnues attrapent mes bras et mes jambes. Même là, j'ai continué à lutter et failli plus d'une fois échapper à mes gardes.

Une voix me parlait. Je mis un temps fou à l'entendre, car dans mes jointures persistait le goût de la violence. Je pouvais sentir mes mains étrangler Stan.

– Vous comprenez ce que je vous dis ?

– *Quoi ?*

– Voulez-vous combattre cet homme ?

– *Oui !*

– Alors regardez-moi.

Cet ordre fit mouche. Pivotant, je me retrouvai nez à nez avec Oscar, le clown sexuel. Sa coiffure était toujours aussi folle, mais il avait revêtu un costume sombre qui moulait son corps svelte.

– Quoi ? lançai-je au valet des fantasmes de Sisypha.

Je me suis soudain demandé si nous n'étions pas filmés. Étais-je la victime du nouveau film de la star ? Mais ce soupçon fut chassé par l'afflux bourdonnant du sang dans mes tympans.

– Vous pouvez affronter Stan Stillman sur le ring, avec des gants, déclara Oscar.

– OK, répondis-je avant de charger Stan.

Mais les gorilles nous empêchèrent d'arriver à nos fins.

On me mena dans une arrière-salle, où des types me déshabillèrent et enfilèrent des gants sur mes poings. Hormis cet équipement, j'étais nu comme un ver et respirais fort. Par intervalles, je sentais l'afflux de sang dans ma cervelle et me demandais si tout ceci n'était pas une vaste mise en scène.

Ils me conduisirent au ring et m'installèrent dans le coin diagonalement opposé à celui de Stan Stillman. Ce type était immense. Quand je repense à ce petit matin de folie, je trouve miraculeux de n'avoir pas fini aux soins intensifs, ou même au cimetière. Stan mesurait un mètre quatre-vingt-dix et pesait plus de cent kilos. Comme moi, il était en tenue d'Adam, hormis une paire de gants blancs et un morceau d'adhésif : son pénis était si grand qu'on le lui avait scotché contre la cuisse gauche, sans doute pour le protéger. Son beau visage était tordu par un désir haineux. Ses biceps étaient comme deux grosses pierres et ses abdos pas moins puissants.

Mais je n'avais pas peur. Je voyais juste un tas de chair que j'allais réduire en bouillie. Je savais simplement que je voulais tuer cet homme. Rien n'expliquait ma colère. Je ne pensais pas à Sisypha. Ni à la façon dont ce gus m'avait snobé, comme si j'étais un être inférieur. Non, je voulais le tuer pour le seul plaisir de le voir crever.

– Quand je sonne cette cloche, expliqua le clown Oscar, cela marque la fin du round. Quand vous entendrez ça... (il produisit un son mat en la frappant avec une cuiller)... chacun devra regagner son coin. Le premier au tapis a perdu. Le meilleur sera celui qui restera debout.

Je méditai ces derniers mots, me demandant s'ils ne renfermaient pas quelque message codé pour Stan. Puis une nouvelle montée de sang vibra dans mes oreilles, comme le bruit d'un transistor.

Oscar aussi était à poil. C'était un homme blanc dans un corps de garçon blanc – sauf qu'il n'était pas vraiment blanc. Sa peau avait une teinte plutôt orangée. Sa bite rose rebiquait dans une semi-érection. Ce combat l'excitait à l'avance.

Dès qu'il frappa sa cloche, je me jetai sur le poing de Stan, le frappai de mon visage et manquai de m'écrouler. L'autre eut un sourire triomphal, mais c'était compter sans la drogue que Sisypha m'avait filée. La douleur libéra un flash d'énergie dans mon cerveau, qui répercuta la force de l'impact dans ma main droite.

Quand mon gant trouva la tempe de Stan, je sus que je ne connaîtrais jamais de sensation plus délicieuse. Une belle droite, fluide et massive. En l'entendant grogner, je fus persuadé qu'il allait mordre la poussière

– avant de voir que son visage exprimait seulement la surprise.

J'eus un instant d'angoisse, suivi d'un nouveau flash.

Stan Stillman se débrouillait pas mal. Il me collait des directs au visage, qui touchaient leur cible à peu près une fois sur trois. Ses bras étaient plus longs que les miens, et même lorsque je bloquais ses coups avec mes gants ou mes bras, je les sentais ébranler toute ma carcasse. Mais la douleur attisait ma rage, et parfois je lâchais une rafale de crochets, qui tombaient presque tous à côté.

Il me frappa encore et encore, mais au bout d'un moment je ne sentis plus rien.

Je revis soudain mon père, quand il m'apprenait à me battre dans le jardin de notre immeuble. Il était là, adulte, à me dégommer avec ses poings. Et voilà qu'aujourd'hui un type encore plus fort cherchait à me faire la même chose.

J'avais boxé avec mon père, puis un peu au YMCA d'Oakland, mais la seule chose que j'avais retenue, c'était qu'il fallait lever les mains et baisser les coudes quand l'autre visait le corps.

Cela fonctionna plutôt bien, jusqu'à ce que Stan me décoche un uppercut qui m'envoya dans les cordes.

J'adorais ces cordes. Leurs fibres épaisses et rugueuses me brûlaient la peau, tels les baisers fiévreux d'un nouvel amour. Sans elles, je me serais retrouvé sur le dos. Sans elles qui me mordaient les coudes, je serais tombé à genoux avant d'aller embrasser le plancher.

La cloche retentit, et en relevant les yeux je vis trois types ramener Stan vers son coin de ring.

D'autres mains touchèrent ma peau, puis je me retrouvai assis sur un tabouret, sans savoir si j'étais seulement capable de remonter sur mes jambes.

– Cordell, lança-t-elle.

Je regardai sur ma gauche. Sisypha était là, sa robe rouge moulant son corps parfait de miel doré. Elle m'observait d'un air inquiet, les mains jointes sous sa divine paire de seins.

L'amour que je lui vouais prit la forme d'un nouveau bruit sourd. Je sentis mon cœur palpiter, puis la cloche sonna de nouveau. Je sautai sur mes jambes et m'avançai, les poings baissés, arborant ma plus vilaine tronche.

Tout se passa au ralenti, jusqu'à la fin du combat.

Stan avait eu un bref aperçu de mes contres, même si aucun ne l'avait blessé. À présent il me tournait autour, dans le sens inverse des aiguilles d'une montre, pour m'avoiner de rafales de directs. Je savourais cette punition. Chaque fois qu'il me frappait, je me sentais un peu plus fort. Chaque fois qu'il reculait la tête au cas où je tenterais quelque chose, je me sentais victorieux.

Puis il me flanqua trois prunes dans le pif, suivies d'un croisé du gauche qui m'accrocha le bout du menton. Je décollai du sol, toujours au ralenti. J'atterris trente centimètres plus loin, avant de m'effondrer comme un immeuble plastiqué. Tout le temps de ma chute je me répétai qu'il ne fallait pas tomber complètement, sans quoi Stan aurait Sisypha, sans quoi il la baiserait avec sa grosse bite et la ferait crier comme l'autre Aristote en bleu de travail.

J'étais maintenant accroupi, prêt à basculer en avant, quand le deuxième étage de la drogue de synthèse cracha son dernier feu.

Concentrant toute ma volonté dans mes cuisses, je poussai à l'encontre de la gravité pour m'arracher à la défaite. Chemin faisant, je connus une sensation d'apesanteur. Je vis que Stan m'observait passivement, sûr de sa victoire. Sauf que j'étais là, en quasi-lévitation. Tout ce j'avais à faire, c'était d'allonger le bras.

Cette fois il grogna de douleur, et non plus seulement de surprise. Cette fois, ce fut lui qui tomba dans les cordes et glissa au tapis. Mes jambes flageolaient, mais j'étais toujours debout. Toujours debout.

Stan se releva d'un bond et fondit sur moi, mais il fut intercepté par une demi-douzaine de types. Puis Oscar accourut pour lever mon poing ganté.

Je m'aperçus qu'une bonne soixantaine de personnes étaient venues suivre le match. Elles applaudirent et lancèrent des vivats.

– Le vainqueur ! cria Oscar. M. Cordell !

Le petit clown bandait ferme. Sa queue se dressait toute recourbée, le gland niché dans son nombril.

Un petit groupe d'hommes et de femmes me hissèrent sur leurs épaules et me promenèrent dans la pièce. De ma hauteur, je voyais Stan se prendre le bec avec Sisypha. À un moment il l'empoigna, mais Oscar s'interposa et parvint à tenir le grand Stan à distance.

Quand la foule me laissa redescendre, Sisypha était à mes côtés, rayonnante, mes fringues et mes chaussures suspendues à son bras.

– Viens, dit-elle sans cesser de sourire. Il faut se dépêcher.

Oscar m'aida à virer mes gants, et sans même me rhabiller je suivis la femme qui désormais symbolisait ma vie (en même temps que la mort de Johnny Fry). Elle me précéda dans un corridor peint en noir, où tous les deux ou trois mètres luisait une ampoule rouge.

– C'était merveilleux, s'extasiait-elle tout en marchant. Je ne te donnais pas la moindre chance ! Et je m'en voulais tellement de t'avoir filé cette pilule...

– Stan te racontait quoi ?
– Il voulait que je rentre avec lui.
– Malgré sa défaite ?
– Il pensait avoir le droit de m'emmener de force, dit-elle en battant l'air de sa paume.
– Et en quel honneur ?
– C'est mon mari.

Je n'avais pas fini d'intégrer l'information qu'une énorme femme blanche nous bloqua le passage. Elle était obèse, mais nullement répugnante. Elle possédait de belles formes et une peau ferme. Blonde, avec des lèvres d'un rouge intense. Son visage rappelait ces collégiennes pulpeuses auxquelles pensaient les garçons en se masturbant l'après-midi, avant le retour de leurs parents.

Le couloir était si étroit que Sisypha se frotta contre elle pour la doubler. Quand vint mon tour, mon corps nu se retrouva pressé contre le sien. Nos visages se rencontrèrent ; la nana me sourit et m'offrit un baiser rapide. Je songeais à me dégager lorsque ma langue se rua dans sa bouche.

Nous nous sommes pelotés quelques secondes durant. Les murs derrière nos dos respectifs semblaient nous pousser l'un dans l'autre.

Puis la femme s'empara de ma queue et dit :
– Ça me plaît, ça.

Alors Sisypha m'agrippa le bras.
– Je vais me le faire direct ! protesta l'obèse. Vu comme il est chaud, ça ne prendra pas longtemps...
– Désolée, répondit Sisypha, mais nous sommes attendus.

Nous finîmes par atteindre une porte. Sisypha m'introduisit dans une petite salle prolongée par un espace encore plus exigu. Tout y était rouge, des tapis jusqu'aux patchworks de papier sur les murs et le plafond.

– Excuse-moi, Sisypha. Je refuse que tu suives ton mari, puis soudain je me mets à peloter cette fille...

Elle embrassa mes lèvres.

– Ne t'inquiète pas. C'est la drogue qui fait ça. Tu as besoin de baiser, maintenant.

Sisypha ôta sa robe rouge et là, dans la lumière tamisée de notre alcôve, elle revêtit les traits de mon secret le mieux gardé.

– Sisypha... Je... je...

Elle me posa un doigt sur la bouche.

– Rassure-toi, bébé. Je sais que tu ne pourras pas m'aimer ce soir. C'est pourquoi j'ai fait appel à Celia.

– À qui ?

Là-dessus se rouvrit la porte de la double pièce.

La femme qui parut venait d'une région plus intime encore de mon esprit que celle occupée par Sisypha. Elle était petite et nue – pas plus d'un mètre cinquante –, à la fois fine et pulpeuse, avec un beau cul rebondi. Sa peau était aussi noire qu'elle pouvait l'être, même si ses larges mamelons étaient encore plus foncés.

Cette créature apparaissait comme la quintessence du noir. Ses cheveux crépus étaient maintenus en une sorte de fleur sauvage au sommet de son crâne. Le seul élément non noir du tableau était son pubis, décoloré en blanc et taillé en forme de flamme.

– Celia, je te présente mon ami Cordell.

– Salut, dis-je.

– Ouuuh ! regarde comme il dresse la queue, Sisypha. Tu as envie de moi, Cordell ?

J'opinai, sûr que les drogues allaient me provoquer une crise cardiaque.

À la faveur d'un sourire, je vis que Celia avait des dents très espacées. Son visage n'était pas vraiment beau, mais son expression gourmande et chaleureuse laissait entendre que, quelle que soit l'ancienneté de la relation, il y avait toujours moyen de mieux connaître cette fille.

– Allons dans la petite pièce, suggéra-t-elle.

Nous nous y rendîmes tous trois.

Une fois là-bas, Celia me dit :

– Agenouille-toi, Cordell.

Je me laissai tomber lourdement.

Celia se pencha en avant, pointant sur mon visage un sein généreux.

– Lèche-le, tout doux, susurra-t-elle.

Ce que je fis.

– Ouuuh, dit-elle. C'est très agréable. Tu vois comme ça le fait durcir et se dresser ?

– Oui.

– Lèche-le encore.

Sisypha posa la main sur mon épaule, et je laissai ma langue circonscrire le téton turgide de Celia.

– Ouh, putain ! lâcha-t-elle. Deux coups de langue, et c'est déjà tout dur.

Je voulais dompter mon souffle, mais n'y arrivais pas.

– Maintenant, occupe-toi de l'autre, réclama-t-elle.

Je suivis ses ordres sans qu'on ait besoin de me guider. Celia faisait tous les bruits qu'il fallait, et Sisypha posa son autre main sur ma deuxième épaule.

– Bon sang, dit Celia. OK, Cordell. Maintenant, j'ai un truc pour toi. Un truc dont tous les hommes ont envie, même s'ils n'en ont pas conscience. T'es partant ?

– Oui.
– Même sans savoir ce que c'est ?
– Tout m'ira, répondis-je à ces jeunes yeux voraces où se réfléchissaient les miens.
– Mes nichons sont pleins de lait maternel, annonça-t-elle.
J'approchai la bouche de son mamelon, mais elle me gifla.
– J'ai pas dit que t'y avais droit, me tança-t-elle.
– S'il vous plaît, laissez-moi boire...
Je voyais poindre le liquide clair au centre du téton droit. La naissance d'une goutte.
Sans un mot, Celia enfonça son sein humide dans ma bouche. J'aspirai deux petits coups, et un filet de liquide chaud presque sucré me gicla au fond de la gorge. Je tétai ce sein tout en m'astiquant la colonne, tandis que Sisypha me caressait tendrement le cou.
Puis Celia reprit son mamelon. Comme j'étais en pleine succion, cela produisit un claquement.
Celia pressa la base de son sein, de telle sorte que le lait m'arrosa le visage et le torse. J'ouvris la bouche pour le recueillir.
– Oui, bébé, roucoula Celia. Voilà ce que je veux voir. Sors ta langue. Prends tout. Ouais...
Je pensais qu'elle allait m'offrir sa seconde mamelle, mais elle en décida autrement :
– Allonge-toi, bébé. Allonge-toi en arrière.
Je n'avais rien contre, mais maîtriser mon corps devenait une gageure. Le goût du lait dans ma bouche créait une sorte de vibration qui interférait avec mes fonctions motrices.
– Allonge-toi, insista Celia en poussant sur mon torse.

Je tombai dans les bras de Sisypha, assise derrière moi. Elle me bloqua le front pour m'obliger à fixer le visage de la déesse Celia.

Celle-ci me chevaucha et s'approcha de mon oreille. Son sein gauche continuait de goutter sur ma peau. Je n'avais jamais éprouvé une si forte envie de sexe.

– Sisypha va te tenir et moi je vais te baiser. Tu as compris ?

Je hochai la tête.

– Je veux que tu me regardes dans les yeux, d'accord ?

J'opinai de plus belle.

Alors, elle s'empala sur ma queue. C'était comme si l'idée de soie pure envahissait ma tête, ou qu'un immense paquebot s'aventurait dans un petit port de plaisance. Elle remua de haut en bas, sur un rythme tranquille, en gardant bien mon pieu dans son vagin de toute douceur.

– Ouvre les yeux, dit-elle avant de me gifler.

Les vibrations reprirent, et j'eus carrément l'impression que la pièce était montée sur roulettes. Mais à présent, Celia me besognait plus vite et rien d'autre ne comptait plus.

Quand je voulus remuer la tête, les bras de Sisypha m'en empêchèrent.

– Tu es coincé, bébé, dit Celia. Sissy te maintient au sol et moi je te saute. Tu ne peux pas te sauver. Tu dois rester immobile.

Je me mis à remuer du bassin.

– C'est bien, approuva-t-elle. C'est ça, mets le paquet, papa. Tu ne peux rien faire d'autre.

Alors, je perdis le contrôle et la tringlai comme un dément, malgré la douleur que la boxe avait semée dans tout mon corps.

– Tu veux jouir où, bébé ? Dans mon cul, sur mon visage ? Tu veux que je boive ton foutre comme tu as bu mon lait ?

Elle me regardait dans le blanc des yeux, ses paroles entrecoupées par mes vigoureux coups de reins. Son visage était tendre, affectueux. Je souhaitais lui répondre, mais aucun mot ne me venait.

Sisypha lâcha ma tête pour me pincer les tétons.

– Vas-y, dit-elle. Éjacule pour Celia.

Alors, j'agrippai la taille incroyablement fine de Celia, pour m'y emplafonner aussi profond que possible.

– C'est bien, bébé, dit-elle en serrant les dents. Donne-moi tout. Tout, et maintenant.

Je n'ai pas senti l'éjaculation, mais je sais qu'elle était forte et abondante.

Les applaudissements ne m'ont pas surpris – je me suis juste demandé de quoi il s'agissait. Considérant la grande salle, je m'aperçus que la petite plate-forme rouge avait été transférée dans l'une des encoignures situées à l'entrée du club. Dix ou douze personnes avaient suivi nos ébats. L'une d'elles, vers le fond, était la femme âgée du restau. Elle nous fixait d'un air avide, et son désir patent raviva le mien.

– Encule-le, Célia, dit Sisypha. Il peut encore jouir.

Celia s'agenouilla devant moi, écarta mes genoux avec ses épaules. Sitôt sa langue dans mon rectum, je me remis à bander.

– File-moi la vaseline, Sisypha.

L'instant d'après, Celia me travaillait avec ses doigts.

Je voulus me relever, mais Sisypha me fit une cravate. Puis Celia me suça la pine tout en me massant le fondement.

– Oh, bébé... Tu avais raison, chérie. Ça bouillonne sévère là-dedans. Sans déconner, il va exploser !

Alors je déchargeai de plus belle, cependant que Sisypha me tenait la mâchoire et que Celia perdait son lait sur mes couilles.

– Ouais, vas-y, disait Celia.

Le public applaudissait et murmurait.

Soudain j'ai cru que j'allais perdre conscience. Je me sentais tout étourdi. La pièce gronda de plus belle, et nous revînmes à l'endroit où nous avions commencé.

Celia se baissa pour m'embrasser sur la bouche.

– T'es chou, dit-elle.

– Ton baiser, répondis-je.

– Eh bien quoi ?

– Je sais pas. Je sais rien.

– Oh mon bébé, dit-elle avant d'étendre ses quarante-cinq kilos sur mon corps.

Je fermai les yeux et soupirai.

– C'est ton homme, Sissy ? demanda-t-elle à ma guide.

– Je ne sais pas encore, répondit Sisypha.

– Parce que sinon je veux bien son numéro, sans déconner.

Je me suis rhabillé dans le brouillard. Celia me salua d'un baiser, laissant à Sisypha le soin de m'épauler.

– J'ai l'impression d'avoir la tête bourrée de coton...

– C'est le début de la quatrième phase. D'ici une heure, tu auras perdu conscience.

– Je te dois des excuses ? demandai-je.

– À propos de quoi ?

– Pour la façon dont je me suis perdu dans son amour.

Je parlais comme une mauvaise chanson des années 1970.

– Tu tiens à Celia ? demanda-t-elle.

– J'ai bu son lait.

– Et ça t'a fait quoi ?

– C'était comme la mère que je n'ai jamais eue, répondis-je spontanément.

Sisypha avait remis sa robe rouge. Elle tira sur mes avant-bras pour qu'on s'agenouille en vis-à-vis.

– Il nous reste peu de temps, déclara-t-elle. Alors, écoute bien et dis-moi si tu es d'accord.

– D'accord pour quoi ?

– Ça concerne ta copine.

– Je t'écoute.

– Mon frère m'a violée quand j'avais onze ans. Il était censé me protéger et il ne l'a pas fait. Mais toi, quand tu m'as parlé de Joelle, j'ai bien vu que tu la protégeais, même si elle t'avait fait très mal.

Je sentais la drogue m'engloutir. Ces paroles me touchèrent malgré tout.

– Je suis vraiment navré. Pour ton frère, je veux dire.

– Ça n'a plus d'importance. À mes yeux, il est mort. Lui comme les autres. Je considère que je n'ai plus aucune famille. Mais bref, quand on a discuté tout à l'heure dans la rue, je me suis dit que tu pourrais faire quelque chose pour moi, et réciproquement.

– Et que pourrais-je apporter à un être comme toi ? Je ne suis rien du tout.

– C'est faux, dit-elle en secouant la tête. Quand Stan a voulu m'emmener, tu t'y es opposé. Tu lui as tenu tête, alors que tu voyais bien qu'il pouvait te botter le cul.

– C'était la drogue, ça.

– Pas seulement. Ce que je veux savoir, Cordell, c'est si tu accepterais d'être mon frère.

Elle me dévisageait. Aucune fibre de mon être ne pouvait échapper à ce regard.

– Qu'entends-tu par là ?

– Tu m'aimeras, tu me protégeras, tu m'appelleras le jour de mon anniversaire. Tu me sortiras du ruisseau si tu vois que j'y tombe, et jamais, jamais nous ne coucherons ensemble.

– D'accord, dis-je en hochant la tête.

– Tu comprends ce que je te raconte ?

– Absolument... sœurette.

Alors elle m'a pris dans ses bras et je me suis demandé comment une telle scène était possible. En même temps, je savais que sa proposition répondait à une attente ancrée en moi depuis toujours. D'une certaine manière, j'avais été privé d'amour. J'avais eu du sexe. J'avais eu des amis, des amants et des gens qui se prétendaient tels. Mais je n'avais jamais eu de sœur qui souhaite m'avoir pour frère. Ni de femme qui veuille faire mon bonheur.

– Est-ce que ça signifie que tu m'aimes ? glissai-je.

– L'amour, ça ne veut rien dire, Cordell. Je serai comme un arbre dans ton jardin. Comme un vieux pull qu'on ressort à chaque automne. Je serai toujours là, et toi aussi.

La fatigue me gagnait de toute part. J'aurais voulu rester ici en compagnie de Brenda Landfall, alias Sisypha Seaman, mais je tenais à peine debout.

Son dernier geste fut d'embrasser ma main blessée, avant de me guider vers la sortie.

Wan me reconduisit chez moi. Au sortir de la limousine blanche, il me tendit un sac en papier :

– Ceci vous appartient.

Je me traînai jusqu'à mon immeuble, puis dans les escaliers. Je ne me souviens pas d'avoir manié mes clés, mais il a bien fallu que je le fasse. Je ne me rappelle pas non plus m'être mis au lit, mais c'est pourtant là que je me suis réveillé, entièrement habillé.

Dans mon sommeil j'avais entendu brailler un téléviseur. Des gens se battaient, les portes claquaient. Les flics et les méchants se tiraient dessus. Mais quand je rouvris les yeux, je pensais juste à Sisypha et à sa déclaration d'amour fraternel.

Était-elle vraiment sincère ? Et si oui, quel était le sens de notre nouvelle relation ? Et pourquoi étais-je réveillé, d'abord ? Il était encore tôt, et je n'étais pas rentré avant 5 heures du matin.

Je me sentais très détendu – pas le moindre début de gueule de bois.

Ma vie avait changé du tout au tout.

Je n'avais plus besoin de tuer Johnny Fry. Je n'en voulais pas à Jo de chercher le salut dans ses bras. C'était plus fort qu'elle, quoi qu'en dise Cynthia.

L'essentiel, c'est que j'avais enfin reçu l'amour dont je manquais. Car l'amour de Celia était assez fort pour durer et me porter – je le ressentais ainsi. J'ignorais si ma mère m'avait nourri au sein, mais je savais que ma trajectoire n'était pas celle d'un enfant choyé. Or Celia venait d'y remédier.

Elle avait même demandé à Sisypha si j'étais libre. Cela faisait peut-être partie du numéro, mais c'est un numéro qu'on ne m'avait encore jamais fait.

J'entendis frapper.

Il me sembla que ce n'étaient pas les premiers coups. C'était peut-être cela qui m'avait réveillé.

N'ayant pas à me couvrir les fesses, je gagnai sans attendre l'entrée de l'appartement. J'avisai dans un coin le sachet remis par Wan.

– Qui est là ?

– Police.

Avaient-ils eu vent de mon combat contre Stan Stillman ? Mais en quoi était-ce un délit ?

J'ouvris la porte à cinq types. Deux en civil, trois en uniforme.

– Cordell Carmel ? demanda celui au costume gris.

– Oui.

Il brandit un portefeuille contenant un badge et une carte. Je hochai la tête, comme si j'y connaissais quoi que soit.

– Quel est le problème, inspecteur ?

– Avez-vous remarqué du bruit cette nuit ?

Il était grand et large d'épaules, légèrement ventru.

– Non, monsieur. Mais je ne suis rentré que vers 4 heures du matin.

– Et vous n'avez rien entendu ?

– Non.

Un ange passa. Je savais que les flics attendaient quelque chose de moi, que leur silence visait à me déstabiliser. Mais j'ignorais de quoi je devais m'inquiéter.

– Votre voisine du dessus a été tuée ce matin, entre 5 et 6 heures.

– Martine est morte ?

– Sasha Bennett, corrigea l'inspecteur.

Je notai qu'il s'était coupé en se rasant, et qu'il sentait l'after-shave.

– Sasha ? Que lui est-il arrivé ?

– Lui avez-vous parlé dans la nuit ?

– Non.

– Quand lui avez-vous parlé pour la dernière fois ?

– C'était un soir, il y a deux ou trois jours.

– Et de quoi avez-vous discuté ?

– Il était tard. Je suis monté chez elle et j'y ai passé la nuit.

– C'était votre petite amie ?

– Non. Pas du tout. On ne l'a fait qu'une seule fois. J'envisageais de quitter ma copine, et Sasha m'avait dit que je pouvais passer quand je voulais.

– Et cette nuit, vous êtes monté ?

– Non.

– Et vous lui avez parlé ?

Il me revint à l'esprit que j'étais un Noir en Amérique. Tous ces flics étaient blancs, Sasha Bennett était blanche. Deux jours plus tôt j'étais monté là-haut pour sauter une femme blanche, et maintenant qu'elle était morte les flics s'intéressaient à moi.

– Non, répondis-je. Je ne lui ai pas adressé la parole depuis cette nuit qu'on a passée ensemble.

– Pouvons-nous entrer ?

– Pour quoi faire ?

– Pour jeter un œil.

L'inspecteur avait des cheveux poivre et sel, et au moins dix ans de plus que moi. Il essayait de la jouer relax.

– Dites-moi ce que vous cherchez, et j'étudierai la question.

– Nous n'aurons aucun mal à obtenir un mandat, dit-il.

– Parfait, dit-je en commençant à refermer.

– On veut juste voir la fenêtre qui donne sur l'escalier de secours, lâcha-t-il en hâte.

– Alors vous n'entrerez qu'à deux.

Il ouvrit des mains implorantes :

– Allons, vous n'allez pas laisser mes gars poireauter sur le palier...

– Je vous dis que je ne veux pas plus de deux flics chez moi.

Pour finir, le type entra avec un jeune en uniforme. Ils se rendirent devant la fenêtre en question. J'aurais pu leur dire moi-même qu'elle était condamnée par la peinture. L'inspecteur l'examina de près, avant de chercher quelque chose sur l'escalier – je ne sais quoi au juste.

– Sasha est morte, ainsi qu'un jeune homme blanc, précisa-t-il.

– Un Blanc, vous dites ? Avec des lèvres charnues ?

– C'est ça. Vous le connaissez ?

– Il doit s'agir de son frère. Il est venu lui rendre visite la semaine dernière, mais elle m'a dit qu'il était rentré en Californie.

– Voyez-vous la moindre raison qui aurait pu le pousser à la tuer ?

– Aucune, a priori.

La mort de Sasha perdit subitement son caractère abstrait, et je courus aux toilettes pour vomir les restes de travers de porc de la veille.

Les policiers se plantèrent derrière moi pendant que je me rinçais la figure.

– Quand l'avez-vous vue pour la dernière fois ?

– Il y a deux jours, peut-être trois. Je ne sais plus bien.

– Lui avez-vous parlé cette nuit ?

Je me retournai. Mon estomac se serra et je faillis rendre à nouveau. Les deux gars se reculèrent par réflexe.

Peu après, ils étaient partis.

Je dus attendre le lendemain pour connaître le fin mot de l'histoire. Dans la nuit, Martine avait entendu des bruits de dispute, suivis d'un claquement semblable à celui d'une arme à feu. Elle se fit du mouron pendant un bon moment, avant de décider d'aller frapper là-haut. N'obtenant aucune réponse, elle appela la police. Celle-ci défonça la porte et trouva le corps de Sasha, tuée à bout portant par un calibre 22. Le meurtrier, un certain Enoch Bennett, était son frère. Il s'était manifestement tiré une balle dans la tête après avoir abattu Sasha. La théorie du meurtre-suicide ne faisait aucun doute pour la police, puisque la chaînette de sécurité était restée sur la porte.

Les flics repartis, j'attrapai le téléphone. Je composai machinalement le numéro de Joelle, qui décrocha dès la première sonnerie.

– Je savais que tu rappellerais tout de suite, fit-elle d'une voix enjouée.

– Tout de suite ? Ça fait au moins dix heures ! Désolé de t'avoir plantée hier soir, mais la nuit a été longue.

– Ah ! salut, L. Je discutais avec... avec Augusta. Elle me parlait d'un truc, puis elle a dit qu'elle devait raccrocher et...

– Tu te souviens que je t'avais parlé d'une nana qui habitait au-dessus de chez moi ?

– Celle qui couche avec son frère ?

– C'est ça. Eh bien, il est revenu hier soir et il l'a tuée. C'est ce que j'ai compris, en tout cas.

– Oh mon Dieu !

Le ton de sa voix me rappela la femme qui s'exhibait au Wilding Club, ce qui me fit de nouveau penser à la mère de Sasha. Pauvre gamine...

– Mais que s'est-il passé ?

– Elle est morte. Lui aussi, je crois.

– C'est horrible !

– À qui le dis-tu ! Mais j'ai une question à te poser, chérie.

– Bon sang, c'est vraiment affreux pour ta voisine. Que voulais-tu me demander, L ?

– Est-ce que tu comptais, un jour ou l'autre, me parler de toi et de Johnny Fry ?

Il y eut un blanc d'une minute, peut-être plus, après quoi elle raccrocha.

Je reposai le téléphone et m'enfonçai dans le canapé pour envisager le reste de ma vie. J'avais le choix parmi plusieurs femmes : Linda Chou, Monica Wells, Lucy Carmichael. J'avais un nouveau métier, celui d'agent. Et je devais m'investir dans ce projet africain. J'avais lancé un programme caritatif par égoïsme et par cynisme, mais j'étais convaincu de pouvoir changer. J'avais la force de pardonner. Et si j'étais capable de pardonner à Joelle, pourquoi pas à moi-même ?

Je retournai dans l'entrée pour reprendre le sac en papier. J'y trouvai mon pistolet volé et la boîte de munitions, ainsi qu'une enveloppe rose parfumée au patchouli. Elle renfermait une capsule rouge et une fiche de répertoire où était griffonné ceci :

Cher frère,

Frère. Quel bonheur d'employer ce mot ! Pendant des années j'ai voulu écrire à Man (c'est le nom de mon ancien frangin), mais je n'en ai jamais trouvé le courage. Il voulait s'excuser de ce qu'il m'avait infligé, mais même si j'avais de la peine pour lui, je ne pouvais plus lui faire confiance. Et sans confiance, il n'y a pas de famille qui tienne.

Mes copines me conseillaient de prévenir la police, mais jamais je n'aurais pu le dénoncer. Quoi qu'il en soit, tout cela n'a plus d'importance, car en l'espace d'une nuit, après toutes ces années de quête, tu es devenu mon frère et je suis devenue ta sœur. Et nous allons veiller l'un sur l'autre.

J'ai appelé Cynthia pour la remercier de ta part. Elle a dit qu'elle savait qu'on s'entendrait. C'est vraiment une femme merveilleuse. Un jour, quand tu viendras séjourner chez moi à Santa Barbara, nous lui rendrons visite, à elle et son amie.

Évite de perdre la boule à cause d'une femme infidèle, Cordell. N'essaie pas de régler tes problèmes avec ce flingue. Pardonne-lui. Comprends-la. Fais-lui comprendre qu'elle t'a blessé...

J'ai noté au dos de cette carte tous mes numéros, ainsi que ceux de mon personnel. Appelle-moi bientôt. Appelle-moi sœurette. *Et souviens-toi que je t'aimerai toujours, même quand tous les autres seront aux abonnés absents.*

Ta sœur, S.

PS : La capsule ci-jointe est un échantillon d'une des drogues de synthèse que j'utilise. Celle-ci est très utile pour cogiter sur un problème épineux. Mais ne l'utilise que si tu as le temps d'examiner tous les tenants et les aboutissants.

Je méditais sur le pardon lorsque le téléphone sonna.

– Allô ?

– Ça fait longtemps que tu es au courant ?

– Tu te souviens du jour où tu as retrouvé ta porte ouverte, et que tu m'as demandé si j'étais passé ?

J'attendis une réponse qui ne vint pas.

– Je suis entré et je t'ai surprise au salon avec lui. Tu étais perchée sur le canapé.

– Tu as regardé si longtemps que ça ?

– Sur le moment j'étais tétanisé, en état de choc. Puis, en repartant, je t'ai entendue crier, et j'ai cru qu'il t'était arrivé quelque chose.

– Oh non ! soupira-t-elle. Mais pourquoi tu ne m'as rien dit ? Pourquoi tu n'es pas intervenu ?

– J'étais incapable de réfléchir. Je m'étais introduit chez toi pour la seule raison que tu étais censée te trouver dans le New Jersey et que j'avais besoin d'aller aux toilettes. Puis je suis tombé sur toi et Johnny. Je n'étais pas chez moi. Mais je ne me suis même pas dit ça. J'avais juste envie de foutre le camp.

– Alors, quand on a croisé Johnny au musée, tu étais déjà au courant ?

– Eh ouais !

J'étais en train de me dire que Sisypha, ma sœur adoptive, était sans doute un peu barjo. Elle vivait dans l'ombre de notre société, selon ses propres lois, ses propres règles de conduite.

– Je m'en veux, L. Je n'ai jamais voulu te faire de mal.

– Je sais.

– En tout cas, j'ai toujours exigé qu'il mette une capote. Et je lui ai fait passer le test du VIH.

Mais barjo ou pas, Sisypha était plus proche de moi que Joelle ne l'avait jamais été. Joelle et moi étions comme deux pierres ayant atterri côte à côte après un éboulement de terrain. Nous vivions dans le même milieu, mais ça s'arrêtait là.

Ce qui m'avait poussé vers Sisypha, c'était une force aussi puissante que l'attraction des planètes.

– L ?

Jo était en train de me parler.

– Ouais ?

– Je t'ai demandé ce que tu comptais faire à présent.

– Et que veux-tu que je fasse, Jo ?

– J'ai rompu avec John l'après-midi même, juste après ce déjeuner au musée.

– À cause de Bettye ?

Le temps d'un nouveau silence, je songeai que Sisypha allait m'en faire voir de toutes les couleurs. Je devrais me montrer large d'esprit dans un monde qui me terrorisait. Prendre de la drogue et me convertir à la violence. Accepter de remettre sans cesse ma sexualité en question...

– À cause de toi, finit par répondre Joelle. Parce que c'est avec toi que j'ai envie d'être.

– Et qu'est-ce que tu lui trouvais ? Comprends bien que j'ai dépassé le stade de la colère, Jo. Si je te demande tes raisons, ce n'est pas pour m'en servir contre toi, mais parce que j'estime qu'on se doit la vérité.

– Tu vas me quitter, L ?

– Je ne sais pas ce qu'on va décider. Pendant huit ans tu as été ma seule amie, ma seule famille. Ma mère ne me reconnaît plus, mes frères et sœurs n'ont aucune affection pour moi... Tu étais ma seule amie. Et pourtant, durant toutes ces années, je te connaissais à peine. Tu as gardé le secret sur l'événement le plus marquant de ta vie. Oh ! je ne te reproche pas ton silence – tu n'as aucun devoir envers moi. Mais cela montre simplement la vacuité de notre relation.

– Toi aussi, tu dois bien avoir des secrets, se défendit Jo. Tu aurais pu avoir des maîtresses.

– Exact. Bien sûr que j'ai des secrets. Mais pas de cet ordre. Mon grand secret, c'est que j'étais totalement aveugle face au vide de mon existence. Je vivais dans un trou en pensant que c'était ma place. Mais cette vérité, c'est d'abord à moi qu'elle échappait.

– Tu n'as rien à te reprocher, Cordell. C'est moi qui ai merdé.

– C'est vrai, tu as merdé. Mais il n'empêche que j'ai mes torts, moi aussi. Si je n'ai pas osé faire un scandale, c'est parce que sans toi je n'avais plus rien. Juste le vide et la solitude.

– C'était donc ça, tout ce sexe débridé ?

– Absolument. Et tu n'as pas été la seule à en profiter. Depuis ce jour où je vous ai surpris ensemble, j'ai couché avec trois femmes, sans compter une séance par téléphone.

– Qui ça ?

– Ce n'est pas important. L'important, c'est que je te dis la vérité alors que tu continues à me mentir.

Joelle s'exprimait par silences. Sa vie entière était une partition mutique. Chaque fois que j'approchais de la vérité, elle se taisait. J'avais mal pour elle, en même temps que je constatais que chaque nouveau blanc ramenait mon esprit vers Sisypha.

Mon plus précieux trésor était son désir d'être ma sœur – j'entends par là ce vœu qu'elle avait prononcé. Je sentais que cela ouvrait une porte en moi. Rien ne garantissait qu'on allait se revoir, mais c'était l'offre qui comptait. La parole, plus que le geste.

– De quel mensonge parles-tu ? demanda Jo.

– D'un mensonge par omission. Tu as rompu avec Johnny Fry, d'accord, mais tu lui as reparlé depuis. Je me trompe ?

Un silence.

– Tu pensais réellement tomber sur ta sœur en décrochant ? Et tu n'as rappelé personne avant de me rappeler moi ?

– Pitié, L... (J'entendais les sanglots derrière ses mots.) Je ne peux pas tout cracher d'un coup.

– Eh bien rappelle-moi quand tu seras prête à le faire.

– Ne raccroche pas !

– Tu n'obtiendras rien en me mentant, Jo. Tu ne réussiras qu'à détruire le peu que nous avons.

– Je ne te mentirai plus.

– Alors, réponds à mes questions !

– Je... je ne peux pas. Je ne peux pas te dire ce genre de choses. Tout ce que je peux dire, c'est que tu es le centre de mon existence. Sans toi, je quitte mon orbite, je m'écrase et je meurs. Ta présence dans ma vie, c'est ce qui me permet de garder le cap.

À mon tour d'être muet. Je savais que Joelle cherchait à s'extirper de cette nasse sexuelle. Et je savais que ce pouvait être une question de vie ou de mort. Mais à cet instant, mes pensées étaient accaparées par Celia : Celia et son lait ruisselant sur mon visage, Celia se tordant d'aise en me voyant lécher son lait sous ses seins.

J'avais toujours eu peur de découvrir mes vrais désirs. C'était tellement plus facile de s'unir à une femme comme Joelle, qui verrouillait ses émotions à double tour, cachait des secrets vertigineux, mais ne se demandait jamais où j'en étais, moi, avec le monde.

– Je ne veux pas que tu meures, Jo. Mais si tu ne peux même pas m'avouer que tu as besoin de certaine chose que je ne suis pas en mesure de t'apporter, comment veux-tu qu'on parle ?

– Rien ne te permet de dire ça !

– Ah non ? Alors, peux-tu me jurer que tu ne viens pas d'appeler Johnny ? Que tu ne le verras plus ? Que tu n'as pas besoin de lui ?

Ce coup-ci elle ne mit qu'une trentaine de secondes avant de répondre. Dans l'intervalle, je me demandai comment ce serait de sortir avec Celia – de savoir qu'elle s'envoyait des tas d'autres mecs, sans doute aussi des nanas, mais qu'en définitive elle reviendrait toujours vers moi. Était-ce si différent de ma situation avec Joelle et Johnny ?

– Je ne peux pas te le dire, déclara Jo, mais je peux te le montrer.

– Je ne comprends pas.

– Viens ici et je te montrerai ce que je ressens.

– Tu sais, je vais être assez occupé pendant quelques jours.

– Avec tes nouvelles copines, dit-elle d'un ton narquois que j'estimai immérité.

– Non. J'ai juste des gens à rencontrer – ah oui, au fait, j'ai laissé tomber les traductions. Maintenant, je suis l'agent d'une photographe. Je viens de lui décrocher un contrat dans une galerie du centre. C'est ça qui va m'occuper.

– Tu as lâché la traduction ? Mais quand ?

– Le jour où je vous ai surpris.

– Et comment tu vas payer tes factures ?

– Je ferai de mon mieux. Écoute, je viendrai te voir dans trois jours. L'après-midi. Si d'ici là tu as envie de me parler, n'hésite pas à m'appeler.

Il était presque midi lorsque je suis ressorti de mon immeuble. J'ignore s'ils m'attendaient, ou s'ils arrivaient seulement.

– Cordell Carmel.

L'inspecteur que j'avais reçu là-haut était flanqué de deux agents en tenue. L'un d'eux était noir.

– Oui ?

– On vous emmène au poste pour bavarder.

– Quel est votre nom ? demandai-je, tandis que le Noir me menottait.

– Inspecteur Jurgens, dit-il d'un ton courtois.

Quand le troisième policier se mit à me fouiller, je me félicitai d'avoir laissé le flingue là-haut.

Ils m'enfermèrent dans une pièce imprégnée d'une drôle d'odeur. Un mélange de plusieurs choses, un parfum chimique et âcre, sur fond de vomi et de sueur, le tout enrobé d'une note de vanille. C'était cette touche sucrée qui viciait l'air. Ça sentait le camouflage, la volonté de cacher la vérité des lieux.

Un espace étriqué entre des murs aveugles. À ce stade ils m'avaient même attaché les chevilles. J'étais assis sur une chaise, derrière une table où trônait un gros téléphone noir. Jurgens m'avait lu le couplet sur mes droits, avant de me laisser seul.

Mais je n'avais pas peur. J'étais familier des cachots.

Combien de fois avais-je visité mon père en prison... La plupart du temps, il se retrouvait là-bas pour conduite en état d'ivresse ou voies de fait. C'était un homme brutal, et néanmoins ma mère le vénérait comme un dieu vivant. Quand il était à la maison, elle pouvait à peine détacher ses yeux de lui. Et lorsqu'il était absent, elle prenait sa place dans le fauteuil bordeaux, près du téléphone, pour guetter de ses nouvelles. Voilà pourquoi je fus soufflé d'apprendre qu'ils n'étaient pas mariés.

Mon père n'était jamais aussi affectueux que derrière les barreaux. Il me souriait, me faisait raconter ma journée. Il s'excusait de m'infliger tout ça et il me demandait pardon.

Une fois, alors qu'il purgeait une peine de trente jours, il m'avait dit que j'étais un garçon brillant et qu'il voulait m'envoyer à l'université. Non pas à la fac, mais à « l'université ». Je n'avais alors que neuf ans, mais de ce jour je devins un élève studieux, et sitôt que je fus admis à Berkeley, je courus lui rendre visite à la prison de Soledad, où il tirait douze ans pour homicide involontaire.

– Qu'est-ce que j'en ai à battre, de ces histoires d'école ? réagit-il. Tu m'as ramené mes cigarettes ?

J'avais bûché toutes ces années dans l'espoir de le

rendre fier, pour finalement m'apercevoir que ses vœux de réussite n'avaient duré que le temps d'une phrase.

Telle était ma vie, ruminai-je dans l'exiguïté de cette salle d'interrogatoire. Des décennies de ténèbres insoupçonnées, jalonnées d'éclairs fugaces.

Au bout d'un temps qui me parut excessivement long, l'inspecteur Jurgens reparut en compagnie du sergent Jorge Mannes, un type svelte et propre sur lui. Au cours des trente minutes que dura l'entretien, Mannes trouva sept peluches sur son costume sombre, qu'il déposa au fur et à mesure dans la corbeille derrière lui.

Les premiers mots de Jurgens furent :

– Avez-vous quelque chose à voir avec la mort de Sasha Bennett ?

– Non, répondis-je.

Mannes sourit. Il avait le teint brun roux et une moustache effilée comme un rasoir.

– Connaissiez-vous son frère ?

– Vendredi dernier, Sasha et moi l'avons aidé à remonter au quatrième. Il était soûl et elle ne pouvait pas le porter toute seule.

– A-t-il dit quoi que ce soit ?

– Il disait qu'il aimait sa sœur.

Et moi j'aimais mon père, pensai-je dans la foulée. J'aurais pris sa place à Soledad si j'avais pu. J'aurais pris ce cancer qui l'a tué, sans la moindre hésitation...

– Vous l'avez revu, après ça ? demanda Mannes.

– Plus tard dans la nuit, il est descendu chez moi. Vers 2 heures du matin, je dirais.

– Dans quel but ? demanda Jurgens.

On aurait dit que l'inspecteur voulait empêcher Mannes de parler.

– Il était ivre, encore plus que précédemment. Il était tout chamboulé.

– À propos de quoi ? plaça Mannes pour ne pas rester sur la touche.

J'hésitai un instant. Même si je ne devais rien à Sasha, je ne voulais pas donner d'elle l'image d'un monstre. Elle avait eu la vie dure, comme moi, comme Joelle et comme Sisypha. Elle ne méritait pas l'opprobre.

– Alors ? pressa Jurgens.

– Il couchait avec sa sœur. Visiblement, cela durait depuis qu'ils étaient gamins, et il n'arrivait pas à y mettre un terme.

– Sauf avec un pistolet, dit Mannes d'un air caustique.

Puis Jurgens lâcha :

– Si on fouille sa chatte, c'est vous ou lui qu'on va trouver ?

Je voulus lui sauter à la gorge, mais c'était impossible. Je ne pouvais même pas renverser ma chaise.

– Peut-être les deux, sourit Mannes.

Ils se relevèrent en même temps. De la porte, Jurgens me lança :

– Vous allez rester ici jusqu'à ce qu'on en sache un peu plus.

– Je peux passer un coup de fil ?

Tandis que Jurgens s'éclipsait, Mannes revint m'ôter les menottes.

– Ne vous inquiétez pas, glissa-t-il à mi-voix. Mon collègue cherche juste à étoffer son rapport. Si vous étiez blanc, il vous aurait fichu la paix. (En repartant, il ajouta :) Vous n'avez droit qu'aux numéros locaux ou gratuits.

Il referma la porte, me laissant seul dans la lumière crue de la pièce miteuse.

Mes mains semblaient enflées, mais elles étaient juste engourdies. Leur réveil lança des aiguilles dans mes doigts, et je fermai les poings pour mieux les savourer.

La douleur était mon amie. Elle me rappelait que j'étais vivant. Elle venait à mon chevet lorsque personne, ni mère, ni père, ni prêtre n'y était disposé. C'était la douleur qui me faisait aimer Sisypha, et qui m'empêcherait toujours de l'étreindre.

Plutôt que d'appeler le numéro « local » de Jo, je composai celui de Cynthia, suivi des lettres de son prénom.

– Allô ?

– Salut, soupirai-je.

– Comment allez-vous, L ? Brenda m'a dit que vous étiez devenu très proches...

– Je suis en taule.

– Pour quelle raison ?

– Il y a eu un meurtre dans mon immeuble. Un meurtre-suicide, je crois bien, mais il se trouve que j'ai couché avec la victime quelques nuits plus tôt, le soir où vous m'avez dit que je devais aller au bout de mes désirs.

– Un mari et une femme ?

– Un frère et une sœur.

– Je vois. Et que puis-je faire pour vous ?

– Sisypha m'a laissé toutes ses coordonnées, mais je ne les ai pas sur moi. Pourriez-vous l'appeler pour lui dire où je me trouve ?

– Bien sûr, Cordell. Autre chose ?

– J'ai dit à Joelle que j'étais au courant pour Johnny Fry.

– Et ça a donné quoi ?

– Je n'en sais rien. Le plus important, à mon avis,

c'est plutôt le fait que je me sois jeté à l'eau. Je la sens complètement ravagée par cette histoire. On a prévu d'en reparler d'ici quelques jours. Enfin, si j'arrive à sortir d'ici...

– Dites-moi précisément où vous êtes.

Je la renseignai du mieux possible.

– J'appelle tout de suite Brenda.

En raccrochant, je notai que Cynthia n'avait pas demandé si j'étais coupable, et cette omission prit dans ma tête une consistance presque physique – celle d'une boussole, ou d'un phare. Pour Joelle, il existait une chose plus forte que l'amour – une chose qui me laissait sur le carreau. Pour Cynthia, il existait une chose plus forte que l'innocence, et cette chose c'était moi.

Environ une heure plus tard, la porte se rouvrit et trois types entrèrent. Jurgens avait une petite mine. Il était accompagné d'un officier en uniforme bardé de médailles et de boutons clinquants. À côté du gradé se tenait un petit homme rondouillard en costume lavande.

– Monsieur Carmel ? demanda ce dernier.

– Lui-même.

– Est-ce que tout va bien ?

– Je pense que oui. Mais j'ai les pieds engourdis à cause des chaînes.

– Vous lui avez mis les fers ? demanda-t-il au gradé.

– Détachez-le, Mike, ordonna le chef.

Voir le grand Jurgens se débattre avec sa bedaine pour libérer mes pieds fut un spectacle réjouissant, mais je m'abstins de rire.

– Mon nom est Dollar, monsieur Carmel. Holland Dollar. Je suis chargé de vous sortir d'ici. Souhaitez-vous porter plainte pour arrestation arbitraire ?

Jurgens et son supérieur durent penser que je soupesais la question, mais je me disais simplement que Sisypha n'avait pas lésiné sur les moyens pour me faire relâcher. Cet avocat aux airs de dandy avait mis Jurgens à genoux, dans tous les sens du terme. Il était arrivé en un temps record et avait pu me rencontrer sans délai. Je me souvenais d'un temps où il me fallait trois jours rien que pour obtenir une autorisation de visite à mon père.

– Je suis le capitaine Haldeman, dit le gars en uniforme. Je vous présente mes excuses pour tous ces désagréments, monsieur Carmel.

Monsieur Carmel.

Sasha et son frère étaient morts. La police se servait de moi pour montrer qu'elle prenait l'affaire au sérieux. J'avais été enchaîné et arrêté, mais cet embêtement mineur m'avait permis de vérifier que Sisypha veillait sur moi.

Et pourquoi le faisait-elle ?

– Souhaitez-vous porter plainte ? répéta Dollar.

– Non, monsieur, je ne le souhaite pas. Ceux qui ont vraiment souffert, ce sont ma voisine et son frère. Leurs parents devront vivre avec ce poids sur la conscience. Si on me laisse partir tout de suite, je considérerai que l'incident est clos.

– Une voiture vous attend en bas.

Après avoir récupéré mes affaires, je me retrouvai avec Holland Dollar devant l'entrée principale du commissariat. Il me remit une petite carte de couleur vert jaune.

– Au moindre souci, n'hésitez pas à m'appeler. Quels que soient le moment et l'endroit. Ce numéro fonctionne vingt-quatre heures sur vingt-quatre.

– Merci, monsieur Dollar.
– N'hésitez pas, insista-t-il avant de disparaître.

Une fois de plus, Wan me déposa devant mon immeuble. Je descendis sans lui laisser le temps d'ouvrir ma portière.
– Au revoir, monsieur Cordell.
– Excusez-moi, Wan, mais je peux vous poser une question ?
– Bien sûr.
– Vous travaillez pour un service de location ?
– Non, monsieur. Je suis employé par la société de Mlle Landfall.
Wan me laissa seul avec mes interrogations sur cette femme à la fois actrice, réalisatrice et nabab de la Toile. Il ne faisait aucun doute qu'elle était millionnaire.
De retour dans mes pénates, je réservai une table de restau avant de passer sous la douche. Dans la douche en plastique moulé où je me lavais depuis dix ans, je me mis soudain à bander. Je n'avais jamais été aussi dur. Mes couilles se resserraient à la base du mât, qui frémissait sous les gouttes d'eau.
J'avais envie de me branler, mais je me suis retenu. Pas pour m'économiser en vue d'une prochaine partie de jambes en l'air, mais juste pour savourer l'excitation. Je pensais à Celia, à Lucy, et à cette pauvre Sasha. Toutes étaient présentes avec moi sous cette douche.
Pas un instant je n'ai pensé à Joelle.

Quand je suis arrivé devant le petit bistro italien, Monica était déjà là, assise en terrasse à ma table préférée. Elle portait une robe blanche à gros pois noirs qui lui donnait l'allure d'un mannequin français des années 1950. La longue jupe s'évasait et le corsage serrait la taille. Je remarquai aussi ses talons aiguilles blancs.

– Je suis en retard ? demandai-je en m'asseyant face à elle.

– J'ai fini le boulot à 17 heures. Je suis en avance, c'est tout. Je leur ai demandé si vous aviez réservé, et ils m'ont installée ici avec un verre de vin.

Elle caressa le bord du verre en question. Je posai mon doigt sur le sien.

– Je suis désolé, Monica. Si j'avais su, j'aurais réservé plus tôt.

– Je préférais venir en avance. Je me disais que vous alliez oublier ou me poser un lapin.

– Mais pourquoi ?

– Je pensais que c'était juste pour draguer, pour voir si la pauvre petite Noire du métro accepterait de sortir avec vous. Mais comme votre nom était bien inscrit dans leur cahier, j'ai su que c'était pas du flan, alors je me suis assise et j'ai potassé mon manuel de français.

Elle toucha mes phalanges. Le serveur nous apporta la carte.

– Ben merde, s'écria Monica. C'est cher !

– La cuisine est délicieuse, et c'est moi qui invite.

– Mais c'est quoi, ça ? fit-elle en indiquant la colonne des spécialités. Ça coûte 100 dollars...

– C'est un plat de spaghettis.

– À 100 dollars ?

– Avec de véritables truffes françaises. Ces petites choses valent une fortune.

– Et c'est bon ?

– Si vous voulez, on peut s'en partager une assiette avant les hors-d'œuvre.

Monica fut conquise par les truffes : elle mangea les trois quarts du plat. Elle avait toujours su qu'il existait une bonne raison d'apprendre le français, et maintenant qu'elle avait goûté à la gastronomie française, elle connaissait cette raison.

Après le dîner, nous sommes allés au cinéma sur la 6e Avenue. Je ne me souviens pas de quoi parlait le film, car nous nous sommes bécotés sitôt les lumières éteintes. De longs baisers passionnés, affamés. Je ne sais si c'était mon ardeur ou celle de Monica, mais quand j'embrassais cette femme, je n'avais ni passé ni futur.

Quand je voulus toucher son sein, elle repoussa ma main.

– Moi aussi, j'ai envie de toi, dit-elle avant de me lécher l'oreille jusqu'à ce que je me tortille sur mon siège. Mais si tu m'excites trop, toute la salle va m'entendre.

Sur quoi elle palpa mon érection et la pressa entre ses doigts.

– Assis ! fit-elle en sentant mon dos se raidir.

Que le film ait duré six heures ou dix minutes, elle attendit la toute dernière fin pour relâcher ma queue.

De retour dans la rue, Monica me prit la main et nous remontâmes vers l'ouest à travers les rues sombres bordées de façades en grès brun. De temps à autre, nous nous arrêtions pour nous embrasser, et chaque fois j'en avais le souffle coupé.

– Tu me diras quand tu dois rentrer, et je t'arrêterai un taxi.

Nous approchions de Hudson Street.

– Tu habites dans le coin ? demanda Monica.

– Un peu plus au sud.

– Montre-moi ta porte d'entrée, et ensuite je prendrai mon taxi.

Nous marchâmes lentement, main dans la main, en faisant halte à chaque carrefour pour mélanger nos salives. Les hauts talons de Monica ne semblaient guère l'incommoder.

J'aurais voulu que cette balade ne s'arrête jamais.

Quand nous fûmes devant ma porte, elle leva les yeux et demanda :

– C'est lequel, le tien ?

– Deuxième étage.

– Très bien. Tu peux me chercher un taxi, maintenant.

J'inspirai profondément avant de l'entraîner vers l'est. Mais elle se figea et me retint par la main.

– Alors quand tu te seras débarrassé de moi, tu vas appeler une de ces nanas avec qui tu sors ?

– Bien sûr que non.

– C'est vrai, ça ? demanda-t-elle d'un air on ne peut plus grave.

– Mais oui, pourquoi ?

– Je me disais que tu serais remonté à bloc après ces baisers et tout le reste...

Je m'accroupis pour lui attraper les cuisses, puis la basculai sur mon épaule et la soulevai.

– Qu'est-ce qui te prend, Cordell ?

Pour toute réponse je sortis mes clés et les tournai dans les serrures.

– Repose-moi ou je crie, menaça-t-elle tandis que nous montions l'escalier.

Mais elle n'en fit rien, pas même lorsque j'ouvris la porte.

Je traversai l'appart pour la reposer sur le sofa. Puis je m'accroupis et soulevai sa merveille de robe.

– Cordell, protesta-t-elle.

Mais quand j'écartai son string et plaquai ma langue sur son clitoris gonflé, elle leva la jambe et jucha son talon blanc sur mon épaule, offrant son minou à mes lècheries verticales.

– Putain ! Cordell. Ben merde, mon négro, tu connais le pays...

Quand elle a joui, je me suis demandé si Martine allait alerter les flics. Mais cela m'était bien égal.

– Stop, stop, stop ! criait Monica. C'est trop ! C'est beaucoup trop !

Je me reculai de quinze centimètres. Les parois roses de sa chatte s'ouvraient et se fronçaient, à la manière d'une bouche appréciant un mets succulent.

– Laisse-moi me relever, haleta Monica.

– Non, répondis-je en soutenant son regard.

– Pourquoi non ?

– Je me régale trop, bébé. J'ai pas eu ma dose.

– Putain, fit-elle en contractant l'anus, cependant que son sexe relâchait un liquide chaud sur le futon.

J'enfonçais aussitôt ma langue dans son vagin. Monica tendit le bras pour presser mon visage contre sa chair. Ses cuisses se refermèrent tel un étau sur mes oreilles, et je fus l'otage de son deuxième orgasme.

La vague passée, Monica voulut à nouveau se relever. Mais je maintins mon refus.

– Tu sais quel goût tu as ? dis-je avant de repasser ma langue sur son clito.

– Ouh... ouh... Non, je sais pas.

– Tu as le goût de chez moi. (Je la léchai plus avant.) Tu as le goût des rêves que je faisais dans la chambre que je partageais avec mon frère. Tu as le goût de tout l'amour que j'attendais.

Je pense que sa dernière lame d'extase devait au fait que je lui parlais, et non à mes paroles ou à mes gestes. Monica glissa du sofa et s'éloigna en rampant sur le dos.

Je me levai, laissai tomber mon pantalon.

Elle fixa mon dard d'un air baba.

Je m'assis sur le canapé.

– Grimpe sur ce machin, Monica.

– Mais, Cordell, ce n'est que notre premier rendez-vous...

– Dépêche-toi, fillette.

– Mais, Cordell...

– Retire tes sous-vêtements. (Elle obéit sans rechigner.) Maintenant viens t'asseoir sur ce machin.

Elle s'approcha doucement, posa les genoux de part et d'autre de mon bassin, mais en évitant de s'asseoir, de sorte que mon gland touchait à peine ses lèvres.

Alors, j'attrapai ses belles hanches et la tirai vers le bas, lui enfournant d'un coup la totalité de mon pénis.

Elle grogna et gémit dans mon oreille, tout en commençant à osciller d'avant en arrière.

– On devrait pas, bébé, dit-elle. Oh oui... Tu sais qu'on devrait pas.

J'émis une note basse, tout près de son tympan.

– C'est divin, Monica. Et maintenant je veux que tu t'actives.

Elle se mit à bouger comme en ressort, faisant claquer ses grosses fesses rondes sur mes cuisses.

– Embrasse-moi, réclamai-je. (Elle s'exécuta.) Mais sans t'arrêter de baiser. Embrasse-moi et baise-moi en même temps, Monica.

Elle obéit de nouveau.

Il ne fallut pas longtemps pour que je sente monter

la sève. Quand je lui agrippai la taille et me mis à augmenter le tempo, elle s'écria :

– N'éjacule pas à l'intérieur, bébé. S'il te plaît.

Mais j'accélérai de plus belle.

– Ne le fais pas, s'il te plaît.

– Si je veux, rétorquai-je.

Elle se laissa retomber sur mon membre et pencha la tête sur le côté. Alors, je me suis relevé. Monica empoigna ma queue et j'aspergeai la table basse. Sa main ne lâcha pas ma pine, même quand je m'écroulai par terre.

– Ben dis donc, dit-elle. Tu gardais tout ça pour moi ?

J'étais allongé sur le dos. Elle embrassait mon téton et me mordillait par endroits.

– Merci d'être ressorti, dit-elle. Je sais que tu aurais aimé jouir à l'intérieur. Moi aussi, j'aurais aimé, mais je ne peux pas me permettre de retomber enceinte. Je dois d'abord veiller à ce que Mozelle prenne un bon départ dans la vie.

– Tu peux rester, cette nuit ?

– Non, bébé. C'est pas l'envie qui manque, mais il va falloir que je rentre.

– Bon, d'accord. (Il était environ minuit.) Je peux te mettre dans un taxi, ou faire le trajet avec toi ou bien te raccompagner à pied. C'est toi qui décides.

– Quand tu disais que j'avais le goût de chez toi, qu'est-ce que tu entendais par là ?

– Il ne t'arrivait jamais, la nuit, lorsque tu étais gamine, d'imaginer l'amoureux idéal ?

– Bien sûr que si. C'était un chanteur, il était plein aux as et connu dans le monde entier. Il me faisait la cour avec des roses et tout le bazar. Et puis il avait un bateau avec une coque en verre et on faisait l'amour devant les poissons. Et toi, tu la voyais comment, la femme idéale ?

– Comme toi.

– Tu me connaissais même pas ! fit-elle en me tapant sur la poitrine. J'étais même pas née à cette époque.

– Je sais. Mais quand je me suis retrouvé là, à genoux devant toi, c'était comme si je retournais au plus profond de ce rêve.

– À peine un petit garçon, et il pense à brouter une nana ?

– Pas une nana. Toi.

Alors elle m'a embrassé, et nous avons refait l'amour.

Nous sommes repartis vers l'East Village bras dessus, bras dessous. Nous nous sommes bécotés pendant pas loin d'une heure avant que Monica ne remonte dans ses foyers.

Sur le chemin du retour, je songeais que j'étais vivant et que je m'envoyais en l'air, tandis que Sasha refroidissait quelque part dans un casier, tuée par sa sombre passion.

Je me retrouvai à Battery Park, au sud-ouest de Wall Street.

Je me suis installé sur un banc, pour contempler l'Hudson en attendant que le soleil se lève dans mon dos. Autour de moi filaient quelques oiseaux de nuit – des sans-abri ou des couche-tard.

Personne ne m'agressa ni me m'adressa la parole.

Comme le jour se levait, je compris que j'étais une âme perdue, mais que ce n'était pas si grave. J'avais dans la poche tous les renseignements utiles concernant Mozelle, la fille de Monica. J'étais chargé de remettre cette enveloppe à Marie Tourneau, de l'école française.

Si je permettais à une enfant, ne serait-ce qu'à une seule, d'accéder à un monde meilleur, alors j'aurais accompli ma mission sur terre. Et je n'aurais plus qu'à errer et à baiser jusqu'à ce qu'il m'arrive un truc et que je crève, ou que je change, ou qu'on me mette en cage.

Je suis douché, rasé, j'ai avalé trois œufs brouillés et je me suis couché. Mais comme je n'arrivais pas à dormir, j'appelai Mme Thinnes à la galerie Nightwood.

– Allô ?

– Madame Thinnes ? Cordell Carmel à l'appareil. Comme j'ai un peu de temps cet après-midi, je me disais que je pouvais peut-être venir vous voir pour avancer nos affaires.

– Ah, dit-elle. Oui, oui, c'est parfait. Disons à 14 heures ?

– Génial.

Là-dessus, j'ai appelé Linda Chou pour lui proposer de reporter au surlendemain notre petite soirée dansante. Comme elle m'en demandait la raison, je lui ai parlé de Sasha. Elle avait lu un article à son sujet dans le journal, et s'est inquiétée de savoir ce que je ressentais.

– Cela fait deux jours que je n'ai pas fermé l'œil, expliquai-je. Non pas que je me sente particulièrement à cran, mais j'ai beau être crevé, pas moyen de m'endormir.

– Rappelez-moi après-demain, dit Linda. J'ai hâte de vous emmener danser, et je suis sûre que ça vous changera les idées.

Malgré tous mes efforts pour arriver en retard chez Mme Thinnes, je stationnais devant sa porte à 14 h 02. Une poignée de clients admirait des photos de rochers tapissés de lichens. Elles avaient été prises dans diverses régions du monde et ressemblaient à des cartes de planètes tracées par des astronomes ou des auteurs de science-fiction.

– Monsieur Carmel, fit Isabelle Thinnes. Merci d'être si ponctuel. Martin !

Un jeune Blanc émergea de ce qui devait être un bureau ou une réserve. Il avait des lunettes épaisses comme des culs de bouteille et des cheveux noirs en bataille. Son costume mal taillé était sa seule concession au décorum. Partout ailleurs, on l'aurait pris pour un bohémien.

– Oui, Isabelle ?

– Peux-tu surveiller la galerie quelques instants ? Je dois m'entretenir avec M. Carmel.

Il hocha la tête, un sourire pincé entre ses joues creuses.

Au fond de la salle, une porte rouge s'ouvrait sur un étroit escalier moquetté de la même couleur. Les dix-neuf marches menaient à un petit bureau meublé d'une table ronde ivoire, d'une causeuse en velours rouge et d'un fauteuil en bois massif. Il y avait des toiles et des cadres entreposés dans tous les coins, et une fenêtre au store baissé.

L'atmosphère était simple et douillette, plus proche de Cape Cod que du centre de Manhattan.

Isabelle portait une robe grise près du corps qui lui descendait jusqu'aux chevilles et soulignait sa minceur. Comme je le disais plus haut, cette femme avait de l'allure et de la grâce. Ses soixante et quelques années n'avaient pas épuisé sa beauté.

– Asseyez-vous donc, monsieur Carmel.

Je m'approchai du fauteuil.

– Non, prenez le canapé. Vous serez plus à l'aise.

Je m'assis où elle voulait. Elle attrapa un dossier sur son bureau, me le remit, puis me regarda parcourir les documents.

Cela ressemblait en tout point aux contrats-types de Linda Chou. Le prix pour chaque photo était celui que je réclamais et la moitié revenait directement à la fondation Lucy Carmichael.

Je relus ces papiers trois fois de suite, avant de regarder la femme qui m'observait toujours.

– Ça me semble très bien, opinai-je.

– Je n'ai rien à cacher, dit-elle d'un air plein de dignité. Quand je veux quelque chose, j'y mets les moyens. J'ai toujours fonctionné comme ça.

– Puis-je emporter ces contrats pour les montrer à Lucy ?

– Mais certainement.

Je les rangeai dans la chemise et souris.

– Vous avez un chouette bureau, déclarai-je.

– Cette galerie appartenait à mon oncle, commença-t-elle avant de s'interrompre. J'aimerais vous poser une question, Cordell...

– Je vous écoute.

Les yeux bleus d'Isabelle Thinnes contenaient beaucoup de gris. Ils avaient quelque chose de presque surnaturel.

– Vous... (Elle hésita.) Vous n'êtes pas un homme politique, dites-moi ?

En temps normal, j'aurais eu l'impression que cette galeriste me testait, qu'elle cherchait à savoir de quel bois j'étais fait. Mais s'il s'agissait bel et bien d'un test, la femme assise devant moins n'était pas l'examinatrice. Dans mon esprit, je me trouvais dans ce petit bureau pour rendre des comptes au monde, pour prouver à la terre entière que j'étais capable de m'affirmer.

– En aucune façon, assurai-je.

– Et vous n'êtes pas vraiment porté sur l'art ? fit-elle d'un ton plus affirmatif.

– C'est vous qui le dites. Je ne crois pas qu'un être humain puisse être indifférent à l'art.

Pour une raison quelconque, ma réponse la fit sourire.

– J'entends par là que vous n'êtes pas comme ce jeune Martin que vous avez croisé en bas. Ce garçon a fait une école d'art et une thèse sur Roy Lichtenstein. Il ne vit que pour ce qu'il appelle la « création transcendante ».

– Eh bien, disons plutôt que ces grandes questions me dépassent.

Isabelle croisa sa jambe gauche sur la droite, puis noua sur son genou ses jolis doigts âgés. Elle inspira à fond et ses narines frémirent sensuellement. On aurait presque dit qu'elle voulait me humer.

– Alors comment êtes-vous arrivé ici ? demanda-t-elle.

J'étais prêt à tirer un trait sur les 5 000 dollars que j'avais versés à Lucy. La question d'Isabelle méritait réflexion et je me fichais, au fond, de décrocher la timbale. L'important, c'était de répondre à cette femme qui sondait mon être et mes motivations. Elle ne savait pas où elle mettait les pieds, et donc elle se renseignait.

– Je... j'étais... Je ne sais pas. Pour résumer, on pourrait dire que j'étais perdu, et que vous et Lucy êtes apparues sur mon chemin. (Je vis son sourire s'élargir.) Ce n'est pas que ça ne m'intéresse pas. C'est juste que je ne suis pas sûr.

– Pas sûr de quoi ?

– Je peux serrer une femme dans mes bras et être transporté par ses baisers – ça, j'en suis sûr. En revanche, les clichés de Lucy relèvent d'un domaine que je ne connais pas très bien. Mais j'ai envie de m'y connaître, et c'est pour ça que je suis ici. C'est un peu comme si j'assemblais un puzzle sans connaître le motif final.

– Mais êtes-vous sensible au sort de ces enfants ? À la valeur artistique de ces photos ?

– J'ai envie de l'être.

Même après toutes ces heures de sexe, je me sentais plus nu que jamais. Isabelle me regardait en silence, l'air ravie. Sans doute percevait-elle des tas de choses à mon insu.

– Ces clichés sont excellents, déclara-t-elle, et l'intention est noble. Mieux, elle est intelligente. Mais qu'en est-il de vous, Cordell ? N'avez-vous rien fait qui puisse vous aider ?

– Peut-être, répondis-je. Je ne sais pas.

Je voulais l'embrasser. Si je l'avais fait, je pense qu'elle aurait su y voir le puissant effet de ses questions.

– Je dois retourner en bas, dit-elle.

– Ouais, moi aussi j'ai à faire.

Cette nuit-là, je dormis douze heures. Mes rêves furent sans rapport avec mes expériences de ces derniers jours. Les images peuplant mon sommeil étaient celles d'une fête foraine où mon père m'avait emmené quand j'avais à peine cinq ans, du côté de Walnut Creek, en Californie. Il voulait que je monte sur les manèges et que je nourrisse les animaux, alors que je n'avais d'yeux que pour les rouages graisseux des machines et les monticules de crottin. J'aimais aussi la boue, et ces scarabées grouillants qui étaient pratiquement de la même couleur. Et ces fourmis rouge vif qui ratissaient des coins d'herbe encore plus verte que verte.

La barbe à papa n'était rien comparée au ciel.

Les éléphants avaient triste mine. Autrefois, comme à présent dans mon rêve, ils me faisaient l'effet de rois vaincus, trahis par de petits hommes jaloux de leur splendeur.

Le lendemain matin, je m'aperçus que l'appart était en foutoir. J'avais envie de faire le ménage, mais une autre tâche m'attendait, une tâche bien plus importante.

Je remis la main sur la lettre de Sisypha et sortis la pilule rouge de l'enveloppe. Je l'avalai sans aucune appréhension – Sisypha exigeait ma confiance et elle l'avait à cent pour cent. Je devais réfléchir à tout ce que je venais de vivre, et cette capsule était censée m'y aider.

Je ne sais pas à quoi je m'attendais. J'espérais peut-être devenir omniscient dès l'instant où la substance atteindrait mon estomac. Mais tout d'abord il ne se passa rien.

Une demi-heure plus tard, j'étais toujours dans l'expectative. Je ne sentais rien, hormis une faim de loup. Mon frigo était vide, mais je m'interdisais de sortir, car Sisypha précisait qu'il fallait rester concentré lorsque l'on consommait ce produit.

Puis c'est devenu insoutenable, alors j'ai filé chez Dino, là où j'avais déjeuné avec Sasha.

La même serveuse m'attribua le même box que la fois précédente. Le vieux couple qui s'engueulait au sujet d'un cousin était encore là, au même endroit, et il s'engueulait toujours.

Je commandai un steak, des œufs, une petite assiette de pancakes et un chocolat chaud, ainsi qu'une tasse de café. Et avant que la serveuse ne reparte, j'ajoutai à sa liste un grand verre de jus d'orange.

Assis sur ma banquette, je me mis à méditer sur la

mort de Sasha. Cette fille avait gardé rancune à sa mère pendant des années et des années. Elle avait dû retourner sa colère et sa douleur contre son frère, jusqu'à ce qu'il finisse par lui rendre la monnaie de sa pièce.

Étais-je dans la même logique avec mon stupide projet de meurtre ? Si seulement j'avais osé intervenir en surprenant Joelle et Fry dans ce salon... On se serait peut-être battus, mais au moins je n'aurais pas détalé comme un écolier paniqué.

Cela dit, si j'avais décidé de leur tomber sur le râble, je n'aurais jamais vu ce sex-shop et n'aurais jamais rencontré Sisypha.

J'aimais Brenda Landfall et je savais qu'elle m'aimait. Elle avait besoin de ma maladresse et de mon inexpérience, de ma retenue. Elle voulait quelqu'un qui perçoive l'esprit sensible derrière la bête de sexe. Moi, il me fallait quelqu'un qui voie ma douleur, et que je ne fasse pas fuir d'ennui.

– Tu étais avec lui, accusait le vieil homme de la table voisine. Je sais que tu es allée à Hampton Bays avec Paul Medri.

– Cela fait presque soixante ans, Roger. Tu ne pourras donc jamais tourner la page ?

– Tu l'as fait dans mon dos, rétorqua-t-il. Vous m'avez fait passer pour une andouille.

– Si tu étais une andouille, tu l'étais déjà avant. Et puis je croyais que tu avais une liaison avec Cynda MacLeish.

– Mais ce n'était pas le cas !

– Mais j'étais persuadée que si.

– Je te déteste, Merle. Je ne peux plus te sentir.

Je m'étonnais de les entendre aussi distinctement, comme s'ils parlaient dans un amplificateur.

Mes sens avaient gagné une acuité nouvelle. Ou bien n'était-ce qu'une impression ? Roger et Merle n'étaient peut-être que les fruits de mon imagination. Ou alors ils étaient là, à parler à mi-voix et c'était moi qui leur prêtais ces propos pleins de haine.

Avais-je de la haine pour Joelle ? Non. Pour Johnny Fry ? Pendant un temps, oui, mais plus maintenant. Leur amour – à supposer que ce mot convienne – ne me concernait pas. Je ne pouvais pas m'immiscer entre eux. Et je n'avais pas envie d'être Fry.

– Voilà voilà, fit la serveuse en apportant mes deux assiettes, mes deux tasses et mon grand verre de jus.

J'attaquai avec cœur, avec une voracité et un abandon qui attirèrent les regards. Une petite fille m'observait d'un air fasciné.

Était-ce comme lors de mon bref passage dans les alcôves du Wilding Club ? Voyaient-ils moi quelque chose de bestial ? Mon appétit d'ogre était-il une autre forme d'expression sexuelle ?

J'engloutis l'orangeade et sifflai mon verre d'eau, avant de croquer les glaçons.

Mon cœur palpitait.

Derrière moi, un homme demandait à un femme si elle l'aimait, d'une voix qui ressemblait à la mienne comme à des millions d'autres.

La serveuse reparut, un sourire lascif aux lèvres – ou alors c'était moi qui souriais ainsi.

– Comment vous appelez-vous ? demandai-je à cette jeune Hispanique.

– Tita.

– Vous êtes sublime, Tita.

Elle sourit et me regarda de biais.

– J'ai un petit ami, vous savez.

– Vous n'en êtes pas moins sublime. C'est pour vous

que moi et des tas d'autres gars fréquentons cet endroit. C'est un vrai bonheur de voir ce visage et ce sourire.

– Vous êtes mignon, dit-elle. Vous voudrez autre chose ?

– Je vais reprendre des pancakes et du bacon.

– Tout ça ?

– L'homme privé d'amour se rabat sur la bouffe, comme on dit.

– Vous vous êtes fait larguer ?

– Non. Pas encore. Mais notre amour a disparu pour devenir autre chose. Il s'est perdu et s'est transformé en... en je sais pas quoi.

Je posai mes yeux sur la table. Quand je les relevai, la serveuse avait disparu. Les deux vieux s'engueulaient toujours, mais je ne pouvais plus entendre – ou imaginer – ce qu'ils racontaient.

J'avais sans doute eu tort de ne pas affronter Joelle et Johnny, mais dans mon erreur je m'étais trouvé moi-même. À la lumière de ce constat, je me demandai une nouvelle fois s'il fallait tuer Johnny Fry. C'était peut-être le mieux, même si je n'étais plus furax. L'abattre comme un chien.

Il m'avait volé mon amante. Il se l'envoyait toute la semaine quand je n'avais droit qu'aux week-ends. Il recevait tout le nectar, et moi seulement quelques gouttes d'eau sur un chiffon sec.

Si je le tuais, si je l'abattais, Joelle comprendrait le sens de ma souffrance. Elle me soupçonnerait, mais sans être sûre que ce soit moi. Car il n'y aurait aucune preuve, aucun flingue pour me compromettre. Et quand bien même on m'épinglerait et m'enverrait devant un jury, quelle importance ? Ce serait le coup d'éclat parfait. Mon frère l'assassin serait choqué ; ma mère dans le gaz se souviendrait de mon prénom. Et

Johnny Fry, dans sa lente agonie, regretterait chaque instant où il avait baisé, sodomisé, souillé de pisse, prostitué, giflé, maltraité Joelle Petty et son amour échevelé.

Les pancakes et le bacon refroidissaient sous mon nez. Je n'avais pas vu passer Tita. Ma bite était dure sous la table, raide comme le flingue de Brad.

Johnny Fry me faisait bander. Je voulais le voir mourir. Ce n'était plus une question de haine, mais de désir. Son sang m'appelait comme un chant. Fry avait besoin que je le supprime, car c'était son seul moyen d'obtenir l'absolution.

Je poursuivis mon repas avec une ferveur intacte. Tita vint à trois reprises remplir mon verre d'eau.

Je faillis lui parler de mon arme et de ma trique, mais je sus tenir ma langue. Mon silence me protégeait.

C'est seulement là que j'ai compris que la drogue faisait son office. Je pensais par symboles et par métaphores, je me concentrais sur ce qui comptait le plus à mes yeux. Tel était l'effet de cette drogue à penser.

Comme je quittais le restaurant, Tita courut derrière moi.

– Excusez-moi, dit-elle.

– Oui ? fis-je en me retournant.

Je me sentais la dévorer des yeux. Mon cerveau était en surchauffe et je devais avoir l'air cinglé.

– Vous n'avez pas payé.

– Ah oui, fis-je tout en m'obligeant à détourner le regard. Je vous dois combien ?

– 26 dollars et 41 cents.

Je lui remis deux billets de vingt.

– Gardez la monnaie.

– Mais c'est bien trop !

– C'est loin d'être suffisant, dis-je en rendant à ma

voix – à défaut de mes paroles – une certaine sobriété. Pour une personne comme vous...

– Vous êtes sûr que ça va ?

Son visage trahissait une réelle inquiétude. Je lui touchai la joue, et elle n'esquiva pas.

– Tout va bien. Je pète la forme.

De retour dans mon appartement, je posai le flingue du junky sur la table de la cuisine. J'ouvris la boîte de munitions, vidai son contenu devant moi, puis me concentrai de nouveau sur Johnny Fry.

Je méditai sur le fait que ma copine était devenue le jouet d'un homme blanc. Ce détail avait-il son importance ? Je n'y avais guère pensé jusqu'ici. Mais à présent, je cherchais à comprendre. Étais-je victime d'une forme de racisme ? Fry prenait-il son pied à l'idée de piquer la femme d'un Noir, de lui faire crier « Johnny ! » et de lui soutirer une passion qu'elle n'éprouvait pour aucun autre ?

Cela paraissait assez absurde.

Méritait-il de mourir ? Oh oui, qu'il le méritait. Et c'était à moi de le descendre.

En serais-je capable ? Affirmatif, là encore. Son sang me rendrait hilare. Je rirais comme un fou jusqu'au cimetière, après quoi je grimperais et danserais sur sa tombe.

Pistolet en poche, je pris un taxi jusqu'au Westside et parcourus à pied les derniers blocs jusque chez Joelle, en m'arrêtant à chaque poubelle pour y jeter quelque chose.

– Montez donc, monsieur Carmel, me dit Robert lorsque je pénétrai dans le hall.

La drogue n'agissait quasiment plus. Je ne pensai qu'à

une seule chose pendant la montée en ascenseur : le côté exhibitionniste de la liaison entre Jo et Johnny les avait sans doute incités à baiser dans cette cabine, sous les yeux de Robert ou de n'importe quel autre portier. Il lui retrousserait sa jupe, la plaquerait contre la glace et lui enfilerait son long machin pendant qu'elle se tordrait et gémirait en faisant sa mijaurée, en faisant celle qui ne voulait pas. Derrière la console de l'entrée, les portiers mettraient le son, pour entendre Joelle réclamer de la bite tandis que Johnny lui demanderait qui était son homme.

Elle m'ouvrit en tenue d'Ève. Sa nudité n'avait cependant rien de sexuel. Sur le moment, j'ai pensé que Joelle cherchait ainsi à me dire qu'elle serait aussi franche que possible – mais c'était juste la drogue de Sisypha qui faisait un dernier tour de piste.

Je l'embrassai avec douceur, sans rien attendre en retour, et elle me surprit une fois de plus en répondant d'une tendre accolade, à la fois légère et ferme.

– Entre, L. On a trois heures devant nous.

– Pourquoi seulement trois heures ? m'étonnai-je, tout en me demandant comment meubler un temps si long.

– Johnny va passer quand tu seras parti, dit-elle en me fixant avec un aplomb fébrile. Il est dans la rue, à attendre qu'on ait fini. Je l'ai appelé pendant que tu prenais l'ascenseur. Il va me jeter dans la baignoire, me pisser dessus, puis me sauter, puis m'enculer et après ça, je lui ferai des trucs.

– Pourquoi voulais-tu me voir ? Visiblement, c'est lui qu'il te faut.

– Je te dis juste quel est le programme, répondit-elle d'une voix monocorde. De même que je lui ai dit ce que j'ai l'intention de te montrer. Ça l'a rendu fou de jalousie. Il a pleuré et juré qu'il m'en empêcherait, mais il en a besoin tout autant que moi.

Elle prenait un petit air sarcastique.

– Et tu comptes me montrer quoi, exactement ?

– Viens au salon et retire tes fringues.

Je me suis prêté au jeu. Je n'éprouvais aucune gêne à me tenir nu dans son living. Mon pénis était parfaitement mou. La seule chose dont j'étais certain, c'est que Joelle et moi ne ferions plus jamais l'amour ensemble.

Joelle vit mon bas-ventre et sourit.

– Mon honnêteté te coupe l'envie, L ?

– On a drôlement dégusté, chérie. Et je pense qu'on sait l'un comme l'autre que c'est terminé.

– Seulement si c'est ce que tu veux, répondit-elle.

– Comment ça, si c'est ce que je veux ? Ton amant fait le pied de grue dans la rue !

– Ça fait six mois qu'il me saute du lundi au vendredi, et pourtant je ne t'ai pas quitté.

Son ton et son visage étaient ceux de toujours, mais jamais je n'aurais cru entendre de tels mots dans sa bouche.

– Et tu voudrais continuer comme ça ?

– Parfois, il restait avec moi le samedi, jusqu'à ce que tu arrives. Parfois, quand j'allais faire mon footing du dimanche, il me baisait dans le parc pendant que tu m'attendais ici.

– Je ne pige pas, Jo. Tu essaies de me blesser ?

– Tu n'en as pas ras le bol de mentir, par moments ? Tu n'as jamais envie de balancer toute cette merde qu'on fabrique vingt-quatre heures sur vingt-quatre ?

Je souris et m'assis dans le canapé.

– Tu trouves ça drôle ?

– Non, Jo, ce n'est pas drôle. Le truc, c'est que toi

tu as plein de choses à révéler. Ton oncle. Johnny Fry. Le vendeur de cravates. Moi, mon seul secret, c'est que je n'ai pas grandi à San Francisco, mais à Oakland. Mais c'est un mensonge qui n'affecte que moi-même.

– J'ai des vidéos de Johnny et moi, dit-elle.

Cela me fit penser à Sisypha, ma nouvelle sœur, et j'eus un nouveau sourire.

– Il me demandait de parler de toi pendant qu'il m'enculait.

– Tes images ne m'intéressent pas, Jo. Elles ne pourront pas m'exciter.

– J'ai autre chose pour t'exciter, dit-elle d'un air faraud.

– Je ne prendrai pas de cachets ni aucune saloperie de ce genre.

– Mets tes talons sur le coussin.

À quoi bon ergoter ? Ma vie avec Jo était finie. Je savais que c'était notre dernier moment d'intimité. Je savais que je la laisserais à Johnny Fry dans moins de trois heures.

Elle s'assit au bord du sofa et me suça les couilles. Elle les roulait dans sa langue et je sentais ses grognements jusque dans ma queue.

Je me souviens que c'était agréable, à défaut d'être émoustillant.

– Tu as de belles grosses couilles, L. Je les adore. Depuis toujours. J'ai toujours eu envie de les sucer, mais nous n'avions pas ce type de rapports. Tu étais plutôt coincé avant de me voir avec Johnny.

J'allais répondre quelque chose, mais je décidai de me taire.

– Tu aimes cette sensation ?

– Ouais, fis-je d'une voix détachée.

– Le soir où j'ai rencontré Johnny chez Brad Mettleman, il m'a glissé à l'oreille qu'il voulait que je lui suce les couilles. Tel quel. Je pensais que c'était une simple provocation, alors je l'ai invité à la maison. J'étais persuadée qu'il ne viendrait pas, mais il s'est pointé. Je lui ai dit de montrer ses attributs, en pensant que ça le calmerait. Mais il a sorti sa longue queue et m'a présenté ses couilles comme deux belles pommes dorées.

En même temps qu'elle me parlait, Jo massait mes burnes avec son nez ou les prenait brièvement en bouche, tout en émettant des notes basses pour que l'onde se propage en moi.

– Je l'ai sucé vraiment très fort et il m'a dit d'insister. C'est là qu'il m'a eue. C'est là que j'ai su qu'il allait faire de moi sa chose. Je l'ai sucé comme ça jusqu'à ce qu'il dise qu'il allait jouir. Mais il m'a fait continuer et il a déchargé partout sur le canapé et sur mes livres d'art. Puis je me suis renversée par terre et il a secoué sa bite pour lâcher les dernières gouttes sur mon visage.

Ses paroles et son souffle transpiraient la passion. Je l'ai regardée, elle m'a souri.

– Je ne lui ai pas avoué à quel point il me possédait. Je lui ai dit qu'il se croyait très fort, mais qu'en réalité il ne connaissait même pas le sens de ce mot. Puis je suis allée dans le placard et j'ai sorti la ceinture que mon oncle m'obligeait à prendre chaque fois que je venais chez lui. Quand il voulait me punir, il réclamait la ceinture, et si par malheur j'avais oublié de l'apporter, ma famille était privée d'argent pendant une semaine.

« Johnny m'a installée sur le dossier du canapé, pliée en deux, les fesses en l'air, et il m'a frappée d'une manière que l'oncle Rex n'aurait même pas imaginée. Je l'ai supplié d'arrêter, mais je n'étais pas sincère et il a continué. Il m'a fouettée sans relâche jusqu'à ce je m'effondre dans un coin, comme une vieille serpillière.

« Ensuite il m'a baisée, et je l'ai baisé. Il a passé toute cette première semaine ici.

Je m'interdisais d'être excité par son histoire, alors même que Joelle me faisait découvrir un niveau d'intimité que nous n'avions jamais connu ensemble. Se sentir proches, complices et amoureux est une chose. Mais ce qu'elle me racontait là, c'était tout ce qu'il ne fallait pas dire à un amant. Elle se dévoilait jusqu'aux entrailles, et je pouvais voir son cœur, son sang, sa chair, ses os.

Après la fête chez Brad, elle avait soi-disant été malade pendant deux semaines. Quand j'avais voulu prendre soin d'elle, elle m'avait renvoyé chez moi, au motif que le moindre bruit ravivait sa migraine.

J'imaginai l'autre la pourchasser dans l'appartement, lui arrachant des cris avec sa vieille lanière.

Je mugis à pleine gorge, tel un morse échoué sur une plage.

En dépit de mes résolutions, ma pine commençait à se tendre.

– Tu ressens ce que je raconte ? demanda Jo.

Je gémis de plus belle et tentai de me dégager. Ce n'était pas normal d'apprécier le récit de son propre cocufiage. Je voulus me libérer, mais elle m'agrippa les couilles.

– Bouge pas, L. Tu voulais savoir, eh bien je vais te montrer.

Elle fixa quelque chose autour de mes bourses, au-dessus des testicules. Ce n'était pas très serré, mais suffisamment pour ne pas se décrocher.

– Glisse-toi un peu vers l'avant, bébé, roucoula-t-elle.

Ce n'était plus la même femme. Je n'étais plus le même homme.

J'avançai mon derrière, et elle inséra dans mon rectum un petit objet retenu par une ficelle.

– Je veux que tu sentes ce que ce que je ressens, ce à quoi je suis accro. Pas des petits bisous de pucelle, mais des intestins noués et des cris dans la nuit.

Elle prit mon pénis dans sa bouche et grogna une note rauque.

J'eus une brusque poussée de fièvre, avant de grelotter de froid.

– Certains soirs, reprit-elle, quand tu appelais pour me souhaiter bonne nuit, Johnny s'approchait dans mon dos et me fourrait sa bite pendant qu'on discutait. Tu me parlais de je ne sais quel problème de traduction et je te parlais de je ne sais quelle campagne de pub, et pendant ce temps Johnny me troussait sans retenue. Parfois je te demandais un instant et je te mettais en attente, le temps de brailler et de jouir. Parfois, je léchais le sperme sur sa bite pendant que tu me lisais une phrase ou un paragraphe en français.

Je me mis malgré moi à promener ma queue dans sa bouche. Son visage se plissait en m'accueillant au fond de sa gorge. Puis elle reculait la tête, un filet de salive suspendu aux lèvres.

– Je ne lui ai jamais rien refusé et je l'ai poussé à m'avilir, à me punir pour toutes ces années où j'ai gardé le silence.

Je compris à sa façon de bouger qu'elle voulait que je me couche par terre. Or je ne pouvais lui tenir tête, pas plus que je ne pouvais ignorer ma queue turgescente.

– Tu vois ceci ? fit-elle en brandissant un disque noir percé d'un bouton rouge.

Sans même me laisser répondre, elle pressa le bouton,

et je reçus un long coup de jus dans les couilles et dans le derrière.

– Tu le sens, ça ? demandait-elle tout en prolongeant la décharge.

Mes membres étaient raides et mon dos se contractait, cambrant tout le haut de mon corps.

– Tu le sens, L ? insista-t-elle, sans pitié.

J'essayai de hocher la tête. J'ignore si j'y suis parvenu, mais elle a relâché le bouton.

– Regarde, dit-elle alors.

J'avisai sa peau brun doré contre mon épiderme foncé, avant de voir que ma trique n'avait jamais été aussi longue. Elle avait bien gagné trois ou quatre centimètres.

– Tu le sens, L ? lança-t-elle en m'électrocutant de nouveau.

Ce fut un peu moins fort, ou bien je m'y habituais. Joelle passa la langue sur mon gland, déclenchant un arc bleu entre sa bouche et moi.

– Tu sens cette énergie qui te traverse, L ? Voilà ce que j'ai ressenti pendant toutes ces années avec mon oncle, toutes ces années où j'ai refusé de faire machine arrière. C'était une torture délicieuse. J'aurais pu y mettre le holà, mais je ne l'ai pas fait. Au début je m'inquiétais pour ma famille et puis après, après, je... je ne savais même plus d'où je venais.

Elle grimpa sur ma queue et me besogna, en m'électrocutant de manière aléatoire. Elle aussi recevait le courant, qui passait directement de mon corps au sien. Malgré leur profondeur, ces chocs semblaient retarder mon éjaculation. L'électricité me traversait de part en part, de ma taille jusqu'au sommet de mon pieu rallongé.

J'étais sur le point de jouir, mais je n'y parvenais pas, pas plus que je pouvais m'arrêter de limer. Et pendant tout ce temps, Joelle, la femme que je n'avais en définitive jamais connue, persistait à me demander mes impressions :

– Tu le sens, bébé ? C'est ça que tu voulais savoir ?

Le jeu continua pendant plus d'une heure, jusqu'à ce qu'elle redescende et prenne ma bite à deux mains, ce qui signifiait que les coups de jus allaient cesser. Ce soulagement m'autorisa un orgasme incroyable, de loin la sensation la plus intense de toute ma vie. Cinq minutes plus tard, je convulsais encore.

– Voilà ce que ça me fait, chuchota Jo. Voilà pourquoi je ne peux pas rompre avec John Fry. Il me procure ça et j'en ai besoin, sinon je vais crever.

Je tentai de dire quelque chose, mais je n'étais pas bien remis des électrochocs.

Quelques minutes s'écoulèrent, puis Jo se leva et s'isola dans sa chambre.

Au bout d'un moment je voulus la rejoindre, mais elle avait tourné le verrou. Alors je rassemblai mes vêtements et me rhabillai lentement, en espérant qu'elle ressortirait pour me dire au revoir. Mais quand j'eus lacé mes chaussures sans avoir revu son visage, je me résolus à quitter son appart et sa vie.

Retrouvant le dehors, je m'assis sur un banc près du mur séparant Central Park de la rue. Ma main couvait le pistolet dans ma poche. Le souvenir des électrochocs me faisait frissonner.

Oui, j'avais senti ce que Joelle me montrait et je savais que c'était trop pour moi. Je n'avais d'autre choix que de rompre, étant incapable de la frapper ou de lui faire ce qu'elle venait de me faire.

Relevant les yeux, je vis Johnny Fry se diriger vers l'immeuble de Jo.

– Johnny ! lançai-je.

Il s'arrêta et me reconnut. Je lui fis signe d'approcher.

– Salut, Cordell. Comment ça va ?

– Comme un rat qui viendrait de traverser un fleuve : vivant mais vanné, sans trop savoir pourquoi je l'ai fait.

Johnny s'assit à mes côtés.

– Elle a besoin de moi, Cordell.

Un spasme me remonta l'échine, secouant ma carcasse sur le banc de pierre.

– C'est sûr, répondis-je. Elle a besoin de quelque chose.

– T'es un mec bien, Cordell, mais Joelle possède une face très sombre. Je ne sais pas ce que vous avez fabriqué là-haut, mais dis-toi que tu n'en as pas vu la moitié. Cette fille est un vrai démon en furie. Tu as de la chance qu'un type comme moi vienne t'en débarrasser.

– Ça, c'est toi qui le dis.

– Me dis pas que tu veux la garder alors qu'elle t'a tout avoué sur nous deux ! Tu sais, des fois je restais chez elle du dimanche soir jusqu'au samedi matin. Si vous aviez des gosses, ce seraient tous les miens !

– Ce ne sont pas mes affaires, monsieur Fry.

Ses efforts pour m'éloigner de Jo étaient assez plaisants. Il était en position de faiblesse et je n'allais pas m'en plaindre.

– Comment ça ? demanda-t-il. Tu comptes t'accrocher ?

– Je n'ai pas de plan préétabli, John. Elle m'a dit qu'elle allait me montrer un truc, puis que tu allais lui pisser dessus et l'enculer.

– Tu n'as pas le droit de parler d'elle comme ça ! cracha-t-il. Il y a du magnifique chez cette femme. Elle est en train de se transformer en quelque chose de merveilleux. Tu n'as pas le droit de parler d'elle comme ça !

– Mais toi tu as le droit de la tringler pendant qu'on est au téléphone. Tu as le droit de lui juter sur la bouche pendant que je me ridiculise en français ou en espagnol.

– Tu ne peux pas comprendre ce qu'on éprouve.

C'est là que j'ai sorti le flingue, pour le tenir dans ma paume ouverte.

Johnny se pétrifia en voyant de quoi il s'agissait.

– Je comprends, déclarai-je. Je comprends ton point de vue. Je me suis procuré ce flingue pour te buter. Je l'ai piqué à Brad Mettleman, en estimant que tu devais mourir pour m'avoir mis plus bas que terre.

Johnny s'empara de l'arme et la pointa sur moi :

– Pauvre connard, va ! Tu comprends pas ce que ça représente. Tu mériterais que je te troue le corps tout de suite, en pleine rue. Espèce d'abruti. Espèce de tête de con. T'as pas la moindre idée de ce que ça fait de... de... d'être avec elle – avec la *vraie* Joelle. Tu sais pas qui elle est. Elle est comme le soleil. Elle... Elle... Elle...

J'ai levé les mains bien haut. J'aurais pu sourire, si je n'avais pas été touché par les sentiments de Johnny. Il était amoureux de Jo, même si ce n'était pas réciproque. Il était pris dans le bourbier des sévices de l'oncle Rex, davantage encore que ne l'était Joelle.

– J'ai jeté les balles, John.

– Quoi ?

– Je les ai disséminées dans des poubelles en venant ici. Je savais que je ne pourrais pas te tuer. Je savais que je ne la récupérerais jamais.

– Plus un geste ! cria quelqu'un.

Johnny fit volte-face, balayant l'air avec son arme. Je repérai les policiers en même temps que lui. Ils ouvrirent le feu, touchant Fry à dix-sept reprises.

Holland Dollar vint me retrouver le soir au poste. Cette fois, je n'étais là que pour répondre à des questions.

Je racontai aux flics l'essentiel : ma copine m'avait fait venir pour m'annoncer qu'elle allait entretenir une liaison avec Fry ; là-dessus j'avais attendu Johnny pour lui dire que je savais tout et que je n'appréciais pas cette trahison ; alors il avait sorti un flingue et menacé de me tuer, même si je doutais qu'il ait vraiment eu l'intention de tirer.

C'était en grande partie vrai. En grande partie.

Les quelques jours suivants, j'ai passé de longues heures assis dans mon appartement du second étage, à me demander si j'avais tué Johnny Fry. J'examinais mes motivations, je sondais mon cœur. Ce serait mentir que de nier la haine qu'il m'inspirait, car franchement je me serais bien passé de ses leçons. Il m'avait humilié, il s'était moqué de mon impuissance et pourtant, pourtant je n'avais pas tenté de lui ôter la vie.

Je me trimballais avec un flingue vide et en me pointant là-bas j'ignorais que Johnny traînerait devant chez Jo. Si elle était sortie de sa chambre, je lui aurais offert cette arme pour lui exprimer de manière symbolique la force de mes sentiments. Voilà ce qui était prévu.

Ensuite, une fois dans la rue, je ne pouvais pas deviner que la police se pointerait – ni même, pour commencer, que Johnny me piquerait le pistolet.

Je n'aurais jamais cru qu'il redoutait mon influence sur Jo.

Ni les tribunaux ni le bon sens ne pouvaient m'imputer le moindre crime. Et malgré tout, un certain moment de la séquence résistait à ces belles explications. Quand la première balle avait atteint Johnny, il avait émis un léger grognement de surprise ou de peur et sur le coup j'avais ressenti un mélange de plaisir et d'espoir. Une petite voix au fond de moi se réjouissait de sa fin imminente. En bref, je n'avais pas appelé les flics, mais je ne leur avais pas non plus demandé d'arrêter. Cela n'aurait rien changé, mais le fait que je n'avais rien fait pour sauver Fry signifiait, d'une certaine façon, que j'étais *favorable* à sa mort.

Vu sous cet angle, je suis coupable d'avoir fermé ma gueule alors que j'aurais pu l'ouvrir. Fry serait tombé de toute façon, j'en suis sûr, mais cela n'excuse pas ma passivité.

Je n'ai plus jamais adressé la parole à Joelle. Peut-être qu'elle me déteste, peut-être pas. Elle a téléphoné à plusieurs reprises, mais je n'écoute pas ses messages. Je les efface sitôt que je reconnais sa voix.

Je me confie à Cynthia toutes les semaines, et Sisypha m'a rendu visite trois fois en trois mois. Elle tient sincèrement à être ma frangine, et malgré la culpabilité qui me ronge, cela me comble de bonheur.

Je fréquente plusieurs femmes – sexuellement parlant. Linda, Monica, Lucy et même Tita. L'expo de Lucy a fait un tabac. Sa fondation a récolté 300 000 dollars, ce qui a permis de créer un centre pour les jeunes Africains rendus orphelins par les guerres et le sida.

Mozelle, la fille de Monica, a été admise au Lycée français.

Je sais que je n'aurai pas été très digne dans cette affaire. J'aurai presque tout fait de travers et pourtant je m'en tire assez bien. Mais je me répète qu'il n'est jamais trop tard pour se racheter, et que les plus mauvaises décisions ne produisent pas toujours le pire.